新対話篇

NEW DIALOGUES

ゲンロン叢書｜006

東浩紀

HIROKI AZUMA

genron

新対話篇

目次

はじめに …… 005

草木の生起する国　梅原猛 …… 009

テロの時代の芸術　鈴木忠志　司会＝上田洋子 …… 039

ＳＦから神へ　筒井康隆 …… 073

種の慰霊と森の論理　中沢新一 …… 103

文学と政治のあいだで　加藤典洋 …… 129

正義は剰余から生まれる　國分功一郎　177
デラシネの倫理と観光客　五木寛之＋沼野充義　221
歴史は家である　高橋源一郎　255
国体の変化とジェンダー　原 武史　291
生きることとつくること　飴屋法水＋柳 美里　327

初出一覧　380

はじめに

東浩紀

本書は、二〇一二年の三月から二〇二〇年の一月にかけて行われた、ぼくが参加した一〇回のインタビュー・対談・鼎談を収めた書物である。煩雑なので以下では「対話」という言葉で総称する。

一〇の対話のうち八つは、ゲンロンの媒体でいちど活字にしたものの再収録である。残りふたつのうち、ひとつはゲンロン以外の媒体が初出で、残りのひとつは本書のため新しく収録したものだ。正確には高橋源一郎氏との対話は二回の対談を統合してつくられた原稿で、だから対話の場そのものは一一回存在したのだが、これも煩雑なので本書では一回と数えておこう。

ぼくはこの一〇年、無数の対話に出席してきた。ぼくが創業した会社、ゲンロンは、二〇一三年の二月にゲンロンカフェというイベントスペースを開設している。ぼくはその店で開催され、ネットで放送されるトークショーの主要な登壇者で、開業以来いままで、最低でも月に一回、多いときは五回以上の登壇をこなし続けている。ゲンロン以外の媒体や講演会に招かれることもあるので、この一〇年で参加した対話の数は五〇〇を超えるだろう。

本書はそのなかから、哲学や芸術の役割について語り、とくに印象に残った一〇の対話を選んで編んだ対談集である。それゆえ対談相手は哲学者や作家が多い。

哲学や芸術の役割が主題であると記すと、政治学者の原武史氏との対話が異質にみえるかもしれない。けれども、梅原猛氏との対話、中沢新一氏との対話、加藤典洋氏との対話、高橋源一郎氏との対話とのつながりのなかにおけば、それも収録された意味を理解していただけるのではないかと思う。天皇がいて、神がいて、他方で戦争の記憶もあるこの国において、哲学や芸術になにができるか。それが、この対談集の、隠された——といってもいま記してしまっているが——主題である。


しばしば記していることだが、ぼくはこの一〇年ほど、哲学とはなにか、言論人にはなにができるかについて考え続けてきた。その問いには、むろん、この時代のこの国でという限定も含まれる。

ぼくはもともと、現代思想と呼ばれる「最先端」の哲学を学び、その蓄積のうえで批評家として仕事を始めた人間である。だから、ある時期までは、それら「最先端」の言葉をつかって、社会を分析したり、作品を解読したり、ひとを批判したりするのが大切なことだと信じていた。

けれども、震災と原発事故以降、そのような「最先端」への信頼はすっかり衰えてしまった。

「最先端」の知識をもつはずの人々が、政治や社会の具体的問題について、おそろしく素朴で、愚かな発言しか行わない例を無数に見てしまったからである。

それゆえぼくは、いつのころからか、かつて学んだこととは逆に、哲学の本質とは結局はひとりひとりの人間との対話でしかないのではないかと、知識や分析なんてなんの役にもたたないのではないかと、そのように考えるようになってしまった。ゲンロンカフェの経験がその確信を後押しした。店にはたくさんのお客さんがくる。放送はさまざまなひとが視る。彼らの多くは哲学の歴史などなにも知らない。けれども、なにかを学び、考えたいと思って、ぼくのもとに話を聞きに来る。その彼らの願いに触れることができずして、なにが言論だろうか。流行の言葉を弄び、政治や公共を語り、そのくせじっさいには狭い学者仲間と編集者仲間しか視野に入っていない、そんな多くの「言論人」は、この原点を忘れている。

ヨーロッパの哲学はソクラテスから始まった。ソクラテスはただ話した。プラトンのように書かなかったし、アリストテレスのように体系もつくらなかった。ぼくは本を書きたいし、体系もつくりたい。けれどもこの国では、まずそれ以前の作業が必要だと感じる。

この時代のこの国で、ソクラテスをやりなおすためにはどうすればよいのか。多少おおげさにいえば、そんなことばかり考えて生まれたのが、この対談集である。

ゲンロンは二〇一〇年の四月に生まれた。本書は、その創業一〇周年を記念し、『哲学の誤配』と題するインタビュー・講演集と同時に出版されている。
収録から本書の完成までのあいだに、梅原猛氏と加藤典洋氏のふたりはこの世を去ってしまった。もっとうかがいたいことがたくさんあった。謹んで冥福を祈りたい。

二〇二〇年三月二一日

草木の生起する国

梅原 猛

2012年3月10日

梅原 猛
うめはら・たけし

1925年－2019年。哲学者。立命館大学教授、京都市立芸術大学学長などを歴任。著書に『地獄の思想』（1967年）『隠された十字架』（1972年、毎日出版文化賞）『水底の歌』（1973年、大佛次郎賞）ほか多数。スーパー歌舞伎「ヤマトタケル」の創作など劇作家としても活躍。国際日本文化研究センター初代所長。1999年文化勲章受章。2004年には「九条の会」の呼びかけ人となり、2011年からは東日本大震災復興構想会議の特別顧問も務めた。

文明の災い

東浩紀　今日はインタビューを受けていただき、ありがとうございます。

ぼくは梅原先生の本が個人的に好きで、かなり読ませていただいております。いままでは自分の仕事と接点をつくるのがむずかしかったのですが、昨年（二〇一一年）、東日本大震災直後に梅原先生が「原発事故は近代文明そのものが起こした災いである」と発言されているのを拝見しまして、その真意についてぜひうかがいたいと思いました。今日はその話から出発し、先生がこの十数年温めておられる哲学の構想の全体をあらためて概観するお話をいただければと思います。よろしくお願いいたします。

梅原猛　よろしくお願いします。お話のとおり、原発事故はひとつのきっかけになりました。いま、ヨーロッパをはじめとする先進国はほとんど、エネルギーの何割かを原子力に頼って文明をつくり上げている。だから、原発事故によって文明そのものが問われているのだと思いました。また、わたしの生まれは仙台で、母方は石巻の渡波《わたのは》というところなのですが、ここは大震災でたいへん大きな被害を受けましたので、とてもひとごととは思えませんでした。さらに、被災地の悲惨な光景は、わたしの戦争中の体験に重なるものがありました。

わたしは旧制高校二年生のとき、名古屋の東北地区にあった三菱重工業の工場で勤労奉仕をしていて、そこで空襲に遭いました。そのときたまたま仕事をさぼって友だちとおしゃべりしていて、友だちと同じ防空壕に入りましたが、空襲が終わって外に出ると、もともとわたしが入るはずだった防空壕に弾が直撃していて、なかにいたひとはみな死んでいた。防空壕のなかで座ったまま青白くなって死んでいた中学生をいまでもありありと思い出します。

そしてあの戦争に深い疑問を感じていた。わたしは入隊しましたが、外地に行けず、本土防衛隊として九州にいました。当然米軍の空襲があり、わたしは死ぬものと思っていました。しかし広島と長崎に原爆が落とされて終戦となり、わたしは命長らえました。それで、原爆で被害を受けられた方たちに対する後ろめたさのようなものがわたしのなかにずっと残っています。

東日本大震災復興構想会議に特別顧問として参加するときにも、震災で亡くなった方に対するそのような思いがありました。そしてそのような体験によって戦後考えつづけてできた自分の哲学を、思い切って語ろうとする勇気を得て、二〇一一年の一〇月から一二月にかけて、京都造形芸術大学の東京藝術学舎で「人類哲学序説」と題して講座を行いました。

ではわたしの哲学とはどのようなものか、戦後からいまにいたるいきさつまでさかのぼってお話ししたいと思います。

そもそもわたしは、日本の哲学者として最も偉大な人物のひとりである西田幾多郎に憧れて、西田の学風が残る京都大学の哲学科に入りました。西田さんは人類がどう生きればいいかを自分の頭で考えて、その思想をひとつの体系としてたくさんの論文にした。それはすばらしい業績なのですが、「絶対矛盾の自己同一」というように、非常に難解な言葉で表現していて、もうすこし易しい言葉で語れないかという思いがわたしにはありました。

もうひとつ、西田さんの弟子筋にあたる京都学派の学者、高山岩男さんなどが「世界史の哲学」という論を唱え、大東亜戦争を肯定したが、それは現実の戦争の悲惨さをまったく認識していないと思いました。

しかし、戦後の哲学者は、西田さんのようにすべてを自分の頭で考えることをしないで、プラトンが専門ならプラトンの研究ばかりをするようになった。それは哲学者とはいえず、哲学研究者、あるいは哲学史家にすぎないのではないかと思います。わたしはずっと、西田さんのような学問こそが哲学で、自分もいつかはそういう哲学を創りたいと思っていました。それがここ一〇年ほどでやっとかたちになってきたのではないかと思います。

ニーチェやベルジャーエフの影響もあってわたしは早くから、西洋文明は行き詰まっているのではないかと思っていたのですが、そういう西洋哲学の原理を超える、新しい文明の原理が日本の思想のなかに潜在しているのではないかと考え、日本の思想を研究してきました。

西田さんともたいへん親しかった鈴木大拙さんに『禅と日本文化』（一九三八年）という著書がありま す。これは世界的な名著で、西田さんはこれを受けて、西洋の哲学は「有」の原理だが、日本の哲学は「無」の原理だと論じました。しかしわたしは、日本の文化をすべて禅や「無」で説明しようとするのは無理があると思いました。禅というのは鎌倉仏教のなかのひとつであって、鎌倉時代よりまえの日本文化は説明できないはずです。

では日本の思想の原理とはどういうものかというと、わたしは二〇年ほどまえから、「草木国土悉皆成仏《そうもくこくどしっかいじょうぶつ》」というのがそれにあたるのではないかと思っています。草や木や、さらには国土、つまり石や土までが煩悩を持つ、そして仏性を持つ生き物だという思想です。これは植物中心の世界観ですね。これは天台宗と真言宗が習合してできた天台本覚思想によって生み出されたものですが、浄土、禅、法華などの鎌倉新仏教に共通の思想的前提となっています。

この世界では生き物が殺しあいをして生生流転する、そこにこそ生の歓喜があるという思想は、文化にもさまざまなかたちで表れています。

とくに能でははっきりと、「鵺」のシテである鵺のような悪獣、「西行桜」「遊行柳」に登場する桜の精、柳の精といったように、あらゆるものがいつか必ず成仏できる生き物として描かれている。あるいは、皇居外苑に松の木が植えられている。松は、木偏に公と書くように、木の王様とみなされていて、天皇を象徴しているんですね。さらには「君が代」の歌詞にしても、小さな石が大きな岩になるというのは、石が生きていて育っていくという考え方なのだと思います。

そこからさかのぼっていくと、縄文時代の勾玉にたどり着くんです。勾玉にはヒスイでつくられているものがあります。ヒスイの淡い緑色は、雪のなかから萌え出てくる緑を思わせる。そして動物のかたちをしたヒスイの勾玉をつくり、それを第一の宝物とする。つまり植物の精や動物の精を宿したものをいちばんの宝物としていたのではないか。縄文時代は狩猟採集文明であって、狩猟採集文明はアメリカインディアンを見ても、アボリジニを見ても、かなり高い精神性を宿している。人類最初の狩猟採集文明にはそのような精神性があったのではないかと思っています。

ところが西洋の文明はそうではなく、人間中心主義ですね。デカルトの「我思う、ゆえに我あり」にしても「我」が世界の中心になっている。それに対する自然は対象物であって、人間の意志によって理解できるし、支配できる。そういう文明が原子力を生み出した。しかしやっぱりそれではだめで、もういちど植物を中心にした、人間や植物、動物、すべての生きとし生けるものと共存する思想を見なおさねばならないのではないか。

回帰する魂

梅原　お話ししたいことがもうひとつあります。「永劫回帰」というニーチェの思想は、人間の主観的な意志にとって、同じ世界が繰り返されるとしたら退屈でやりきれないということです。それを意志の要請として肯定しようというのがニーチェの立場ですが、そうではなく、永劫回帰というのは客観的に起こっているのではないかと思います。

どういうことかというと、わたしはいまから一五年ほどまえ、自分の育った愛知県の田舎に孫を連れていって、わたしが子どものころにセミを取って遊んだ場所でセミを取らせたことがあります。かつてわたしがセミを取った場所でわたしの孫が、わたしが取ったセミの何十代目かの子孫のセミを取っている。こういうのが永劫回帰だと思うのです。親鸞の思想にも二種回向《にしゅえこう》という思想があり、それは阿弥陀如来のおかげで極楽浄土に行く往相回向《おうそうえこう》と、それとともに阿弥陀如来のおかげでこの世にまた帰ってきてひとを救う還相回向《げんそうえこう》という思想です。これは魂の永久の往復運動ですね。縄文時代の遺跡にウッドサークルといわれる、柱を一〇本円形に並べて立てて、その柱を何年かごとに立て替えたらしい跡がある。木が古くなると、別の木に神が宿って蘇ってくるという信仰があったのでしょう。諏訪大社の御柱祭や伊勢神宮の御遷宮も同じ思想によると思います。

　これは日本人にかぎった世界観ではなくて、アイヌのイオマンテという祭りにも見て取れるし、古代民族はだいたい、人間が死ぬとどこかに行って、そしてまた子孫の妊婦の腹のなかに帰ってくるという信仰を持っている。そういう意味での永劫回帰が、これからの思想にはたいへん重要になるのではないかと思います。

　つまり、わたしどもの命は、原始的な生命から脈々と伝えられたもので、これからも未来永劫に続いていく。そういう生命を与えてくれた自然に対する深い畏敬の念が、文明の中心になければならないのではないか。親鸞によれば、信心を得た者は等正覚《とうしょうがく》といって、弥勒《みろく》と同じ位になるとされています。弥勒菩薩というのは未来の人々を救う未来仏なので、それと等しいということは、ある意味で永久不変の命が宿るということですね。これはやはり新しい信仰だと思います。

ニーチェは、哲学者は独身でなければならないと言い、ソクラテスはわざわざ悪妻を選んで結婚したといいますが、わたしはやはり、結婚するのがふつうの人間だと思うんです。

東　すばらしいお話をありがとうございます。

先生の仕事は多岐にわたっています。西洋哲学、仏教研究から日本古代史研究、そして能や歌舞伎の創作までじつに多様で、その全体を把握するのがむずかしいのですが、いまのお話でひとつの軸が見えました。先生にとって、西田幾多郎を乗り越えるという哲学的課題こそが出発点なのですね。

梅原　そのとおりです。

東　西田哲学の乗り越えという課題が最初にあり、さまざまな過程を経て到達したのが、植物を中心とした共生の思想であり、生命の永劫回帰であると。これはたいへん興味深いお話です。ニーチェからハイデガーへといたる「存在」「実存」の哲学――京都学派ふうに言えば「有」の哲学――に対して、「無」を立てた西田幾多郎がいる。ところが、先生はそのような存在と無の対立とはまったくちがったところで、哲学をつくろうと試みられてきた。

ぼくも西洋哲学の研究から出発したのですが、西洋の哲学は原理的に個人の哲学であり、ひとを孤独から考える点に限界を感じていました。その条件を日本的な「無」で乗り越えようとしたのが西田幾多郎だったとすると、先生はその図式を根本から変えようとしている。環境に包まれ、世代の連続性のなかに位置づけられた、けっして個体にならない人間、いわば実存にならない人間とでもいうべきものを考えているのではないか。梅原猛という思想家を、ようやく哲学史のなかに位置づけることができたと感じています。

存在と人間

東　西田とハイデガーは似ているので、先生の哲学は、ハイデガー批判から出発したという整理もできるかと思います。ハイデガーの哲学はすごく完成されてはいるのだけれども、人間のことしか考えられない。出口がない。

梅原　わたしはハイデガーについてはうんと勉強したのですが、やはり哲学というのは自分でつくるものだと思っていましたので、ハイデガーを紹介するということはあまりしてきませんでした。しかし、ハイデガーの言葉で言うと、「存在」をあきらかにするのがわたしの哲学だと言えます。

ご存じのとおり、ハイデガーは若いころ、ダーザイン（現存在）であるところの人間がいかに実存に目覚めるかということを考えている。それがケーレ（転回）を経て、実存の哲学から存在の哲学に変わります。つまり人間中心ではなくなるということです。曰く、存在が隠れてあらわになってくる、アレテイア（隠れていないもの）をギリシア初期の哲学者は語っていた。それがプラトンによって忘れられた。それが存在なのです。デカルトにいたってますます忘れられた。理性の哲学によって長いあいだ存在ということが忘れられていて、ヘルダーリンでようやく蘇ってきた。

東　ハイデガーでは「存在」がきわめて抽象的な概念として考えられていた。それを先生は植物の意志として捉えなおす。

梅原　そうです。ハイデガーの言葉で言えば、森のなかの道を歩いていると、存在の言葉が聞こえてくる。だから存在とは自然に近いものなのですが、正確には自然ではない。

東　ハイデガーにおいては、「存在」は森そのものではなく、むしろ森のなかにぽっかり空いた空地として考えられた。彼の主要論文集は『杣径《そまみち》』と題されている〔★1〕。まさに「森のなかの道」のことです。

梅原　はい。しかし、ハイデガーは結局、「言葉は存在の家である」という言葉からもわかるように、存在をあきらかにするのは言葉であるという立場を取る。そして、真の言葉は哲学者や詩人にしか語れないものだから、ギリシアの哲学者やヘルダーリンによってのみ存在が語られていると言います。そこには同意できない。

東　おっしゃるとおりです。じつは、ぼくが研究していたジャック・デリダという哲学者も、まさにその点を批判しています。

梅原　どんなことを言っているのですか。

★1　Martin Heidegger, *Holzwege*, Vittorio Klostermann, 1950. 邦訳は『ハイデッガー全集　第5巻　杣径』、芽野良男ほか訳、創文社、一九八八年。

東　デリダはある点では西田幾多郎とよく似た哲学者です。たとえば西田には「絶対矛盾の自己同一」といった厄介な概念がありますが、デリダもまた同じタイプの議論をしています。ただしデリダは、初期のころはまじめに哲学論文を書いているのですが、だんだん、詩のような文学のような奇妙な文章を書くようになっていくのです。ぼくは博士論文（『存在論的、郵便的』、一九九八年）で、その理由をこそ扱いました。その点では、西田幾多郎の乗り越えから始まり、文学を含んだ多様な表現に行き着いた先生の試みは、デリダと並行していると言えるかもしれません。

ところで、そのデリダの仕事で、ぼくが高く評価しているのが『グラマトロジーについて』（一九六七年）という書籍です。そこで彼は、言葉の本質を、音声ではなく「エクリチュール」、すなわち文字として捉えようとしています。しかも、その文字の例として出てくるのがヒエログリフやマヤ文字なのです。つまり、絵だか文字だかよくわからない、刻み目のようなものこそが言葉の本質なのではないか、とデリダは言うのですね。

ここからさきはぼくの解釈が入ってきますが、デリダはおそらく、ハイデガーの「存在の家」をそうした刻み目として捉えようとしていたと思うのです。文字の本質は刻み目にある。ところが同時にその刻み目は自然にもできる。そして、自然にできてしまった刻み目が文字のように見えてしまうこともある。言い換えれば、わたしたちは自然のなかに魂を発見してしまうことがある。ハイデガーのように「存在の家」は言葉だとだけ捉えると、哲学は人間から出られなくなってしまう。デリダはそこを解放しようとした哲学者だと思います。デリダと先生は、ほぼ同世代でもあります。

梅原　よくわかりました。わたしが知っている例で言うと、世阿弥に「白楽天」という能があります。白楽天が日本の情勢を探るために博多にやってきた。住吉明神が小舟に乗って白楽天を迎えに行った。そこで、白楽天は「中国には詩というものがある。おまえの国にはなにがあるか」と問う。住吉明神は「わたしの国には歌がある。詩は人間だけがつくるものだが、歌は、古今和歌集の序文にあるように、ウグイスの声も、カエルの鳴き声さえも歌である」と答えて、白楽天を追い返してしまう。日本では雨の音も風の音も、みな歌に聞こえる。能では小鼓の音で波の音を表現したりしますね。そのようにあらゆる音が歌に聞こえるということのほうが、人間だけがつくる詩よりもずっと上ではないかと思います。

東　ルソーは『言語起源論』（一七八一年）で、言語の起源は歌だと主張しています。遠く離れている人間が歌や叫び声でコミュニケーションを取るものこそ本来の形態で、それが堕落して言葉ができてきたというのです。最近でも「さえずり言語起源論」といって、鳥のさえずりをコンピュータで分析するといろいろなパターンが見えてくるのだけど、じつはそれと人間の言語の起源は同じなのではないかと考えているひとがいるようです。言語がある人間と言語がない動物の境界は、じつはすごく小さいのかもしれません。

梅原　そうですね。そこは西洋哲学とアジアの哲学の本質的なちがいではないかと思います。いまのデリダの話もおもしろいと思いましたが、デリダがフランスでハイデガーを取り上げたというのはたいへん重要なことだと思います。なぜなら、ドイツではやはりハイデガーがナチスと結びついたことがいまでも非常に問題視されていて、わたしがフライブルク大学に行ったときも、フッサールの生誕一〇〇周年のときには記念行事が行われたそうですが、ハイデガーを大学としては顕彰しないということを聞きました。あなたはハイデガーとナチスの関係をどう考えますか。

東　ナチスとの関係はハイデガーの哲学にとって本質的なものであり、偶然ではないと思います。フランスでハイデガーが受容されたのはけっこう遅く、そのため、ぼくが専門にしていたポストモダニストと呼ばれる人々は、彼の文章を政治から切り離すことができたのかもしれません。彼らはナチスからハイデガーを救おうとしたとも言えます。

ハイデガーは政治的に厄介な存在ですが、同時にたいへんすぐれた哲学者です。二〇世紀の後半、その思想が政治的な事情のため扱うことがむずかしくなったというのは、やはり残念なことだと思います。

梅原　そうですね。ハイデガーの初期は、自己の運命と国家の運命が融合するというふうに、どうしてもナチスが出てくるようになっている。そして戦争中、ハイデガーはニーチェ研究に取り組む。だんだんニーチェに批判的になり、これがじつはナチス批判に重なっていたのだと思うのですが、その終わりにケーレが起こり、ニーチェはやはりデカルトからヘーゲルにいたる理性の哲学の背後に意志があることを発見した哲学者であったとしますが、それは西欧哲学の終末の哲学で、新しい「存在」の哲学にはならないというのです。しかしわたしは、ハイデガーの「存在」の哲学もまた人間中心主義を免れていないと考えます。デリダにはそういう思想の萌芽を感じましたが、やはりそれは日本のような非西欧文明の役割ではないか。

日本は西欧文明をいち早く取り入れて、多大な恩恵を受けたのですが、その大きなマイナス面も経験した。つまり広島・長崎に落とされた原爆と、福島の原発事故です。西欧文明の功罪をともに経験した日本には、それを超えていくという世界史上の役割があるのではないかと思います。

これはトインビーが一九六七年に来日したときにわたしと話したことでもあります。もともとユーラシア大陸の西の果ての西欧が世界を征服できたのは、科学技術文明を生み出したからである。それを日本が、次いでトルコが取り入れて近代国家として発展してきたけれども、そのように西欧文明を取り入れる時代は終わった。これからは日本のような非西欧文明が、自分の原理で科学技術を考える、そういう新しい文明をつくらないといけない、つくるであろうとトインビーは語りました。わたしは、日本はどういう原理で新しい文明をつくれるかと尋ねると、「若いおまえが考えろ」と言われた。その宿題に、四〇年以上経ったいま、やっと答えられるようになったと思います。

東　人間だけが主体で自然は客体であるという二分法の発想こそが、西欧文明から科学が生まれることを可能にしました。しかし、これ自体は哲学的な根拠があるものではない。実際、現代の科学的知見は、この二分法をいろんな場面で否定している。人間だけが主体であるわけではなく、人間と自然がきれいに分かれるわけでもない。最先端の科学的知見を思想的に理解するためには、むしろ近代科学の出発点を変えなければならないということですね。そして、そのときヨーロッパ以外の地域の文明こそが貢献できることがあると。

梅原　そういうことです。だから日本に役割があるのです。日本には非常にすぐれた西洋哲学の翻訳や研究の伝統がある。ラテン語で語られている哲学を自国語すなわちドイツ語で表現することによってドイツ哲学が始まったように、日本でも翻訳を使って論じてほしいですね。中国ではサンスクリットの仏典をぜんぶ漢訳するところから研究を始めた。そこにもちろん誤解は伴いますが、創造的な解釈もたくさん出てくる。日本でもそういうことをやってほしい。
　わたしはある種の好奇心から、仏教も、神道も、アイヌの思想も勉強して、自分の哲学に役立ててきた。そういう好奇心を、つぎの世代の若いひとにも持っていていてほしいですね。

実存を超えて

東　それでは、個別の質問に移らせてください。さきほどのお話は、倫理的には自分の実存に固執しない生き方を称揚していると言えます。先生はまさにいまそのような境地にたどり着いているわけですが、同じ達成が若いひとにも可能なものなのでしょうか。というのも、若いひとはどうしても自分が個人であること、特異な存在であることにこだわってしまうものだと思うからです。著書を拝読するに、先生自身もそうだったのではと思うのですが。
梅原　わたしも若いころ、ニーチェやハイデガーの実存主義から出発したのですが、現実に非常に苦しい生活を送っているときに、実存を頼りに生きていくことはできないと感じました。それで結婚し、就職もして、実存の論理を超えて生きていくために「闇のパトス」という論文を書いて自分の心の暗さを分析しました。

ほかにも、ニヒリズムを超えて人生を肯定するために、「笑い」の哲学を考えていました。寄席に通い、渋谷天外、藤山寛美、大村崑の笑いを研究して論文を書いた。こうしたことによって実存を乗り越えていったのです。

東　そのときはまだ、草木国土悉皆成仏の思想への道筋は考えられていなかった。

梅原　考えていませんでした。それは最近になって、仏教の研究ばかりか能の研究をして確信するにいたったものです。「闇のパトス」や笑いの研究から出発して、いろんな研究をした結果、天台本覚論に到達したのです。

東　別の角度からお尋ねします。さきほどなぜあの質問をしたかと言いますと、震災後の脱原発の議論があります。いま日本では、原子力発電は人間の欲望が生み出した自然支配の末路であり、わたしたちはこれからは、自然と共生し慎ましく暮らすべきだという議論が沸き起こっています。

しかし、そのときに人間の欲望はどうなるのでしょうか。若いひとはなかなか欲望を捨てられません。それが実存主義の支えでもあると思いますが、そのようないわば「妄執に囚われた人々」をどのようにして共生の哲学に導くことができるでしょうか。

梅原　わたしは哲学の原理として共存ということを言っていますが、それを聞いた個人がどういう欲望を持つかということは、別問題ではないかと思います。

直接に答えるのはむずかしいので、別の話をします。あなたの『動物化するポストモダン』（二〇〇一年）を読み、子どものころのわたしもオタクではなかったかと思いました。わたしは婚外子で、しかも幼いころに母に先立たれて、預けられた先の親戚のおじさんとおばさんを親と思って育った。親戚のひとや近所のひとはみなその真相を知っていたのですが、自分だけが知らず、なぜか世間は自分に対して冷たい目を持っているという感覚だけがありました。それで小学校に入るまえから孤独な自分の世界に閉じこもって、買ってもらった力士のブロマイドを毎日眺めたりして、いろいろ空想に耽っていました。あなたの言うオタクの元祖みたいなもので、そうした経験と自己の思想に夢中になることはどこかでつながっているように思います。

太陽と森の世界へ

東　ぼくの本を読んでいただけて光栄です。いまの感想も興味深く聞きました。『動物化するポストモダン』は、日本の若いひとたちの文化が、無生物に対する愛に溢れていることに着目した本です。現実には存在しないキャラクターが、まるで生きているひとのように大事に扱われている。そこでは、草木国土悉皆成仏の発想がまったく別のかたちで生きつづけている。また日本ではロボット産業も盛んです。モノに魂を見出す思想は、実践として日本の現代文化に息づいているのかもしれません。

梅原　そうですね。手塚治虫さんにもそういう仕事がありますね。手塚さんはわたしの作品を愛読してくれていて、わたしが書いた『ギルガメシュ』（一九八八年）という戯曲をアニメにしたいと言ってくれました。これは実現しないうちに手塚さんが亡くなってしまいましたが。

東　「アニメーション」は、アニミズムと語源が同じで、モノに魂を宿らせる技術のことを意味します。手塚さんはまさに、その言葉のとおり線に命を与える仕事をされていた。そこでモノに魂が宿るという思想に共感できたのかもしれません。アニメがなぜ日本で強いのかという問題ともつながります。

梅原　そうですね。手塚さんは『ギルガメシュ』の物語にたいへん興味を持ってくださったようでした。森の神のフンババを殺したギルガメシュ王が、その祟りでいろいろな目に遭うという物語なのですが、森の神を殺すということがまさに西洋文明のはじまりを意味しているのです。

ほかの例で言うと、エジプトは農業国です。ナイル川が肥沃な土を運んできて、そこに太陽があたる、そして小麦ができる。だから太陽の神のラーがいちばん大切にされる。太陽の神は、死んではまた生き返るということを繰り返す。同じ農耕文明のマヤ文明も、日本も、同様に太陽崇拝を持っていますね。日本の神の中心はアマテラスで、天の岩戸に隠れるというのはやはり死んで生き返ることを示しているのだと思います。日本の仏教の中心は大日如来です。太陽の仏ですね。

そして太陽神のつぎに重要なのは、エジプトではイシス、日本では観音菩薩で、どちらも水の神、仏です。太陽と水の神というのがエジプトにも日本にもいて、それらはすなわち農業神と言えると思います。
ギリシアやユダヤには太陽と水の恩恵という概念がありません。タレスが「万物の根源は水である」と言ったように、水はあっても太陽がないのです。なぜならギリシアは海賊国家で、海を渡って植民地を支配することで栄えてきたからです。だからギリシアの神話は非常に血なまぐさい。ユダヤも遊牧民族なので農耕を知らない。この太陽と水の恵みを忘れた文明が、近代文明につながっている。
東　すこし整理させてください。いままでの先生のお話は、ギリシアとヘブライ以降、人間中心の哲学が続いてきて、その先に実存主義とか自然を支配する思想があり、また技術的にも原子力に行きついたという構図になっていたかと思います。そして、震災後のわたしたちは、あらためて「人間以前」の哲学に戻る必要があるのだと。
大筋は理解しているつもりなのですが、いまのお話ですこし混乱してしまいました。先生はいま、人間以前の哲学を象徴する存在として、太陽と森のふたつを語られた。しかし、太陽の思考は農耕民のもので、森の思考は狩猟採集民のものだと思います。両者はどういう関係にあるのでしょうか。
梅原　重要な問題ですね。わたしははじめ、狩猟採集民を中心に考えていたのですが、長江文明の研究を始めてから農耕民を見なおし、そして二〇〇八年に吉村作治さんといっしょにエジプトに行きまして、いっそう農耕民を重視するようになりました。狩猟採集民と農耕民は別のものですが、どこかで調和すると思います。森も太陽が育てているわけですから。
東　いまのお答えは、さきほど語られた植物の意志あるいは主体性という問題意識とどう接続されるのでしょうか。農耕文明は、植物をモノとして扱い、客体化し支配することにより成立する文明のようにも思えます。

梅原　日本ではそうでもないようです。柳田國男によると、春になると山の神が田にやってきて田の神になる。そして稲刈りが終わると山に帰る。山の神と田の神が一体になっている。これはすなわち、縄文と弥生の融合を意味しています。神社には必ず森があって、森のなかの石や木に神が降りてくるということが、縄文と弥生が融合した痕跡だと思います。これが日本の文化だと思います。

わたしは二〇一〇年の『葬られた王朝』という著書にも書いたように、縄文と弥生の融合という歴史があったと考えています。ヤマト王朝以前にあった出雲王朝というのは弥生の文明なのですが、縄文時代の狩猟採集文化を引き継いでいた。出雲で銅鐸や銅剣や銅矛がたくさん出土したのがそれを証明しているのではないかと思います。出雲の銅鐸には、鹿や魚を獲ったりする人物に並んで、農耕をしているひとが描かれている。農耕と狩猟採集が入り混じった文明があったことの証明です。そしてその出雲王朝がヤマト王朝に国を譲る。この歴史が『古事記』に記されているのではないかと思います。

つまり、イザナギとイザナミは縄文で、アマテラスからが弥生、そのなかでスサノオからオオクニヌシにいたる出雲王朝から、ニニギのヤマト王朝へという交代劇が描かれている。これはわたし自身が以前に書いた『神々の流竄』（雑誌初出一九七〇年）の説がまったくまちがいだったと認めることにもなってしまいましたが。この新しい説が正しいとすれば、ヤマト王朝は自分にとって好ましくないかもしれない歴史をはっきりと書き残していたことになり、それはすばらしいことだと思います。

東　つまり、日本においては、狩猟採集文明と農耕文明のある種の融合が達成されたということですね。単純に森の国であるだけではなく、森と太陽の国なのだと。岡本太郎が「太陽の塔」を縄文的なものの象徴として造形したことなど考えると、そこらへんの関係は複雑なのかもしれません。

縄文の思想はいまではどのようなかたちで残っているのでしょうか。

梅原　たとえば淡路島に、男根と女陰をかたどった巨大な石が祀られている場所があります。縄文の思想はそういうセックス崇拝です。縄文の遺跡からはしばしば男根や女陰のかたちの石器が出土するように、産めよ増やせよという意識が見て取れます。『古事記』にもイザナギとイザナミがセックスをしたという話がありますね。

しかしギリシア神話は酷な殺しあいの話が中心です。そのなかで、アリストテレスは生物の多様性に興味を持っていました。アリストテレスの動物学はおもしろいです。ラクダがどうやってセックスするか、昆虫はどうやってセックスするかという具合に、セックスの研究をしています。アリストテレスがこれほどセックスに興味を持っていたということは、あとの時代ではまったく無視されている。これはちょっと歪んだ姿勢だと思います。

対してプラトンは一神教の性格が強い。これがキリスト教の土台になったように思います。さらにスコラ哲学の時代になると、神学や形而上学が最も大事にされるようになり、一神教の流れにつながっていきます。だから一神教を乗り越えるのに、アリストテレスのような生物の多様性に目を向けることが役立つかもしれません。

東　アリストテレスが多神教的というのはおもしろいですね。ニーチェであれば、ギリシア哲学を乗り越えるため、ソクラテス以前に戻り、ディオニュソスの狂乱を発見する。ところが、先生はそこでアリストテレスの博物学的な知のほうに注目するわけです。

ロマンの病

東　もういちど欲望の話をさせてください。太陽、森、博物学的多神教の知、いずれにおいても、欲望に満ち溢れた生命の世界への肯定が基調にあると思うのです。それは先生の哲学や創作すべてをかたちづくるものでもありますね。

しかし他方では、いま、もし多様な生物と共生することを選ぶのであれば、現代人はみずからの欲望を抑えなければならないとも思います。欲望の肯定と抑制、その両者の関係についてお話をうかがえますか。

梅原　個人的な話でお答えしましょう。わたしはいまはだいぶ衰えましたが、もともと愛欲が強いほうなんです（笑）。それは悪いことではない。愛欲が抜群に強いひとを見ると、「煩悩即菩提」という言葉を思い起こします。わたしも愛欲が強く、それに知識欲や創造欲がとても強い。しかし名誉欲や金銭欲はわりあい薄い。学者のなかにも金銭欲や名誉欲の強いひとがいますが、そういう欲望が本質的には知識欲や創造欲に吸収されていくような、そういう欲望を持つひとになってほしいと思います。

東　欲望の種類が問題ということでしょうか。

梅原　わたしは生活に対する欲望はほとんどないんです。この家も自分で選んだ家ではない。粗食でもけっこう楽しめるし、着るものは家内が着せてくれるものを着せ替え人形のように黙って着ています。それはふつうのひととはちがうかもしれませんが、かわりにひとの求めない途方もなく大きなものを求めて哲学の仕事をしてきました。

　空海の言葉で言うと、世の中のひとは小欲で満足しているが、わたしは大欲を持っている。大欲とは大日如来が衆生を思う心です。絢爛たる五色で表現される密教の世界は、欲望の輝かしい肯定だといえます。その大欲というものを、わたしはスーパー歌舞伎『ヤマトタケル』（一九八六年初演）における台詞で「天翔ける心」と言わせました。また第二作のスーパー歌舞伎『オグリ』（一九九一年初演）では「ロマンの病」という言葉で表しました。わたしが芝居を書くのも、哲学では表現できないものを表現したいという、ロマンの病がさせることなんです。だから広い意味では、芝居を書くことも哲学の一部です。

　わたしに『ヤマトタケル』を書かせた三代目市川猿之助は、シェイクスピアはフランシス・ベーコンだという説を信じている。哲学者だからいい芝居が書けたのだというのです。日本のこれからの哲学者も、カントならカント一筋に一生を捧げるというのではつまらない。哲学者はいろいろなものを読んで、自分でものを考えないと。あなたもなにか書いていますか。

東　じつはぼくも小説を書いています。

梅原　あなたもいつか芝居を書いてください（笑）。若いひとには小欲を捨てて大欲を、ロマンの病を持っていてほしいと思います。

京都に住みつづけること

東　最後にもうひとつ質問させてください。今日はここ、先生のたいへん素敵なお宅、東山の麓に佇み、和辻哲郎が住み岸田劉生が通ったという邸宅［★2］でお話をうかがっています。東京郊外出身のぼくには望むべくもない環境です。

先生は、ご自身の仕事が、このお宅に住まれていること、そしてこの京都という町に住まわれていることとどのような関係にあるとお考えでしょうか。

梅原　わたしは旧制高等学校時代に東大に行くか京大に行くか迷い、結局京大に行き、それ以来京都に住んでいるのですが、ここでなければわたしの古代学はできなかっただろうと思います。東大には、

★2　京都市左京区にある梅原邸。明治時代に、実業家原三渓の番頭の古郷時侍によって建てられたのち、和辻哲郎や、岸田劉生の弟子の岡崎桃乞が住んだ。「密語庵《みつごあん》」として国の登録有形文化財に指定されている。

ちょっと偉くなると政府の仕事に関わろうか、あるいは体制に反抗しようかという空気がありました。けれども京都に住んでいると、政治とはある種の距離感がありますので、千年の真理を追い求めようという気になりました。

それから、京都は周囲を山に囲まれていて、この庭にもイノシシが出たりする。中国の都市は長安でも洛陽でも、山があってもはげ山ですね。だから奈良時代に中国から渡ってきた仏像は金銅仏や乾漆像や塑像ですが、日本で仏像がつくられるようになると、仏像の中心は木彫仏になります。木彫仏の曼荼羅というものが東寺の講堂にある。そういう日本の木の文化が京都には残っていて、わたしの思想ともつながっていると思います。

また、わたしは西田幾多郎をはじめ、田邊元、九鬼周造、天野貞祐といった京都学派の人々から多くのことを学びました。戦後は京都大学人文科学研究所に集った桑原武夫、今西錦司、貝塚茂樹という人々、そして湯川秀樹さんとも親交があった。そのように異なる分野のひとどうしがサークルをつくるという文化は東京にはないですね。

東　京都でそれが可能なのはなぜでしょうか。やはり町が小さいからですか。

梅原　町が狭いから飲みに行くところはだいたい同じになる。やはり祇園町に行きましたね（笑）。祇園町というのはたいへん優美な遊びをするところでね、セックスとはあまり関係がない。そして半年にいちどくらいは通わないと、きちんとした客とは認めてもらえない。そのかわりちょっとしたコミュニティができて、店も勘定を融通してくれたりします。そうして京都学派の人々が味方になってくれたのはほんとうにありがたいことでした。

ニーチェが言うように、自分が孤独であることをたしかめつつ、真理だけを味方に論争するというのは勇気がいります。一神教の国なら、孤独になっても神様が支えてくれると思えるのかもしれませんが、多神教の日本人にとって、真理だけに忠実であれということはむずかしい。わたしには湯川さんや吉川幸次郎さんのような味方が現れて、思いがけないところから励ましてもらったおかげで、孤独な研究を続けることができた。それも京都に来たおかげだと思います。

また、わたしが西田さんから学んだことのひとつに、日本の伝統的な思想のなかに新しい哲学の原理を探すということがあります。そのために古代の研究をしているとき、史跡や史料を見に容易に現地に行けるのも、京都に住んでいてよかったことのひとつですね。

『隠された十字架』(一九七二年)にしても『水底の歌』(一九七三年)にしても、通説を疑って考えつづけていると、ふと直観がひらめく。それは既存の定説からすれば到底受け入れられないような考えかもしれないのですが、徹底的に文献調査をして検証していく。そして文献調査にとどまらず、関係のある場所を実際に見に行く。

『隠された十字架』は法隆寺の建物をひとつひとつ見て書きました。二〇年ほどまえ、『水底の歌』で書いた説と関わりの深い調査があった。わたしが『水底の歌』で柿本人麻呂が死んだ場所と考えた鴨島は、文献では一〇二四年の津波で沈んだといわれているのですが、実在したかどうかはわかっていません。そこで当時東大の惑星物理学者の松井孝典さんがリーダーになって、島の跡を探す調査が行われた。島の痕跡は見つかりませんでした。しかし津波があり、それがどのていどのものであったか、はっきり証明された。この調査がのちに貞観《じょうがん》地震の調査の参考になっている。つまり、文献の記載を検証するという思想も、わたしの仕事と関係しているところがある。

思想というのは、新約聖書「ヨハネ伝」に「一粒の麦もし地に落ちて死なずば」とあるように、あとのひとが育ててくれるかどうかにかかっているんですね。たとえばソクラテスが一粒の麦だとすると、ちょうどわたしとあなたのように歳が離れたプラトンという若いひとがその麦を育てて受け継いでいく。イエス・キリストも一粒の麦でしたが、たんなる一粒の麦だけで終わってしまいそうなところを、パウロというひとが育てていき、大きな宗教をつくり上げた。

わたしもプラトンのアカデメイアのようなものをつくりたくて、中曽根康弘さんという甚だすぐれた総理大臣のもとで、国際日本文化研究センターを創設せしめ、その所長を務め、いわば第三の京都学派をつくれたことを、夢がひとつかなったと考えています。これからも、東さんのような若いひとに、わたしがまいた麦を育てていってほしいと思います。

東　ありがとうございます。今日はまさに麦の一粒を受け取ったような気がいたします。大事に育てていきたいと思います。

いまのお話は、最初の講義にあった、世代のつながりの問題と深く関係していると思います。思想や宗教は、ほんとうは、世代や家族、そして地域のつながりを考えるためにこそあった。ところが近代哲学はあまりにも個人の実存を強調し、そして他方、いまの日本では社会の現実として人々が急速にばらばらになりつつある。そのような時代において、西洋哲学の超克から始まりつつ、個人の実存から生命のつながりへと力点を移してきた先生の思想的な歩みは、それそのものが強いメッセージに満ちたものになっていると感じました。

ところでほんとうに最後、冗談みたいな質問ですが、そのお歳でたいへん元気でいらっしゃるのには、なにか健康法でもあるのでしょうか。

梅原 健康法はないですね。

東 食べ物に気をつけているとか、運動をしているとか。

梅原 ないです。若いころから、まったく好きなときに好きなものを食べて、好きなことをやってきました。家内は「こんなひとといっしょになって、一生苦労した」と言っています（笑）。

東 すばらしい。とても力強い言葉で、勇気をもらいました。それをまねて、ぼくも不摂生に生きていきたいと思います（笑）。

梅原 好き勝手に生きるというのがいちばんの健康法ですね。若いころは酒もたくさん飲みましたよ。いつか祇園町にお連れしましょう。

東 それは光栄です。先生が連れていってくださるのなら、どこへでもお供します。

今日は長い時間、ほんとうにありがとうございました。

テロの時代の芸術

鈴木忠志

司会＝上田洋子

2015年5月23日

鈴木忠志《すずき・ただし》

1939年生まれ。演出家。1966年、劇団SCOT（旧名 早稲田小劇場）を創立。1976年、早稲田から富山県利賀村に本拠地を移し、合掌造りの民家を劇場に改造して活動。1982年より、世界演劇祭「利賀フェスティバル」を毎年開催。俳優訓練法スズキ・トレーニング・メソッドは世界各国で学ばれている。BeSeTo演劇祭創設者、シアター・オリンピックス国際委員。著書に『内角の和』（1973年）『劇的言語』（1977年、中村雄二郎との共著）『演劇とは何か』（1988年）など。

上田洋子《うえだ・ようこ》

1974年生まれ。ロシア文学者、ロシア語通訳・翻訳者。博士（文学）。ゲンロン代表。著書に『瞳孔の中 クルジジャノフスキイ作品集』（共訳、2012年）『チェルノブイリ・ダークツーリズム・ガイド 思想地図β4-1』（調査・監修、2013年）『歌舞伎と革命ロシア』（共編著、2017年）『プッシー・ライオットの革命』（監修、2018年）など。

上田洋子（司会）　演出家の鈴木忠志さんをゲンロンカフェにお迎えできることを、たいへん光栄に思います。わたしは以前ロシア語通訳として鈴木さんのお仕事に関わったことがあります。

最初にお仕事をさせていただいたのは、一九九九年に静岡で開催された第二回シアター・オリンピックスのときでした。シアター・オリンピックスは、アメリカのロバート・ウィルソン、ロシアのユーリ・リュビーモフ、ドイツのハイナー・ミュラーといった世界を代表する演出家とともに鈴木さんが発起人になって始められた、世界的な演劇フェスティバルです。ロシアからはタルコフスキーの『ノスタルジア』（一九八三年）や『鏡』（一九七五年）の主人公を演じた俳優も来るなど、レベルの高いフェスティバルでした。それぞれの芝居もすばらしかったのですが、歴史に残るひとがどのように仕事をするのか、その様子を垣間見て、たいへん感銘を受けました。

本日あらためて司会をさせていただくことになったのは、昨年（二〇一四年）、鈴木さんが構成・演出を手がけられた『トロイアの女』が再演されたことがきっかけです。もう二五年以上、上演されていなかった伝説の代表作です。わたしもこの作品を見たのは昨年がはじめてで、その強度に驚かされました。そして同時に、戦争の暴力と敗戦国の悲惨な運命を描いた戯曲がふたたびアクチュアルであると感じられる時代になったことに、なんとも言えない思いを抱きました。

『トロイアの女』は今年の二月、くしくもイスラム国による日本人人質殺害事件が起こった直後に、横浜で上演されています。その際、鈴木さんはご自身のブログで、見世物としての晒し首の伝統と、イスラム国の状況を比較し、「批判的知性」としての芸術家について論じていらっしゃいました。今日の対談では、テロリストによる斬首の映像が一瞬で世界を駆け巡る現代に、演劇、そして芸術にはなにができるのか、批判的知性のあり方について議論ができればと思います。また、芸術の受け手である観客の問題、公共と芸術の関係についても話を広げていきたいと思います。

東浩紀　鈴木忠志さんのお名前は以前から存じ上げていました。ぼくは柄谷行人さんや浅田彰さんがやっていた批評誌『批評空間』でデビューしたわけですが、この雑誌のアドバイザリー・ボードに鈴木さんも加わっていらした。とはいえ、作品自体は拝見していなかったのですが、最近、劇団SCOTの作品を続けて見る機会を得て、感銘を受けました。とりわけ、先日KAATで上演されていた『トロイアの女』は、まさに、テロリズムが吹き荒れる現代の世界に対するメッセージになっており、驚きました。今日は、鈴木さんの実践を含め、いまの社会における芸術の意義について射程の長いお話をうかがえればと思います。

鈴木忠志　前提から入りたいのだけど、そもそも東さんはなぜ芝居を見に来たの？　興味を持てるんですか。

東　ぼくの中高時代は、ちょうど野田秀樹や鴻上尚史が活躍した小演劇ブームにあたっています。だからぼく自身も学生演劇に関わったことがありました。けれども、学生演劇の現場は、内容より客の動員数のほうが重要なんですよね。舞台にたくさんの俳優を出し、彼らがそれぞれ友だちをたくさん連れてくれば劇場は満員で成功ということになる。そしてそんな友だちが厳しい評価をするわけがないから、内容に関係なく絶賛されたりする。そういう光景を見るのがいやで、うんざりして演劇から離れるという経験がありました。

その後はどちらかというと複製芸術に関心を持っていて、その流れでデリダの思想に取り組んだりもしたわけです。デリダは複製のひとですから。けれども、最近は複製芸術の記号の世界にも飽きてきて……。

鈴木　年を取ったんだな（笑）。

ところで、わたしはべつに好きだから演劇をやってるわけじゃないんです。日本や世界について考えるうえで、演劇を知らないとまずいという認識がさきにあった。演劇はわたしが若いころはすごい力があった。近代日本を代表する小説家や知識人はほとんど演劇を通過している。森鷗外も谷崎潤一郎も三島由紀夫も、みな演劇に関わっている。演劇というものは、歌舞伎や能も近代の戯曲も含めてだけど、一国の精神を形成するのに相当重要な役割を果たしてきた。だから、日本について考え、語るうえでまず演劇に近づいておかないとと考えた。いまの若いひとみたいに、演劇が好きだからやるというのとは、ぜんぜんちがうんですね。

東　いまのお話の「演劇」に相当するのは、ぼくにとって「文学」です。ぼく自身は、ドストエフスキーのような一部の外国文学こそ読んでいたとはいえ、必ずしも純文学は好きではなかった。けれども、大学に入り、批評や思想の世界に入ると、社会を考えるうえで同時代の文学を読むことが不可欠だと叩き込まれた。

それから二〇年後のいま、文学が好きだと言っている若いひとたちを見ると、ぼくも鈴木さんと同じような当惑を抱くことがあります。文芸評論家の市川真人くんがぼくにぼやくように言ってたんですが、直木賞作家で朝井リョウというひとがいる。市川くんが朝井さんに「社会とか世界とかについて文学者は考えなきゃいけない」と言ったら、「ぼくはまったく社会問題や政治に興味がない、おもしろい小説が書きたいだけです」と言われて、愕然としたらしい。けれどそれがいまの現実ですね。演劇にしても文学にしても、いまでも芸術が好きなひとは多いけれど、それはあくまでも趣味として好きなだけで、芸術が社会を代表するものだとはまったく思っていない。

鈴木　最初に歴史的な前提条件を語っておくと、第二次大戦終結から一〇年後の一九五五年には、日本の人口の五〇パーセントが都市人口になる。この年に日本住宅公団が設立される。六〇年代になると都市人口は七〇パーセントまで上がる。それまでは日本は農村社会だった。それが、人々がふるさとから都会に出てきて団地に住み、大量生産の労働戦士にされていく時代が来るわけだ。もっとも、その時点でも、まだ人々のコミュニケーションは身体を使って、つまり「動物性エネルギー」を使ってやっていた。それが、九〇年代になると携帯電話が出てくる。そしてネットの時代。「非動物性エネルギー」によるコミュニケーションの時代になった。

つまり、われわれの時代は、都市型社会の到来によって、農村社会が培ってきた集団や人間関係、言語のルールが劇的に変化し、人々のあいだにアイデンティティ・クライシスとでも言えるような精神的不適応が起こった時代なんです。わたしはこれを演劇で見つめるのがいいと考えた。なぜかといえば、演劇は言葉を使う、身体がある、そして集団でやるから。劇団をつくると、あらゆる地域、あらゆる階層から、金持ちから貧乏まで、学歴のあるやつからないやつまで、いろいろな家庭を持ったいろんな人間が一堂に会すことになる。それがだんだん画一化するわけだけど、当時のわたしは、明治維新のあと、日本が欧米化したときにも同じことが起こったんじゃないかと考えた。当時の日本は、欧米の社会制度や政治を一生懸命学んで、いちおうは支配の形態をつくったわけだよね。演劇はその近代化の尖兵だった。われわれの先人は、モスクワ芸術座に行ったり、フランス演劇を学んだりした。

けれども、文学や政治制度でもそうだけど、こういうヨーロッパ文化の受容のしかたがほんとうによかったのかなあというのがあってね。ヨーロッパの演劇を、日本語と日本人の身体を使ってやるのだから、当然、その過程で分裂が生じる。同じことが、一九六〇年代に、コミュニケーションシステムの変化によってちがうかたちで起こったという印象があった。だから、演劇をやると、明治維新からいまにいたるまでの日本社会は、どこに矛盾や違和感があり、どこを誤魔化してきたのか、なぜ日本人はこうなってしまったのか、CTスキャンを撮るみたいにいろんな角度から浮き出るというかんじがした。社会制度や人間の精神状態といった見えない対象は、言葉や身体、集団といった聞こえるもの、見えるものをうまく使って可視化できるんじゃないか、それが演劇の特殊性なんじゃないかと考えたんです。なんでこの人間はこうなったのか、われわれ「日本人」はどうしてこうなったのか、というのがね。

東　いま鈴木さんは「なぜ日本で演劇をやる必要があるのか」という問いに対してお答えになった。ぼくは、いまこの国に欠けているのは、まさにその問いだと思います。

最近、演劇人と話をさせていただく機会が立てつづけにあったのですが、どうも「なぜ演劇をやるのか」ではなく「演劇をやるためにはどう行政と交渉したらいいのか」という制度設計の話になってしまう。「演劇をしたい」という欲望が自明視されていて、「そもそも演劇は必要なのか」という部分が抜けている。これは演劇だけの話ではなく、美術、文学ほか、あらゆる領域でそうなっていると思うのですが。

芸術／文化／芸能

上田　いま話題になっているのは、『ゲンロン通信』での平田オリザさんとの対談ですね［★1］。

鈴木　その対談は読みましたよ。そこで「公共」という言葉が出てくるんだけど、それがわたしの感覚とちがう。わたしはその言葉には実体がないと思っている。共益＝共同の利益や国益＝日本の利益ならわかるけれど、日本で最近使われる「公共」という概念はなんだかよくわからない。いまの演劇は、ひとつの共同体のなかで、どのようにコミュニケーションを円滑に進めていったらいいか、ということを扱っているんだよね。民主主義的な平等や公平性の問題に巻き込まれてしまっている。「公共」という言葉が、共同体のなかにはめ込まれすぎている。

わたしも、共同体のルールを確立しなければいけないというのは理解できる。人間どうしが仲よくするために、暴力をふるってはいけない、強姦をしてはいけない、こういう日本語を使いましょう、こういうふるまいでいきましょうと。それが「文化」と呼ばれるものです。そして、共同体の結束のために、こうした「文化」を支えるのが行政です。けれども、わたしは、芸術や演劇というのは、そもそもその種の共同性から脱落したひと、そうした共同性の質に対して批判的なひとがやり始めたものだという認識なんですよ。そして公共性にいたるんです。とくにグローバリゼーションの時代には。

東　芸術は共同体をうまく回すためにあるのではなくて、むしろ共同体から外れた人間のためにあると。

鈴木　文化というのはそれぞれの共同体の固有のルールです。だから異質な文化が出会えば猛烈な摩擦を起こす。今日は「テロの時代の芸術」というテーマだけど、まさにいまのイスラムとヨーロッパ

★1　平田オリザ、東浩紀、司会＝内野儀「日本は『芸術立国』になれるか——文化から社会を変える」、『ゲンロン通信』一六＋一七号、二〇一五年、三六－五二頁。

の衝突がそうです。

ところで、芸術は芸能とは区別されなければいけない。文化は共同体のまとまりを強靭にするものです。だからまとまっていくときに抑圧も起こす。そこで、そのストレスを解除するために、娯楽を請け負う「芸人」が出てくる。芸人が宴会に出てきて盛り上がらせてくれる。わたしはそれを「芸術」とは呼びません。それは「芸能」です。芸能は、ひとつの共同体がみんなで盛り上がるために利用されるもので、共同の利益のためにある。芸術とは根本的にちがうものなんです。日本人はそこをあいまいにしていて、だから演劇の公共性なんて議論が出てくるんだと思います。

じゃあ「芸術」とはなんなのか。柳田國男が言うように、それは、信仰を等しくせざるものが現れ、他者の視線が出たとき、はじめて生まれるものなんです。

東　現在、美術界であれば「関係性の美学」、建築だったら「コミュニティデザイン」というように、あらゆる領域で「芸術は共同体の利益に奉仕するものであり、だからこそ行政も支援するべきだ」という言説が力を持っています。権力が芸術を利用しようとしているケースもありますが、それ以上に、芸術の担い手自身が、無自覚にそのような枠組みのなかに入ろうとしている。いまの若いひとたちだと、補助金なしでは芸術は不可能だぐらいの意識だと思います。けれども、それは本来の芸術とはちがう。

行政サービスと文化政策

上田　鈴木さんご自身は、文化行政にたいへん深くコミットしてきた方でもあります。一九七六年には富山県の利賀村に本拠地を移され、合掌造りの民家を劇場に改築し、演劇祭を組織して、世界の演劇人がやってくる芸術公園を創設します。その後、芸術総監督として、水戸芸術館や静岡県舞台芸術センター（ＳＰＡＣ）の設立にも携わってこられました。現在の演劇人には、その点で鈴木さんを先輩と仰いでいるひとも多いのではないでしょうか。

鈴木　それは誤解があるんだよね。

東　誤解ですか。

鈴木　ちょっと抽象的な話をすると、わたしの友人で柄谷行人というのがいる。彼は、マルクスが社会の構造を生産様式から説明するのに対して、自分は交換様式から説明すると言った［図1］。交換様式を四つのタイプに分けるのだけど、そのうちタイプＡは互酬性。つまり贈与の共同体で、タイプＢは再分配。

東　国家ですね。それでＣが市場。

鈴木　貨幣と商品の交換。いまのグローバル社会は、交換様式ＢとＣの組みあわせで成立している。そして、柄谷さんはＤにこそ未来があるというわけです［★2］。

　Ｄがなにかはともかく、Ｂの特徴は「略取と再分配」「支配と保護」です。要するに、ひとつの権力なり共同体が、そこに所属するひとにある恐怖を与えて、財産や富を取り上げ、それをみなに配分する。そのとき、被征服者が征服者に保護の義務を課し略取を承認することで国家が生まれ、「契約」の概念が成立する。つまり国家というのは、暴力のある種の変形です。その暴力を暴力に見せないようにしたのが、いまの行政システムなんです。財務省が略取して集めたお金を、各省庁、各業界にばらまく。演劇の世界で言えば、芸術文化振興基金をつくり、国民から掠めたお金を再分配し、劇団の赤字を補助するというのがいまの構造です。だから、そこには「われわれはこういう活動をします」という「契約」が成立してしまう。この構造を変えないかぎり、演劇なんてだめなんです。

東　それはわかります。けれども、だとすればどうして鈴木さんは文化行政にコミットしてきたのですか。

鈴木　行政ではなく政策です。わたしがやったのは、そんな文化行政はだめだと示すことです。

　平田さんとあなたが対談で話していたのは、政治ではなく行政サービスの話です。行政サービスは、失業対策や福祉政策でこそあれ、芸術や演劇とは関係がない。そこでは、当然払われるべきものが払

B **略取と再分配** （支配と保護）	A **互　酬** （贈与と返礼）
C **商品交換** （貨幣と商品）	D **X**

柄谷が整理した交換様式を示す図。柄谷行人『世界史の構造』（岩波書店、2010年）、p.15、図1をもとに制作

われているにすぎないのだから。わたしにもむろん、おおぜいの国民から持っていったお金を、たとえば建設業界には莫大に配分して、なぜ演劇界にはまったく配分されないのだという思いはある。文化庁の予算はたったの一〇〇〇億円前後です。水戸市だってわたしが関係したときは七〇〇億から九〇〇億の予算があった。静岡県なら一兆二四〇〇億の一般会計があったんです。それが日本全体で一〇〇〇億。しかもほとんど文化財保護に使ってしまう。その残りを芸術界に配って「日本の文化のためにがんばってください」と言ったって、そんなものは文化政策にならないでしょう。

　文化政策と言うからには、政治方針としての政策でなければいけないんです。「政治家が責任を取る」というかたちの予算の使い方をすべきです。わたしがやったのはそういうことで、行政サービスの充実ではないよ。

東　あえて乱暴に言うと、県知事が鶴の一声で「鈴木にやらせてみろ」と言い、鈴木さんは県民にはまったくわからない世界水準の作品をつくる。それこそが文化政策だということですか。

鈴木　それは飛躍があるな（笑）。

東　でも本質的なことだと思うんです。お金をもらってだれに向けて演劇をつくるか。おそらく鈴木さんは、水戸市民や静岡県民に向けてつくるという発想をお持ちではない。

★2　柄谷行人『世界史の構造』、岩波書店、二〇一〇年。

鈴木　ないですね。

東　けれども常識的な行政の発想では、芸術家は税金をもらっているのだから、納税者のために、納税者の教育に資するコンテンツを提供すべきだということになるはずです。市民ワークショップとか子ども向けのプログラムとか。

鈴木　ほんとうの芸術活動や文化政策を考えるなら、成果を納税者に還元するという考え方そのものがだめです。予算を納税者以外のひとのためにも使うのが、ほんとうの公共性というものです。自治体の予算は、そこの住民だけの税収入で成り立っているわけではない。

　わたしは、静岡県が劇場にお金を出すことになったとき、膨大な税金を使う以上は議会を通してくださいと言った。税金は県民のためだけに使われるべきだという考え、それそのものが芸術活動に関しては根本的にまちがいだということを県民が納得するかどうか、その議論が大事だと考えたからです。わたしは新国立劇場についても同じ議論をふっかけたことがある。観客がほとんど外国人だったら劇場に税金を使うべきではない、あなたたちはそう言うのか。日本の演劇界を隆盛させるんだとか日本の演劇人のためだとか、東京都民のための劇場をつくるんだとか言うんなら、そんなものは団体に直接お金をやればいい。もし新国立劇場をあらたに建てるんだとしたら、日本国以外のひとのためにこれだけの貢献ができるという、そういう思想がないかぎり建てちゃいけないんじゃないか、というのがわたしの理屈です。

東　個人的には同意します。二〇二〇年の東京オリンピックを控えたいま、たいへんアクチュアルな問題でもある。けれども、いまの時代、それはたいへん理解されにくい主張でもある。いまの日本人はむしろ、観客が外国人だったら、劇場には税金を使うべきではないと言いそうです。

つまり、そのような説得は、政治家や官僚、市民の意識に依存する。世代の問題も関わる。鈴木さんはその論理で利賀村や静岡県議会を説得できたかもしれないけれど、たとえば平田オリザさんの世代には、その論理ではむずかしいという判断があるのかもしれません。

鈴木　でもね、政治家は要所要所でそういうふうにお金を使っているんだよ。湾岸戦争のときにも、日本は何百億というお金を拠出した。いまも中国がアジアインフラ投資銀行をつくると言えば、安倍首相はアジア開発銀行を増資すると言う。政治判断でものすごいことが行われているんですよ。日本人以外のために税金を使っている。なぜ文化や芸術だけむずかしいというのか。

東　文化や政治だけではなく、いまの日本の若い世代は、あらゆる場面で貧乏くさくなっているところがある。思想的にはリバタリアニズムということになるけれど、いまや国家も一種のサービス企業だと考えられているところがあって、消費者目線で行政の効率をチェックし、無駄はカットしていく、それこそが政治参加だという感覚が強くなっている。これは日本だけではなく、おそらく世界的にそうです。そういう環境では、鈴木さんのおっしゃるような理念による政策の実現はほんとうにむずかしい。政治はなくなり、行政だけが残る世界になっている。

テロリストと芸術家

上田　今日の主題は「テロの時代の芸術」ですが、そのような政治的理念の失墜とテロの台頭は関係するのではないでしょうか。

鈴木　わたしが演劇で扱うべきだと思っているのは「暴力」と「狂気」です。暴力は、国家が担保し、かつ統治しているもの。他方、狂気は共同体が排除するもの。ミシェル・フーコーに、なにを排除するかによって共同体の本質がわかるという言葉があるけれど、ギリシア悲劇やシェイクスピアはその考察がきちっとしてる。それで、東さんも見てくれた『トロイアの女』を再演した。

いまはなんでも「テロ」と言うけれど、わたしの世代はその言葉に抵抗がある。テロというのは本質的に、自分が信じる価値観を未来まで守るため、自分が死ぬことを前提として障害となるものを滅ぼそうという行為です。これは、共同体が考え出したひとつの文化的な行動形態として位置づけられるもので、だからテロをやったひとは殉教者に列せられたりもした。カミュに『正義の人々』（一九四九年）という戯曲があって、主人公がテロを実行しようとしたとき、そこに子どもがいて逡巡するという場面がある。最終的には実行するんだけどね。つまり、わたしの考えでは、テロはある種の精神性に支えられたものなので、いまのイスラム国の行動はテロだとみなさない。

東　現在、テロという言葉がひとり歩きをしているのはたしかだと思います。けれども他方で、冷戦崩壊後、体制への抵抗の方法が変わってきたのもたしかです。いまや、明確なイデオロギーの対立もなければ価値観の対立もなく、のっぺりとした金融資本主義が惑星全体を覆い尽くしている。そのようなシステムに対する怒りは、個人もしくは少人数の集団で爆発させるしかない。イスラム国はその少人数集団が、例外的に巨大化したものだと思います。

さきほど鈴木さんは、共同体から排除されたものこそが芸術を担うとおっしゃいました。ぼくは、その点でテロの場所は芸術の場所と似ていると思います。そこで今日お聞きしたいのは、結局のところ、芸術はテロを少なくするためにあるのか、それとも育てるためにあるのかという問いです。

鈴木 安易な問いだな。

東 安易かもしれませんが、重要だと思います。なぜなら、いま、多くの芸術家は、芸術にはテロリストを「安全」にする教育効果がありますよ、演劇や美術を教育に取り入れると子どもたちもすくすく育つんですよというかたちで、芸術の自己証明を得ようとしているからです。先日の平田さんとの対話でも、そのような話題になりました。しかしそれでいいのか。

鈴木 わたしの考えでも、芸術家はテロリストと近い。精神のテロリストという意味ですけどね。共同体の多数が共有する価値観に対して、否を唱える立場。そういうとき、多くの芸術家は意識的な「差別化」を行なってきた。受け身で差別されるんじゃなくて、積極的に差別されるような方法として、芸術を選んできた。それは、社会的な蔑視としての差別だけでなく、政治的、イデオロギー的な抹殺も含みます。だからこそ、ブレヒトはヒトラーに追われるし、メイエルホリドはスターリンに銃殺された。三島や谷崎、太宰といった日本の作家も、自分を平均的な価値観に対置するために、差別される方法を手に入れようともがいたのだと思います。

では、いま、日本で、この方法的差別化を得るために演劇を選ぶことが有効かということに関しては、そういう自覚で演劇をやれる土壌があるかどうかによります。文化庁でも民間のパトロンでもいいけど、「徹底的にやってくれ」とサポートするひとが出てくるかどうかが決め手になってくる。

東 すこし角度を変えますが、いまの時代の厄介な問題は、あるていどの批判性や反体制性は、それそのものが社会に必要なこととされて「内部化」される、それこそ文化行政の補助金の対象になってしまうということです。意識的な差別化も、その瞬間に無効化される。「すべてが差異のゲームである」と八〇年代に語られていたことが、そのまま実現している。具体的には、ちょっと社会に対して文句言います、ちょっとマイノリティを取り上げてます、とかのほうが、ばんばん補助金が来るし、それこそ「役立つ」芸術だとみなされるという逆説がある。

ではそういうなかで、演劇は、あるいは芸術はいま具体的に「なにを」なすべきか、という最も重要な問題については、みなが失語症に陥っていると思います。テロとその失語症的状況は関係している。実際、この対談も、すでに芸術そのものではなく、芸術をめぐる社会状況の話になりつつある。

今日の対談のため、鈴木さんと中村雄二郎さんが一九七七年に出版された『劇的言語』を読んできました。これ、知的な刺激と気づきに満ちた、とてもすばらしい対談なんですね。ところが、文庫化のために九〇年代に収録された追加の対話［★3］は、演劇や言語の話をしていないんです。今日と同じく、どのような政策がありうるかという状況論になってしまっている。この失語症からどう抜け出すか。

鈴木　いま、どうして「差別」という言葉が出てきたのかというとね、三日まえに沖縄にいたんです。わたしがそのまえに沖縄に行ったのは六六年です。施政権返還が七二年ですから、まだアメリカ統治の時代です。

沖縄は徹底的に略奪に遭ったんですね。土地を米軍に取られて基地にされた。沖縄は日本の国土の〇・六パーセントくらいの面積ですが、そこに七〇パーセント以上の基地がある。本土復帰した直後は「日本人として本土並みにしてほしい」という意見が多かったけど、これはアメリカの統治で抑圧されたからです。そして、日本政府は日米安保で必要だからと、基地を維持したままインフラ整備にたくさんの資金を出した。沖縄は「我慢するかわりにお金をもらう」という「契約」のなかに入れられた。

ところが、いまの沖縄人は自覚的に差別のほうがいいと言っている。方法的差別を選ぼうとしている。今後、彼らが独立に向かうのか、自治権の拡大に向かうのかはわからないけど、いずれにせよ、日本の共同体とは異質の価値観を持った異邦人としてみずからを差別化しつつ、共存しましょうと言っている。わたしは、この沖縄に、まさに芸術のあるべきすがたを見たんです。これまで沖縄には、

★3　鈴木忠志、中村雄二郎『「劇的言語」の現在』、『劇的言語 増補版』、朝日文庫、一九九九年。

すぐれた芸術家が何人もやってきた。彼らを支援するのはたいてい日本国外のひとだった。あるひとつの共同体に対して批判精神を持つひとを、ほかの共同体に対してやはり同じように戦っているひとが理解して、そこに芸術家の連帯ができていく。

いまの日本の情勢のなかで、みずから方法的差別をしっかり打ち出して、そのことによって、世界のさまざまな国で、それぞれの共同体に対して批判精神を持って戦っているひとと連帯し、「人間」や「人類」といった概念に貢献するような芸術家が日本から出てくるか。それだけがわたしには興味がある。

東　方法的差別を取ることで共同体のなかで承認されることと、方法的差別を選ぶことで共同体の外へと出ることとを区別しなければならない。

ぼくは3・11以降、福島の問題にすこしだけ関わってきました。ぼくの考えは、いま鈴木さんがおっしゃった言葉を使えば、まさに「福島は方法的差別を選び取るべきだ」ということです。原発事故のトラウマからはもう逃れることはできないのだから、平凡な地方に戻ることは考えず、負の遺産を背負って世界と連帯するべきだ、と主張してきた。そのような主張はまったく理解されず反発しか買っていないので、お話にはたいへん勇気づけられました。

『トロイアの女』と記憶の身体性

上田　鈴木さんは自分のテーマは狂気と暴力だとおっしゃいました。しかし、狂気も暴力もふつうはひとがあまり見たがるものではありません。そうしたものをあえて舞台に上げる意味をあらためてうかがうことができればと思います。

鈴木　自分が生活していていちばん怖いのは、やっぱり暴力なんだな。国家の暴力でも個人の暴力でも。つまり生命を抹殺されること。もうひとつは、隔離され、行動の自由を奪われること。精神病院に入れられるとたいへんなんだよ。病院から出してくれるかどうか、ひとりの医者の主観に左右されることになるから。

なぜいま『トロイアの女』を再演したのかというと、戦争の描き方が容赦ないからです。戦争でギリシア軍が勝ち、トロイアをぜんぶ焼き払う。それから成年男子をぜんぶ殺し、女を性奴隷として連れて帰る。トロイアは完全消滅です。米軍が日本を占領したからといって、日本の男子を皆殺しにしたりはしないでしょう。しかし、戦争というのは本来はこんなに凄惨なものなんだということを、われわれは知ったほうがいい。いまはそういう段階に入ったと思います。

アメリカのブッシュ大統領が、イラクを攻撃するとき、「axis of evil」（悪の枢軸）と言いましたね。「evil」はキリスト教の福音派がよく使う言葉ですが、「この地球上から抹殺すべきもの」という意味。オウム真理教でも「ポア」と言った。宗教がこういうことを言う。イスラム国も異教徒はぜんぶ抹殺する。つまり、だれも共存なんて考えていない。古代からメンタリティはぜんぜん変わってない。これをずっと芸術は扱ってきているのではないか。

上田　不可視の暴力を、エウリピデスが可視化した。それが芸術家の役割だということですか。

鈴木　エウリピデスも、本だけだとただの言葉なんです。演劇がいいのは、記憶を現代の時点で肉体にして、目のまえにモノとして提示できること。そのときに解釈が生まれる。これは演劇の重要なところで、暴力といっても観念にならない。ほんとうにどういう殺し方をしたのか、再現してみることができる。東さんの『弱いつながり』（二〇一四年）にも、言葉だけでは限界があって、モノが重要だとか欲望が必要だとか書いてあったね。

東　今日、最初に「なぜ演劇に興味を持つようになったのか」と聞かれました。さきほどはうまく答えられませんでしたが、対話するなかでだんだん見えてきました。ひとことで言えば、それは、ぼくがいまゲンロンカフェという「劇場」を経営しているからだと思います。

なぜこんなことを始めたのかと言えば、鈴木さんも関わられていた『批評空間』、その終刊後の展開に疑問があったわけです。『批評空間』は一時代を築いた批評誌だと思いますが、いまはほとんど痕跡を残していません。柄谷さんはNAMという組織を立ち上げましたが、長くは続かなかった。では彼らはなぜ失敗したのか。ぼくは、原因は単純に物理的な拠点を持っていなかったことにあると思います。大学の研究室でも出版社の一角でも喫茶店でもなんでもいいのだけれど、ここに来れば柄谷行人がいる、ここに来れば浅田彰がいる、という場所を持たなかった。かわりに彼らは、インターネット論などを取り込み、「アソシエーションのアソシエーション」といった非常に抽象的な理念を掲げた。けれどもそれでは運動は続かないんですね。物理的な場所がないと記憶は肉体化しない。集団もすぐ崩壊する。

つまり、学生時代にぼくはモノに背を向けていったん記号に向かったんだけれど、その限界が見えて、またモノに戻ってきたということなんですね。ひとは忘れやすい。だから思考の継続性のためには物理空間に頼るしかない。それでゲンロンカフェをつくったんですが、始めてみたら、これはカフェではない、むしろ劇場だと気がついた。

鈴木　日本の演劇がだめなのは劇場を持っていないこと。ほんとうは演劇人にとってのいちばんの作品は劇場なんです。世阿弥を始祖とする能楽は能舞台をつくったし、千利休は待庵《たいあん》という茶室をつくった。日本でもすぐれた舞台創造者は独自の空間をつくった。

ところがいまは、政府が公共事業でつくった「公共ホール」というのを使っている。これは昔の自治省が二〇〇〇以上の地方自治体のほとんどに、失業対策で建築業界に予算を出して建てさせた「公の施設」です。「多目的ホール」って呼ばれているけど、実際は無目的ホール。カラオケもやれば選挙集会もやる。文科省や文化庁の管轄でもない。特定の団体に長期には占有させない、そんな場所を演劇人が受け入れて、公演をやっている。こんなの演劇じゃない。演劇というのは、ある空間の規定性のなかに置かれた身体と言葉が、その場特有のメッセージを出すことなんですね。逆を言えば、あるメッセージを観客に向けて発するのに有効な空間を発見する、それが演劇なんです。

東　それは演劇でなくても言えることだと思います。昔、パリのエコール・ノルマルで講演したことがあるんですが、「ここはラカンが有名な講義を行なった部屋です」とか言われると、背筋がゾクっと来るわけです。ところが、ぼくは東京大学の駒場キャンパスに一〇年近くいたけど、ついぞそういう感覚を覚えたことがない。日本の大学はみなカルチャーセンター化していて、多目的教室で交換可能な授業が行われているだけだからです。それでは人間はなにも考えない。特別なことが起こるところというのは特別な空間であるべきで、そういう規定性があるからこそ、そこを訪れた観客もなにかを継承しようという気持ちになる。物理的な拠点なんていらない、情報だけでいけるという発想は、人間の能力を過信しすぎだと思う。『トロイアの女』が描く暴力が、言葉だけだと十分に想起されないように。

鈴木　たとえば東っていうひとを思い出すときにね、後ろにキザな本がいっぱい並んでいたな、とか、天井が低かったな、とか、全体で思い出すんですよ。記憶のなかで個人が単独で空間から引き出されることはまずない。空間の記憶は大事だよ。ネットの時代はそこが消えちゃう。

東　ただ、ネットだからといって必ずしも身体性がないわけじゃない。ぼくはさっき記号からモノに戻ったと言いましたが、ほんとうはそこまで単純ではなくて、記号のモノ性を発見したというところもある。

もともとゲンロンカフェはリアルだけの対話の空間にするはずだったんですが、半年ほど経ったあとで、ふと思い立ってネット中継を始めてみたんです。この対話も中継されています。ネットの視聴者は質問もできないし拍手も返せないけれど、そのかわり、いま鈴木さんもモニターで確認できるように、コメントを画面上に投稿することができます。そうすると、ふしぎなことに、彼らの存在はそれはそれで独特の身体性を帯びて迫ってくるんですね。そもそも人間の身体性の感覚はすごく可塑性が高く、小説を読んでもマンガの記号からでも感じることができるわけです。

つまり、いま、ゲンロンカフェは二重の劇場になっているんです。リアルの劇場、「いまここ」のゲンロンカフェに座っているひとは、二、三時間のあいだこの狭い空間に拘束され、無言で座っていなければならない。ところが画面のむこう側にいて、記号だけを眺めているバーチャルな視聴者のほうは、身体的にはまったく自由です。この対話を聞きながら、メールを打っているかもしれないし、ほかのサイトを見ているかもしれないし、食事をしているかもしれない。もしかしたら、真っ裸かもしれない。ふたつの空間、ふたつの身体が、同じ劇場のうえに重なっている。デリダふうに言えば、パロールの劇場とエクリチュールの劇場が重なっている。まだあまりまとまっていないのですが、これは興味深い実験なのではないかと考えています。

鈴木 たしかになんか出てるね（身を乗り出してモニターを見る）。

東 ニコニコ生放送というシステムなんです。

鈴木 「全裸待機」って書いてあるよ（笑）。おもしろいねえ！

東 ニコ生ユーザーはみな全裸が大好きなんです。

利賀村に行く

上田　司会の準備として、『別冊新評』といういまはない雑誌の鈴木忠志特集号を読ませていただきました[★4]。あらためて驚いたのが、この号が最初から最後まで鈴木さんの話だけでできていること。八二年の刊行ですが、当時はまだひとりの演劇人に雑誌が一冊まるまる割かれることがありえたわけで、鈴木さんはそういう時代を代表する演出家でした。

そこで今日、最後にうかがっておきたいのが、そのように演劇が大きな影響力を保っていた時代だったにもかかわらず、なぜ鈴木さんが七〇年代に東京を離れることを選んだのかということです。それは、現代における芸術家の立ち位置を考えるうえでも、重要な論点になると思います。

東　ぼくもそれはうかがいたいと思っていました。いまの時代だと、芸術への社会的関心が相対的に落ちているので、逆に、田舎に引っ込んで、打ち捨てられた建築を演劇を使って再生するなんてプランが現実的になる。けれども、当時の鈴木さんが置かれていた状況はまったく異なる。海外公演も成功させ、岩波ホールの芸術監督も務めていらした。東京でもぜんぜん問題なくやっていけた。それなのに、どうしてそんな決断ができたのか。

鈴木　それは単純でね。外国の演劇を見て、拮抗するレベルのことをちゃんとやるにはどうしたらいいかと考えた。あなたたちの場合は、本がいっぱいあって、集中できる個室があればいい。けれど演劇はそうはいかない。演劇は、三〇人から五〇人が集まってわーっと稽古をする。音響、照明、それに衣装まで加わってくる。そうすると、そういう場所を東京に持つことを、経済優先で管理優先のデジタル文明、あるいは高度成長時代の日本は許さないんですよ。稽古では精神も身体も偶然性に左右されるわけ。ときには諍いも起きる。そういうことに対して、ぜいたくに時間を使って対処できる環境をつくらなきゃいけない。

東　とはいえ、やはり地方に行くと、思想的というか文化的強度が落ちるという不安もあったと思うんです。当初は利賀に劇場があったわけでもなかったし、観客が育っていたわけでもなかった。おまけに豪雪地帯。利賀に移るとなったら、当然ついてこられない劇団員もいたと思うんですが……。

鈴木　三分の二はやめました。

東　それはたいへんな数ですね。

鈴木　だから、すごいことをやったんだよ（笑）。

東　もうすこし踏み込んでおうかがいしたいのですが、その決断には、同時代の寺山修司さんや唐十郎さんが「都市」の演劇を目指していたということへの批判、というかそこからの距離という要素があったんでしょうか。

鈴木　自分はどういうフィールドで闘うか、最終的にどのレベルを目指すか、それはひとによってち

★4　『別冊新評　鈴木忠志の世界』、新評社、一九八二年。

がう。自分は日本人だけど、日本のなにを変革したいか、という自覚によってちがうのね。ひとつには、日本において批判的精神をどう有効に機能させるかということと、もうひとつは、作品として、どのレベルのひとと拮抗して闘って、どのように世界のオピニオンリーダーを組織できるかということ。その想定というのがひとによってちがうということじゃないかな。

たとえば、わたしは外国に招待されるとき、日本を紹介するような場所には絶対行かない。わたしの演劇は、べつに日本に興味があるひとに見てもらいたいわけじゃない。招待状をもらっても、どういう劇場なのか、どういう観客層なのか、そこの芸術監督はどういう学校を卒業しどういうことをやってるのかわからなければ、どうしようもない。わたしたちがやっているのは「創客」です。演劇を持っていって、相手を変革し、新しい観客を創る。そういうつもりでやってるんで、他人の需要に応えて娯楽を提供します、という芸能の構えじゃない。だからわたしは、一年間のうちに二ヶ月以上の舞台ってやったことがない。六〇ステージ以上はやらない。しかし寺山とか唐はやってるね。浅利慶太なんかものすごい。二〇〇〇回とかでしょう。

東　東京にいると、どうしてもそのようなサイクルに呑み込まれるし、同世代の演劇人たちもそこに囚われた。けれど、鈴木さんはそこから距離を取るために利賀に行ったという理解でいいでしょうか。

鈴木　演劇はなんのためにあったかといったら、それは社会を変革するためなんだよ。東京の人間だけ相手にしてデータを取っても意味がない。

東　とはいえ、さきほども尋ねましたが、そこで鈴木さんは利賀村の住民に向けて演劇をやるわけじゃない。

鈴木　そうだよ。あんたたちには劇の内容はわかりません、と言っている。

東　でもそうなると、地方に行くことにはどういう意味があるんですか。地方に行く、というのはたいていの場合は地方の人々に向けて演劇をすることだと思うんだけど、鈴木さんがそこで地方の人々を相手にしないのだとしたら……。

鈴木　なんでわからないかな。あんたも悪しき演劇ジャーナリズムに冒されてるよ。わたしは地方に行ったんじゃない。利賀には東京支配の日本を捨てるつもりで行ったんだよ。その日本を構成している地域を含めて日本を捨てるために日本にいると言ったって、べつにぜんぜん矛盾じゃない。日本を捨てるためにアメリカに行くやつのほうが芸術家としてはバカだ。

だから外国人がね、利賀に来て「ここは日本じゃない」って言うんだよ。日本の一般のシステムとここはちがうからね。東京の劇場は管理と経済効率のシステムでがんじがらめ、利賀の劇場は、わたしが使っていいと言えば二四時間使える。料理は参加者がみなでつくるから、イタリア人でもアメリカ人でも当番でつくる。それから食事代は自分で払う。もちろん出演料は出すけど、そのなかから食事代を払ってもらう。訓練のシステムもちがう。演劇は偶然性に左右されるから、夜中の二時ごろ思いついて稽古したりすることがある。日本中でそんなことできないわけよ。だからここは日本じゃない、となる。そういう、日本にいままでに存在しない場所をつくるために利賀に行ったんです。それを、富山でやってるから地方だというのはバカなんだよ。どこだっていい、ニューヨークでもいいし、もちろん中国でもいい。しかし理想的にやれたのがたまたま富山だった。

東　日本から出るために地方に行くというのは、じつにおもしろいですね。そういう考え方で、地方における芸術の意義を捉えているひとはほとんどいないのではないか。

鈴木　メインには日本の変革を考えているけど、同時に演劇には、アングロサクソンなりラテンなりが築いてきた歴史的遺産というのがある。だから、それも使って、世界的にまったく新しい、あらゆるひとがアプローチできる演劇の場を日本につくりたい。それが東京じゃできなかった。

近代主義への抵抗

上田　たまたま会場に、一昨年（二〇一三年）出版された『情報社会の情念』で寺山修司について詳細な論を展開した、美術批評家の黒瀬陽平さんがいらっしゃっています。寺山の名前も出たところで、質問をしてもらいます。

黒瀬陽平　寺山との関係について、もうすこしうかがいたいと思います。鈴木さんもさきほど「偶然性」に触れておられましたが、寺山は市街劇において「都市の偶然性」に可能性を見ていました。死ぬ直前に構想していた『犬』という作品では、寺山は、ある街に劇団員を引っ越しさせ、住民にしてしまってから現実を変革する、というかなりラジカルなことを考えていました。彼はそこで「偶然性を組織する」という言い方をしていて、あるていど偶然性を担保しつつ、演劇そのものを都市への介入という行為に開こうとしていたように見えます。

そういう試みに対して、いまおっしゃったような鈴木さんの利賀村での試みは対立しているようにも見えます。この点についてご意見をお聞かせいただけますでしょうか。

鈴木 あなた、利賀村に来たことあるの?

黒瀬 ないです。

鈴木 それじゃ話にならない。利賀でわたしの芝居を見てもらわないところで、利賀村のことを話してもしょうがないんだよ。演劇というのは自立してあるわけじゃない。場所があり、俳優がいて、そこへ来ている観客とわたしの芝居が関係している。野外劇場なんて偶然だらけだよ、自然が相手だから。この関係の場全体が作品なんだよ。

東 とはいえ、ぼくも、鈴木さんが寺山に対してどういう違和感があったのかはうかがいたいですね。歴史的にも貴重です。

鈴木 寺山に違和感なんてないよ。あの当時、社会に対する違和感は、上の世代の三島由紀夫や吉本隆明もみな持っていたし、その意味では同志だ。

ところで、人間の出自というのはかなり人格に影響する。わたしが育ったのは静岡だけど、中学生のときから都会でひとりで下宿をしていた。わたしのおじいさんは義太夫の師匠で江戸のひと。友人には観世三兄弟もいたし、六世歌右衛門とか、伝統芸能を見て育った。文学少年じゃない。他方で寺山は、東北の北端の青森という、日本の貧しい辺境そのものみたいなところから、文学少年として出てくるわけね。だから、寺山とわたしの演劇への入射角がちがうのは当然で、それは、単純に思想や理念のちがいというより、自分が育ってきた環境から社会を見たときにどう見えるか、その見え方のちがいが大事なんだと思うよ。

東　要約すれば、寺山は東北の田舎から出てきたから、東京の都市に偶然性を見出すことができた。他方で鈴木さんは都市の人間だから、そこにはもはや偶然性を見出すことができなくて、利賀村に行ったということでしょうか。鈴木さんには、寺山さんの試みは単純すぎるように見えていたと……。

鈴木　そんなこともないけどね。ただ、寺山がおもしろかったのは、短歌も競馬評論も映画も芝居もやるところ。日本社会を批判するときに武器として使えるならなんでもいい、という態度だね。だから演劇だけのレベルで言えば、それほどすごいものではなかったと思います。国際水準では無理だろうなあと。そこは唐十郎も同じです。とはいえ、寺山は、時代の変化そのものをコンセプトとして打ち出すことができた。それは国際水準であり、すごかった。「いま世界はこれが問題だ」って。

他方、唐十郎の演劇は「脅し」なんです。西洋化していく当時のインテリ、いわゆる近代主義者を脅すための演劇。浅草の長屋で、ペンがなくたってこの肉体があればいい、「われわれこそ千紫万紅の怨恨を持った演劇百姓である！」と、テントを張ってドタドタ暴れまくる。水のなかへだばーっと飛び込む。そうすると「これはなんなんだ」となる。びっくりする。戦略としてはよくわかる。あんたたちもそうかもしれないけど、東大の教授たちはみな、日本というガラクタを捨てて、できることなら世界の先端的な知に参加したいと思っているわけだよね。ヨーロッパ先進国に追いつこうと。そこへ唐は、押入れからへんな骨董品を持ち出してきて、「このガラクタはおもしろく遊べるよ」とやる。寺山も、デブとか小人とか、奇形だとされるもの、当時、標準的な人間から排除されつつある人間を扱ってたね。

つまり唐や寺山は、社会的な精神状況のほうから、近代主義者に対して批判をしたんです。当時の言葉で言えば「前近代を否定的媒介にして近代を超える」ということですね。

わたしはそうじゃなくて、ヨーロッパに対抗できるシステムを提示しようとした。日本のものでも文化的な蓄積の最高のレベルのものからシステムをつくり出し、それをグローバルなコンテクストのなかに入れれば、コンプレックスを感じることはないじゃないかと主張してきたんです。利賀に行ったのはそのためです。

東 つまりは、世界―日本―地方のような垂直のヒエラルキーではなく、今日の対談の最初の話へとつなげれば、「共同体の規則から逸脱するもの」の身体性がばらばらにつながって組織される普遍性みたいなものがあって、芸術家はその普遍性を考えることこそが大事であると。鈴木さんはその普遍性を考えるためにたまたま「地方」に拠点を求めたのだけれど、それは、世界―日本というヒエラルキーを自明視して、それを逆転するためにアングラを持ち出した寺山・唐的な選択とは、似ているようでまったく異なるのだということですね。

いささか強引に今日のテーマにつなげるとしたら、寺山・唐的な戦略では、そこでテロリストを出演させた演劇を東京で上演し、演劇ジャーナリズムを賑わせるのが芸術家の使命ということになるけれど、鈴木さんの戦略では、利賀村で『トロイアの女』を上演することこそが普遍的だとなる。

鈴木　もちろん、彼らには彼らの成果はあるんです。しかしわたしは戦略がちがった。ヨーロッパのほうがすぐれているとも、日本のほうがすぐれているとも思ったことがない。等価です。ガラクタが大事だと言うのならば、わたしにとっては日本の能や歌舞伎もガラクタだけど、シェイクスピアもチェーホフもガラクタだ。いまは、それら人類の古いガラクタを新しいコンテクストのなかで新しい製品として関係させる手法が問われているのであって、アメリカ人が出すかロシア人が出すか中国人が出すか日本人が出すかわからないけれど、自分はそれをやりたいということなんです。

東　ぼくも似たようなことを考えて日本で哲学をやっているので、とても勇気づけられます。

鈴木　がんばりなさい。

上田　今日は「テロの時代の芸術」という問いを出発点としつつも、いま芸術家がなにを考え、社会とどのような関係を持ち、なにをなすべきなのか、たいへん広範な議論が交わされたと思います。長時間の議論、ありがとうございました。

SFから神へ

筒井康隆

2015年11月29日

筒井康隆

つつい・やすたか

1934年生まれ。1965年、処女作品集『東海道戦争』を刊行。著書に『虚人たち』（1981年、泉鏡花文学賞）『夢の木坂分岐点』（1987年、谷崎潤一郎賞）『朝のガスパール』（1992年、日本SF大賞）『わたしのグランパ』（1999年、読売文学賞）『聖痕』（2013年）『モナドの領域』（2015年）ほか多数。1997年、パゾリーニ賞受賞。2002年、紫綬褒章受章。2010年、菊池寛賞受賞。2017年、毎日芸術賞受賞。

東浩紀　本日は筒井康隆さんをお招きして、お話をうかがいます。開店以来最も長い拍手でした。

筒井康隆　今日はゲンゴロウカフェにお招きいただいて……。

東　ゲンロンカフェです。（場内爆笑）

さて、ここにいらっしゃる方の多くがそうであるように、ぼくもまた一〇代のころから筒井さんの読者でした。一九八三年、小学生のときに原田知世主演の『時をかける少女』が公開され、筒井作品がブームを巻き起こします。単行本をリアルタイムで最初に読んだのは、八四年の『虚航船団』です。文房具が宇宙人として擬人化して描かれる、とても変わった小説でして、たとえば糊が異常性欲者で、ところかまわず興奮をしては白いねっとりとした液体をまき散らしたりする……。こんなものが学校の図書館に置かれていていいのかと驚きましたが（笑）、すでに筒井さんは不動の人気を獲得していました。

それから三〇余年、いまも文学の最先端を走りつづけ、最近も「最後の長篇小説」として『モナドの領域』（二〇一五年）を発表されました。今日はその創作と活力の源にすこしでも近づけたらと思います。よろしくお願いいたします。

筒井　よろしくお願いします。事前に準備をしてくるつもりが、昨日、悪いことに『ゲンロン』の創刊号が届いて、これにひっかかっちゃった。じつにおもしろい。

東　ありがとうございます。

筒井　とくに亀山郁夫さんとの座談会「ドストエフスキーとテロの文学」が参考になりました。情けないことに『悪霊』を読んでいないんですね。それを読む気にさせてくれた、重要な座談会です。

『聖痕』と去勢された戦後日本

東　まずは、文庫版が出たばかりの『聖痕』（文庫版二〇一五年）についてうかがおうと思います。この小説は、いまや死語となった雅語をちりばめた言語実験のテクストであると同時に、昭和四〇年代以降の後期戦後史を扱う年代記でもあるという、二重の作品になっています。

ぼくは文庫版解説で、とくにつぎの点に注目しました。主人公の「葉月貴夫」の年齢はぼくと同じくらいの設定ですが、彼は五歳のとき、変質者に男性器を切断されてしまう。つまり、日本の現代史の歩みが、去勢された少年の人生に重ねあわされる仕掛けになっている。おまけに、これも調べてみて気づいたのですが、貴夫の年齢はちょうど現実の筒井さんのご子息、伸輔さんと一致するように設定されているんですね。そして、朝日新聞の連載時には、その伸輔さんが挿絵を描かれていた。

つまり筒井さんはこの小説で、実の息子を「去勢」しつつ、その息子の生に現代日本の歩みを重ねている。ここには相当のねじれがあると思ったのですが、いかがでしょうか。

筒井 おっしゃるとおり、この作品は年代記なんですが、ぼくはこれがすごく苦手です。事件の内容、年代、主人公の年齢、立場の変化が、すぐごちゃごちゃになってしまう。そこで主人公の年齢を、息子と同じ歳に設定することにした。そうすれば混乱しないと思ったからですが、実際には途中でわからなくなった。単行本の校正刷りには校閲からの指摘がびっしり入っていて、付箋だらけでした。連載一回分をまるまるカットしたところもあります。

東 そのせいかもしれませんが、貴夫の出生年は特定できない。二、三年の幅が取れるようになっている。

筒井 わざとあいまいにしたんです。でもそれでかえって混乱した。

東 主人公の年代を息子さんに重ねたのは執筆上の工夫だったということですが、結果的に、『聖痕』は息子さんが生まれたあとの時代に焦点をあてた戦後史になっています。学生運動が終わり、大阪万博が終わり、三島由紀夫事件が終わったあとの日本の物語です。

筒井 とはいえ、書かれている体験はぼく自身のものです。ぼくは戦争を見てきました。市街地が炎上するところも見た。戦後、東日本大震災にいたるまでひどいことはたくさんあった。けれどもあの戦争に比べればたいしたことはない。『聖痕』が描いた時代については、そういう意識があります。ぼくの年代のひとであれば、みな本心ではそう思っているんじゃないか。震災で被害に遭われた方には申し訳ないけれども、もっとひどいことは起こりうる。日本全体があのような津波に呑み込まれることもあるかもしれない。小松左京が『日本沈没』（一九七三年）で書いたのが、まさにそういう世界ですね。

東　『日本沈没』はじつは戦争の話でもありますね。小松の実質的なデビュー作「地には平和を」（一九六三年）は、日本が第二次大戦で降伏せず、米軍が上陸し地上戦が起こったらどうなるかを描いた短篇でした。同じ思考実験を、災害のかたちで成立させている。

筒井　そのとおりです。ただ、『日本沈没』は外国がだれも日本を助けようとしないでしょう。それでぼくは腹が立って、「日本以外全部沈没」（一九七三年）というパロディを書いている。

東　当時のSF作家はかなり頻繁に作品を参照しあったり、作家自身を小説内で茶化しあったりしていますね。

筒井　SFはパロディをやりやすいジャンルです。なぜならすでに出たアイデアは使ってもいいから。それはウェルズ以来の伝統なんですよ。最初にウェルズが『タイムマシン』（一八九五年）を書いた。だから本来ならそのあとタイムマシンものを書いた作家はみな盗作です。でもそうは考えられず、一大ジャンルに育った。SFでは、切り口さえ新しければ、既存の作品を模倣してもかまわない。

東　『日本沈没』が出版された時期――それは『聖痕』の主人公が生まれた時期でもありますが、当時のSF作家はほかの文壇とはちがう独特のコミュニティをつくっていたように思います。

筒井　SF作家はわけのわからないやつらだと思われ、疎外されていました。SFの理解者はコミュニティの外側にはほとんどいなかった。奥野健男さん、荒正人さんぐらいです。

欲望のない人間を考える

筒井　話を『聖痕』に戻すと、いまはもう、戦争について本気で考えているひとはいないのではないか。テレビで戦争について議論をしていても、戦争大好き、戦争大賛成というひとがひとりもいない。ほんとうはそういうひとを混ぜて話をしないと、深く論じることはできない。

東　筒井さんの年代だと、戦争が好きという方は少ないのではないですか。

筒井　いや、ほんとうは男性の半分以上は戦争が好きだと思いますよ。そうでなければ戦争映画がこんなにつくられ、見られているわけがない。

東　そういう好みは、ほんとうの戦争を体験していないからだといわれますが。さきほどは戦争は悲惨なものだともおっしゃいました。

筒井　ぼくは戦争の悲惨さも知っているし、おもしろさもよく知っている。戦時中は大阪の千里山に住んでいました。天神橋六丁目が爆撃されて炎上しているとき、千里山のてっぺんの給水所に行ってその光景を見下ろして、戦争とはこんなに美しいものかと思った。先日、いとうせいこうさんに、筒井さんは死ぬまでになにを見たいかと聞かれました。ぼくは日本と中国が戦争をするのを見たいと言った。すると彼は「それは筒井さんだから言える」(笑)。

小林信彦に『ぼくたちの好きな戦争』（一九八六年）という小説があります。彼やぼくのような人間を加えれば、戦争をめぐる議論も視野が広がるんじゃないか。そういう両面性を持っているのは、作家だけじゃないかな。作家は感覚的だから、理論的には論じられないけど。理論的ならいいというものではなくて、その結果、高橋源一郎なんかすっかり「民主主義おじさん」になってしまったでしょう。

東　だとすると『聖痕』では、そういう複雑な欲望が隠された、見せかけだけのきれいごとの世界として戦後日本を描いたということになるでしょうか。

筒井　そうじゃない。『聖痕』は、むしろ、ほんとうに欲望のない人間がいたらどうなるかを追求した、一種の実験小説なんですよ。

東　なるほど。

筒井　貴夫は陰茎だけでなく睾丸も切り落とされるでしょう。あれはどうしてかといえば、完全に性欲をなくすためです。睾丸だけが残ると、性欲にもだえ苦しむことになる。欲望を奪われた人間はどう生きるのか。現代的ではないですが、こういうものもひとつの実験小説です。エミール・ゾラが『居酒屋』（一八七七年）や『ナナ』（一八八〇年）でやったようなことですね。それがやりたかった。

東　貴夫は政治的にとても正しく、リベラルな人生を送っています。お金にも執着しない。小説ではそれが理想として描かれているようにも見える。しかしよく考えると、彼は睾丸を奪われている。いまの日本の、政治的に正しいリベラルというのは、戦争を見て沸き立ってしまうような感性を奪われた、ある意味で貧しい人々なのだという皮肉にも読めますね。

筒井 正しい読みです。そもそも欲望がなくなったからといって、それでほんとうに聖人になれるのか。欲望がわからないから、悪徳を悪徳と思うことがないという欠点もあるかもしれない。

東 たしかに小説では、貴夫は性に対するうしろめたい感情がなく、自分の店を平然と売春宿のようにしてしまうという描写がありました。欲望があるからこそ倫理もある。そう考えると貴夫は、筒井さんご自身の裏側を描いたような人物にも見えてきますが……。

筒井 自分が欲望を奪われたらどうなるかまではわかりません。ただ、性欲がなくなっても、なにかの欲望は残る。貴夫はそれが食欲に向かう。だからレストランを経営しているわけですね。

無力さとメタフィクション

東 メタフィクションについてうかがおうと思います。筒井康隆といえばメタフィクションの作家という印象があります。『聖痕』の文庫版解説では、筒井さんのそのような試みを、「老い」の問題と結びつけて論じました。老いていくことや呆けていくことは、ふつうポジティブには捉えられません。しかし、その壊れた認知を文学的表現に昇華したとき、そこにメタフィクション、あるいはパラフィクションと呼ばれる独特の作風が生まれるのではないか。時間がスキップしたり、空間が歪んだり、会話していた人物がいつのまにか別人に入れ替わっていたりといった筒井さんの文学は、ある意味ではとても「リアル」なのではないかという読解です。

筒井　おもしろい読みだと思います。ただ、実際に本格的に自分の老いについて考えたのは『敵』（一九九八年）からです。それも、自分の頭や身体に老いを感じたからというよりも、六五歳になったからという理由が大きい。老いをいまのうちに書いておかなければならない、ほんとうに老いてからでは書けないという焦りがあった。それ以降はたしかに老いを扱うことが多くなり、『愛のひだりがわ』（二〇〇二年）ではご隠居さんというキャラクターを出し、『銀齢の果て』（二〇〇六年）では老人どうしに殺しあいをさせた。最近は「ペニスに命中」（二〇一四年）という短篇でも支離滅裂な行動を取る老人を書きました。

余談ですが、『敵』の構想中に生前の中村真一郎さんにお目にかかった。当時八〇歳前後です。作品のアイデアを話したら、「主人公を七五歳に設定するなら、八〇歳になったつもりで書かないと。人間は七〇歳をすぎたらがくっと体力が落ちます」と言われました。おととい森村誠一に会ったら、八二歳なんですが、彼もまた「八〇歳を超えたらがくっと体力が落ちるぞ」と言っていた。ぼくはいま八〇歳ですが、ぜんぜん元気なんですね。いつになったら衰えるのか。

東　今日の対談のため『虚人たち』を読み返しました。八一年の小説で、筒井さんの転機となった記念碑的な作品です。このあと、前述の『虚航船団』、『夢の木坂分岐点』（一九八七年）、『残像に口紅を』（一九八九年）、『朝のガスパール』（一九九二年）といったメタフィクションの傑作が続々と発表され、最新長篇『モナドの領域』にいたります。

その『虚人たち』ですが、学生時代に読んだときには気づきませんでしたが、胸の詰まる、寂寥感溢れる小説だと思いました。そこで印象に残ったのが「空回り」感です。

主人公は、奥さんと娘さんが誘拐されてしまい、ふたりを助けようと苦闘する。そこにメタフィクションが重なっていて、主人公は自分が小説の登場人物でもあることに気づいている。なにか行動しようとすると、自分が登場人物であることを自覚していることから、いちいち描写がもたついてうまく進展せず、結局奥さんも娘さんも救えない。ここではメタフィクションの仕掛けは、人間がなにかを試み、結果として無駄に終わるという喪失感と重ねあわされている。のちにそれが老いのテーマにつながっていくわけですが、つまりは、筒井さんは一貫して人間の無力さを描いてきた作家なのではないか。

筒井 作家になるまえから、やることがすべて無駄になる、なにも成功しないというテーマのものが好きでした。たとえばメルヴィルの『白鯨』(一八五一年)。ジョン・ヒューストンが監督して映画化していますが(一九五六年)、彼の作品はみな、なにかを試み失敗する男を描いている。『マルタの鷹』(一九四一年)も『黄金』(一九四八年)もそうですね。無力感を表現することは、デビュー以来、ひとつのテーマでした。

東 それが初期作品ではスラップスティックな笑いで表現され、ある時期からメタフィクションとして表現される。『虚人たち』はその点で転機になった作品で、この作品を分水嶺として、筒井さんの活動の場がＳＦから純文学へ大きく移動することになる。この方向転換は意図的なものだったのでしょうか。

筒井　ぼくが意図したというより、周囲に後押しをされたというのが実際です。最初は大江健三郎氏の紹介で、『海』編集長の塙嘉彦氏がうちに来た。依頼を受けて短篇をふたつ書いた。そのあと『虚人たち』のアイデアを思いついて、塙さんをバーに呼び出し、内容をえんえんと説明して、こういうものを書いてだいじょうぶかと聞いた。すると、次号から連載を始めてくれと言う。それで自信を持って書き始めた。それまで、ほかの純文学雑誌に書くことはなかったし、これが転機になるとも思わなかった。

東　いまでこそ純文学と他ジャンルの交流は一般的になりましたが、当時は歴然とした業界の区別があった。

筒井　ありました。はじめて『海』に書くときには、ＳＦ仲間は驚くだろうとわくわくしていましたよ。

東　実際の反応は。

筒井　なにもなかったですね（苦笑）。

東　嫉妬も含めて、ということでしょうか。

筒井　そうですね。ぼくは当時いろいろなジャンルに挑戦していたから、そのひとつだと思ったんでしょう。そもそも当時は純文学の評論家だって、作品をまともに論評しなかった。『虚人たち』が出版されてからだいぶ経って、いくつか言及があったくらいです。

東　『虚人たち』の一〇年まえ、七一年にすでに『脱走と追跡のサンバ』を発表していますね。筒井さんは当時、SF作家とみなされていましたが、ニューウェーブの影響もあり、じつはこれはかなりメタフィクション色の強い作品です。スラップスティックとメタフィクションの融合、あるいはパラフィクション的な想像力というのは、このあたりが起源でしょうか。

筒井　いや、そのころはメタフィクションという言葉も知らないですね。当時は「超虚構」と言っていた。SFは虚構であることを前提とするので、それを強調するという意味で超虚構と言っていた。それがいつのまにか、メタフィクションという言葉に変わっていった。

『モナドの領域』は宗教小説

筒井　対談まえにツイッターで、東くんはメタフィクションのキャラクターは幽霊だと言っていますね。これはいい表現だと思う。幽霊はまさに無力だから。

もうひとつ。佐々木敦さんが指摘しているけど、どれだけメタフィクションの工夫を凝らそうとしても、読者は、ひとりの作者が書いたということを知っている［★1］。だから、読者の視点を入れた

★1　佐々木敦『あなたは今、この文章を読んでいる。——パラフィクションの誕生』、慶應義塾大学出版会、二〇一四年、一七六－一七七頁。

小説、つまりパラフィクションというのは、東くん流に言えば郵便的でもある。「これはおれのことだ」と思うひともいるし、思わないひともいる。

東　だとすると『モナドの領域』は、作家・筒井康隆がいままでつくり出してきた「幽霊」たちに感謝を捧げる作品ともいえますね。いままでたくさんのキャラクターをつくってきた。おれはおまえたちのことが好きだから、みんないいかんじで成仏してほしいと。

筒井　そこまでは考えていなかった（笑）。ただ、もし『モナドの領域』が評価されなかったときには、リベンジとして『カーテンコール』というのを書こうかなと思っていて……。

東　「最後の長篇」じゃなかったんですか？

筒井　最後の長篇だよ。でも最後といっても万が一、『モナドの領域』がどこかの出版社から賞をもらったら、お礼の意味でなにか書かなきゃいけないじゃない。というわけで、書かねばならなくなったときは『カーテンコール』を書く。それは、『モナドの領域』を受けて、いままでの作品の主人公がつぎつぎと出てきてあいさつをするという話でね。

東　（笑）

筒井　さすがにそれを書けばほとんどの編集者は呆れ返って、もう注文は来ないだろうと。それでもまだ来るようだったら、こんどは『プレイバック』というのを書く。これは、既存の作品のあっちから二行、こっちから一行と持ってきて、それだけで長篇に仕立てる。これを出したら、さすがにもうだれも注文してこないはずだ。安心して引退できる。

東　さすが、断筆宣言を撤回した男は言うことがちがう……。

筒井　まじめな話に戻ると、「最後の長篇」と銘打ったのは、『モナドの領域』の主題は「神」の問題であり、それは自分にとっての最終的なテーマだし、文学にとっても最終的なテーマかもしれないと思ったからです。まずはじめに、冒頭に登場する片腕のかたちのバゲットというモチーフを思いついた。

東　わくわくする出だしです。

筒井　でもこれだけでは長篇にならない。どう料理するか。かつて『三十四丁目の奇蹟』（一九四七年）という映画があった。終戦直後の名作だけど、九〇年代にリチャード・アッテンボローが主演してリメイクされている。作中でアッテンボローは、クリスマスまえの百貨店でサンタクロースに扮する主人公を演じた。でもその主人公は、自分がサンタクロース本人だと主張していて、妄想癖の疑いをかけられるわけ。そんななか、彼はひとを殴る事件を起こしてしまい、法廷では彼がほんとうにサンタクロースなのかどうかという審議が行われる。これがめちゃくちゃおもしろくて、『モナドの領域』の裁判の場面はここからヒントを得た。

東　そうだったんですか。『モナドの領域』には、まさに自分が神だと――小説内では「GOD」ですが――名乗る男が出てきます。それにしても、いまなぜ神の問題を主題としようと思ったのですか。

筒井　もともと自分のなかにあったものです。ぼくは幼稚園がカトリックで、イエスと神様の話をいやというほど叩き込まれました。けれども少年時代は悪いことばかりしてきた。母親の着物を叩き売って映画を見にいったり、父親の蔵書を売り飛ばして買い食いしたりしていた。しかし、そんなとき、こういうことをして「天におられるあの方」はどう思っていらっしゃるのかとずっと気にかかっていた。

東　筒井さんは信仰をお持ちだったんですか。

筒井　信仰とはちがいます。ただぼんやりと、なにかいるような気がしていたということです。それがイエスではないし、神でもないことはわかっていた。「天におられるあの方」としか言えない。

東　これは興味深い。その原初的な感覚こそが、筒井作品における作者と登場人物の関係のベースになっており、のちメタフィクションを生み出したもののようにも思われます。

筒井　それはあります。悪いことをやめたのは同志社大学に入ってから……いや、やはり悪いことはしてたな。女の子を泣かせたり。悪いことばかりしていたから、「天におられるあの方」の感覚を持ちつづけてこられたのかもしれない。

東　逆に『聖痕』の主人公は、悪いことをしないので、「天におられるあの方」の感覚も持っていない。

筒井　同志社大学はプロテスタントで、宗教学が必須科目です。そのころから、ちらりちらりと、アリストテレスやトマス・アクィナスを断片的に読むようになった。体系的に学んだわけではないですが、自分のなかで徐々に、キリスト教の説く神はおかしいと思うようになった。こんなに戦争が起こっている。災害もある。同じように仏陀もおかしいし、ムハンマドもおかしい。人間が考えた神はおかしい。しかしそうではない存在があるのではないか。それが『モナドの領域』のＧＯＤです。宇宙の意志と言ってもいい。考え始めたのは何十年もまえで、『エディプスの恋人』（一九七七年）の最後にも似た存在が老人として登場します。

東　筒井さんのメタフィクションは、神学的感性から来ている。登場人物が虚構内存在であることを自覚し、作者の意図や世界の描写について推測を巡らせる作風は、宗教的なモチーフから生み出されている。

筒井　そのとおりです。そんなことを大きな声で言うのは恥ずかしいから、極力隠してきたわけだけど。ただ、この年齢になって考えてみると、やはり究極のテーマはこれではないか。『モナドの領域』の主題は、メタフィクションやパラフィクションというより、モナドそのものです。モナドというのは、神のつくったプログラムという意味のライプニッツの言葉。それがGOD。ぼくは、そのようなかたちの神様しか納得できない。プログラムなら納得できる。

東　『聖痕』文庫版解説にも書きましたが、『モナドの領域』には、いままでの筒井作品とはちがう独特の感触を受けていました。この小説で筒井さんは、作者の死後のキャラクターについて考えているのではないか、自分が死んだあと、自分がつくり上げた登場人物はどうなってしまうのかという問題を扱っているように思いました。宗教的な世界観が、ぼくにはそう感じられたということかもしれません。

『文学部唯野教授』と『大いなる助走』

東　最後に文学と批評の関係についてうかがいたいと思います。筒井さんはこの三、四〇年、文学と批評の接点で活動されてきました。最もわかりやすい例が、九〇年に発表された『文学部唯野教授』です。英文学専攻の大学教授を主人公にし、批評理論そのものをパロディにしてベストセラーになった小説です。これにかぎらず、筒井さんは、作品がなんども批評家の批判にさらされ、ときに反論し、ときに揶揄で返しながらも、作家の想像力は批評を超えているのだと力強く答えつづけてきた作家のひとりだと思います。

ぼくもひとりの批評家として、そして作家の端くれとして、文学と批評の関係について強い関心があります。まずは筒井さんにとって、伴走する文芸批評はどう見えてきたのでしょうか。

筒井　時代時代で、批評に対する考え方は変わってきました。最初は文学批評の知識がないので、悪口を言われているらしいということだけがわかる。ではしかたがないので理論武装をしようということで、本を読み始めた。

東　それは『虚人たち』以降ですか。

筒井　もっとまえ。まだ小林秀雄とその亜流しかいなかったころですね。

東　『文学部唯野教授』ではポストモダンの理論が中心になっています。かなり同時代の批評家を意識した構成だと思うのですが、なぜあのような本を書こうと思ったのですか。

筒井　あれはテリー・イーグルトンの『文学とは何か』（一九八三年）が元ネタです。大江健三郎さんがイーグルトンをぼくに紹介してくれて、岩波書店から本を送ってもらった。それで、これでなにか書けということだなと思って書き始めたんです。イーグルトンを読んで、自分なりにギャグにしたり、例を日本に置き換えたりして工夫して小説にしたのだけど、肝心の部分は『文学とは何か』そのままじゃないかと怒られるかなと心配していました。そうしたら、イーグルトンの翻訳をした大橋洋一さんが、『文学部唯野教授』がベストセラーになったおかげでこちらまで売れたと喜んで、うちに来てくれました。あれはうれしかったですね。

東　それでは、批評家や大学人への怒りや恨みはなかったんですか。

筒井　ないですよ。ぜんぜんない。

東　でも大学人はそうは受け取らなかったでしょう。

筒井　大学で教えている友だちがたくさんいて、みなが「こういうことがあった」「こういうひとがいる」とおもしろい話を教えてくれたんですよね。ネタにされたと思ったのか、怒った先生もいたな。

東　『文学部唯野教授』の数年前に『虚航船団』をめぐる論争があり、筒井さん自身『虚航船団の逆襲』（一九八四年）を出版するなど文芸批評家とは軋轢があったと思います。それは、九〇年代のてんかん論争、断筆宣言へとつながる［★2］。思うところがなかったとは思えないのですが。

筒井　当時の感情はわかりません。自分の作品への評価ばかりが気にかかっていた時期はあったし、カッとすることもあった。けれどもだんだんとどうでもよくなってきた。いまは『モナドの領域』について悪い批評があったとしても、昔のように反論しようとは思いません。批評以前に、小説というものがいかにいい加減なものか、いやというほどわかってきた。

鷲田清一さんが朝日新聞で紹介していたのですが、『暮しの手帖』の元編集長・松浦弥太郎さんに「それらしいものほど、無責任なものはない」という言葉がある。文芸の世界でいちばん「それらしいもの」は小説です。詩や短歌は、おおげさに言えば魂の叫びです。狂歌や川柳の根底には制度に対する怒りがある。けれど小説はそういうものではない。なにも根拠がない。イギリスの印象批評の大家、ジョン・ベイリーやウィリアム・エンプソンといったひとたちは、小説とはじつにいい加減なもので、だからこそ読んでいて快いのだと言っています。そのとおりだと思う。小説の言葉をいちいち定義づけたら、それはもう小説じゃない。哲学です。そういうことが体験的にわかってきた。だからもうなにを言われても気にならない。これもまた「老い」かもしれませんけど。

東　筒井さんといえば、怒りのひとというイメージがありました。

筒井　『大いなる助走』（一九七九年）だって、べつに怒りや恨みで書いたわけじゃないですよ。

東　ええっ。

筒井　だって、文藝春秋から頼まれて書いてるんだから。

東　あの内容で「怒りがない」は通らないのでは。筒井康隆といえば直木賞でなんども落選し、怒り爆発で『大いなる助走』を書き、娯楽小説に見切りをつけて純文学に転向したということになっていますよ！

筒井　そういうふうに見せているわけでね。それでみな驚くだろうと。ぼくにとって小説で大切なことは、読者をおもしろがらせる、笑わせる、感動させるといろいろありますが、いちばん大事なのはびっくりさせることです。怒りよりもまずは「これを書いたらおもしろいぞ」という感覚です。

東　とはいえ、周囲はそう受け取らなかったでしょう。

筒井　まあね。連載初期は同人雑誌の話から始まって、編集者も「はいはい」と原稿を受け取っていたのだけれど、だんだん文壇の話になってくるにつれて顔色が変わってきた。編集長に怒られたり、選考委員が文春へどなり込んで来たりもした。それもまたおもしろかったな。

断筆宣言のころ

東　批評の問題とも関係しますが、筒井さんは初期から某宗教団体を揶揄する小説も書かれていますし、タブーの侵犯に躊躇のない作家という印象があります。

筒井　身の危険があるときはやめますよ。以前、金正日を茶化した「首長ティンブクの尊厳」（一九

★2　一九九三年に日本てんかん協会は、教科書に掲載された筒井の「無人警察」がてんかんに対する差別を助長すると抗議した。この出来事に対するマスコミの報道姿勢や用語規制に強い懸念を表明し、筒井は断筆を宣言。一九九六年まで新作を発表しない状態が続いた。

九八年）という短篇を書いた。作品の舞台はアフリカの一小国という設定になっていますが、読めば北朝鮮を揶揄していることはすぐわかる。儒教が伝わるアフリカの国、なんて実在しませんからね。発表後しばらくして、ある翻訳家からこれを韓国語に訳したいという連絡があった。そうなると金正日が読むおそれがある。さすがにこれは断りました。

東　身の危険にさらされたことはないんですか。

筒井　ないですね。

東　「無人警察」（一九六五年）に始まるてんかん論争のときは、それこそメディアや批評家から総攻撃に遭い、「表現の自由」をめぐって大論争が起きて断筆にまで追い込まれたわけですが……。

筒井　あのときは忙しかったんです。すこし休みたかったんだけれど「休筆」なんて言うと五木寛之のまねになってしまう。そこにちょうど具合よく、あの騒動が巻き起こった。

東　ええっ。

筒井　かみさんもそれを察していたようで、なにも言わないのに、むこうから、「書くのやめるんでしょう」なんて言ってきた。

東　ちょっと、ちょっと待ってください。あれは文学史に残る大事件だったことになっていますよ。ウィキペディアには「筒井の自宅には嫌がらせの電話や手紙が殺到した」と書かれています。

筒井　殺到してないですよ。

東　でも内田春菊さんとの対談で、「いままで、いろんないやなことがあって、自主規制の問題なんかでも担当者にいやな思いをさせたけど、いちばんいやだったのは僕だし、家族にまではそれは及ばなかった。でも、今度の場合は、家族や親戚にまで波及した」「今回は家族や親戚を守るためなんです」と筒井さん自身が言ったそうですが……［★3］。

筒井　いやいや、相手はてんかん協会ですよ。危険なんてあるわけないでしょう。協会のひとがナイフを持って刺しに来たりするはずがない。もしほんとうに言っていたのだとしたら、フィクションです。そう言ったらおもしろがるだろうと。

東　まじですか……。ちなみに、この騒動で大江健三郎氏と仲が悪くなったとも書いてありますが。

筒井　それはほんとうです。ぼくが自分を炭鉱のカナリアに見立てたら、大江さんがなぜか腹を立て「あんたはカナリアはカナリアでも太ったカナリアだ」と批判してきた。そのあと大江さんと対談する機会があって、真意を説明しました。ぼくはブラックユーモアばかり書いているから攻撃されやすい、だから自分を炭鉱のカナリアに喩えたんだと。それでどこまで納得してくれたのかはわからないけれど、それ以降は手紙を交わすなど、仲よくつきあわせていただいています。

東　では筒井さんにとって、てんかん事件と断筆宣言は、あまり大きな問題ではなかった。

筒井　じつにおもしろい経験でした。断筆したから収入がなくなったんじゃないかと心配して、近所

★3　内田春菊、筒井康隆「表現者を狩る『無人検閲』」、『筒井康隆スピーキング』、出帆新社、一九九六年、三六四－三六五頁。

のひとがパンを買ってきてくれたりした。断筆していた三年間、小説のアイデアは思いつくので、発表しないだけでどんどん書いていきました。溜まった小説をどこの出版社に渡すか、なんて考えて、けっこう楽しかった。

東　本気で断筆する気はなかった。

筒井　断筆しましたよ、三年間。でもこのまま出版社が放っておくわけがないとわかっていた。ことほどさように、ぼくは悪いやつなんです。で、こんなことをしていいのかと「天におられるあの方」が気にかかる（笑）。

SFは先端だった

東　断筆宣言、『文学部唯野教授』、『大いなる助走』と、筒井さんと社会の良識、あるいは批評が衝突した事例を見てきましたが、ついでなのでもうすこし時間をさかのぼり、SF業界で活躍されていたころのこともうかがいたいと思います。当時、筒井さんはなにを考えて文学に接していたのか。

筒井　ジョン・レノンの息子が「パパってビートルズだったの？」と聞いたという話がありますが、それと似たような感覚でね。あまり思い出したくないんです。小説を書き始めてから、人気が出るまでそう時間はかからなかった。たちまち忙しくなってしまい、そのころの記憶がほとんどない。その時間はどこに行ったのかと言ったら、井上ひさしに「読者のほうに行ったんじゃないか」と返されました。

東　なるほど。

筒井　実際、仕事にのめり込んでいました。かろうじて覚えているのは、ＳＦ作家みんなで集まって騒いだこと、いろいろしゃべったこと。あとは小松左京さんや星新一さんが夜中によく誘いに来て、窓を開けたらふたりが並んで手を振っていたというような、いまから考えると夢みたいな記憶しかない。

東　ＳＦというジャンルで書き始められたきっかけは。

筒井　当時はＳＦというジャンルそのものがありませんでした。ぼくはミステリが好きで、そればかり読んでいた。『マンハント』なんかも愛読していた。そんななか、早川書房から『ＳＦマガジン』が創刊されて驚いた（一九五九年）。ほぼ同時に、ハヤカワ・ポケット・ブックで刊行されたジャック・フィニイの『盗まれた街』（邦訳一九五七年）とカート・シオドマクの『ドノヴァンの脳髄』（邦訳一九五七年）を読んでぶっ飛んだ。そして、この表現は自分に向いていると思った。大学でシュールレアリスムの勉強をしたことも生きてくるだろうと思った。

東　ぼくの年代になると、ＳＦとミステリはまったく別のジャンルで、読者層もかなりちがうという印象です。当時ＳＦとミステリの読者はどのようにつながっていたのでしょうか。

筒井　単純に媒体の問題です。ＳＦとミステリは、時代小説が載るような大衆娯楽雑誌には載らなかった。ぼくにしても星さんにしても、当時は発表の場が『ＳＦマガジン』しかなく、それ以外は推理小説雑誌の『宝石』にショートショートを載せてもらうくらいだった。ぼくは関西にいましたが、自分でSF同人誌を出しながら、京都大学の推理小説研究会と交流を持っていました。

東 ミステリを書くという選択肢はなかったんですか。

筒井 すこしは書きました。ただ、すでにミステリは山ほど読んでいましたから、ものにならないことが自分でわかる。それに当時、ミステリはすでに多くの愛読者がいました。ところがSFのほうは、ぼくが最初に同人誌を出したころには、同じく同人誌を出している連中だけが読者というかんじでした。つまりSFは決定的に新しかった。ぼくは父親が動物園の園長をしていた関係で、家に理科系の本がたくさんあったし、家族の理解もあった。もしかしたら日本でSFが書けるのは自分だけかもしれないと、思い上がっていたくらいです。

読者も若いひとが多かった。結婚して上京したころには「ファンダム」と呼ばれるようなコアになる連中が集まって、一日、一一日、二一日に「一の日会」という会合を開いていました。ただ、しばらくすると、このままではだめなんじゃないかという気がしてきた。そのうち評論家として荒巻義雄や山野浩一が登場し、日本SFを批判するようになってきた。ぼくはニューウェーブが好きで、山野さんが言っていることが多少わかったけど、ほかの作家はみんな「ノー」だった。そうこうするうちにいづらくなって、SF仲間からはだんだん離れていった。そんななか、最初に書いたニューウェーブが、さきに名前の挙がった『脱走と追跡のサンバ』です。

東 つまりは、筒井さんとしてはつねに時代の先端を走りたかっただけで、デビューのタイミングでいちばん先端にあったのがSFだった。

筒井 すでにあるようなものは書きたくなかった。それはいまにいたるまで同じです。

筒井文学の雑種性

筒井 今日の対談のタイトルに「批評の未来」と入っているけど［★4］、これは東くんに任せておけばいいんじゃないか。自慢になるけど、東浩紀を文壇で最初に持ち上げたのはぼくです。

東 三島由紀夫賞のときですね。

筒井 『存在論的、郵便的』（一九九八年）。東くんの最初の本ですね。あれを読んで仰天し、選考会に臨んだのだけれど、選考委員のなかには「デリダとはダレダ」なんて言うひともいた。なぜこのすごさがわからないのか、いらいらしたものです。それから東くんとは対談するようになった。

東 『群像』（二〇〇七年七月号）の対談はよく覚えています。当時ぼくは行き詰まっていて、「批評を書くのがいやになっている」と言ったら、「そういうときは小説を書くのだ」と言われました。かつ

★4 本対談のもととなったゲンロンカフェイベントのタイトルは「パラフィクションとしての筒井康隆――文学の未来、批評の未来」だった。巻末の初出情報を参照。

て自分も『大いなる助走』を書いて、一人ひとりおれをバカにしたやつらを血祭りに上げていった、そういうことができるのが小説のすごいところで、おまえもそれをやればいいんだと。それで『キャラクターズ』（二〇〇八年、桜坂洋との共著）を書いた。

筒井　そのまえに『文學界』（二〇〇〇年一月号）の対談がある。郵便や幽霊について話しました。あのときは後半、あなたがひとりでしゃべりつづけた。ぼくは呆れて聞いていたのだけれど、最後の四ページはぜんぶあなたの発言です。

東　そんなことはないですよ！

筒井　忘れているんですね。そうなんですよ。そして最近も『文學界』（二〇一四年五月号）で対談をしている。

東　講談社から出たばかりの『創作の極意と掟』（二〇一四年）の話をするはずが、ずっと『聖痕』の話になってしまった。

筒井　そうです。そのときも、わが家の玄関に入ってくるなり、『聖痕』の話を始めて、帰りがけに靴のひもを結びながらもまだしゃべりつづけていた。すごいひとだと思ったものです。あなたはふつうの批評家ではないし、小説も書ける。批評の未来を担うには理想的なひとです。文学と批評の関係なんて、ぼくに尋ねないであなたが考えればいい。

東　ありがとうございます。身の引き締まる思いです。

最後にまとめますと、筒井康隆という作家は、日本文学の多様性を体現する、ほかにかわりのいない唯一無二の存在であるというのがぼくの考えです。たとえば筒井さんと同世代に大江健三郎がいる。大江さんはすぐれた小説家ですが、あくまでも純文学の正当な後継者であり、戦後民主主義の擁護者でもあり、経歴はまっすぐオーソドックスを歩んでいる。

それに対して筒井さんは、じつにいろいろな経験をされている。今日は触れなかったけれど、みずから舞台に立ったり、ジャズを演奏したりもしている。メディアミックスにも初期から関わっていて、アニメのシナリオも書いているし、映画の原作者でもある。そして、言うまでもないですが、じつに多くの読者がいる。そういう方が、いまだ日本文学の代表者として現役で活躍していることは、この国の文学にとって大きな希望です。筒井さんの経歴をたどれば、日本文学に、純文学だけではない、じつに多様で雑多な想像力が流れ込んできていることがよくわかる。それをたどるだけで、日本文学の理解はとても豊かになる。今日は、筒井さんが持っているそのような雑種性をうまく伝えられたとしたら、聞き手として幸いです。そして、その雑種性は同時に批評の問題でもあるわけですが……えっと、またしゃべりすぎてますかね?

筒井　どこで話を止めていいかわからなかったよ。みなさん、おわかりいただけたかな(笑)。

東　それでは、この続きはまたの対談でさせていただくとしましょう。今日は、長時間おつきあいいただき、ほんとうにありがとうございました。

筒井　(立ち上がって拍手に応える)

種の慰霊と森の論理

中沢新一

2016年1月12日

中沢新一
なかざわ・しんいち

1950年生まれ。思想家・人類学者。明治大学野生の科学研究所所長。著書に『チベットのモーツァルト』(1983年、サントリー学芸賞)『森のバロック』(1992年、読売文学賞)『哲学の東北』(1995年、斎藤緑雨賞)『フィロソフィア・ヤポニカ』(2001年、伊藤整文学賞)『対称性人類学』(2004年、小林秀雄賞)『アースダイバー』(2005年、桑原武夫学芸賞)『野生の科学』(2012年)『レンマ学』(2019年)ほか多数。2016年、南方熊楠賞受賞。

東浩紀　今号（『ゲンロン2』）の特集は「慰霊の空間」です。「個体の死を超えるもの」について、わたしたちはどのように語り／考えうるのかという問題が主題です。
　戦後日本には、イデオロギーもなければ愛国心もありません。地域共同体も崩壊してしまいました。宗教も機能していません。結果として、多くの日本人は、「いまここ」の時間に閉じ込められ、世俗的で功利的な判断しか信じられなくなっているように思います。二〇一一年の東日本大震災と原発事故は、そのような生き方を変えるきっかけになるかと期待されましたが、現実には偏狭なナショナリズムと荒々しいリアリズムが台頭しただけでした。
　そのようななか、中沢さんは宗教学者としてデビューし、この三〇年間、「個体の死を超えるもの」について考えつづけてこられました。そこで、今日はあらためて、いま日本で「個体の死を超えるもの」について考えるとしたら、どのような思想的なリソースが呼び出せるのか、そしてそれはイデオロギーや愛国心の罠をどのように免れうるのか、おうかがいできればと思います。
中沢新一　問題意識はよくわかりました。このような時代に「個体の死を超えるもの」について考えるためには、ふたつの思想的なリソースを召喚すべきだと考えます。ひとつは「種」の論理であり、いまひとつは「ジオ」の思想です。まずは前者からお話しします。

種の論理

中沢 「種の論理」は、戦前の一九三〇年代から戦後にかけて、京都学派の哲学者、田邊元が長い時間をかけて積み上げた一大主題です。第二次世界大戦が間近に迫る緊張の時代、全体主義とリベラリズムの闘争が激化していくさなかに、両者をともに内側から超克しうる「種」の論理の構築を目指した。それを通して田邊元は、全体主義でもインターナショナリズムでもない第三の道として、種を「類」に拡張しつないでいく論理を見出すことで、困難な時代に独自の思想を打ち立てようとしました。

種の概念そのものは、本来はあらゆる時代のあらゆる世界が持っていたものです。そもそも「個」という概念を最初に明瞭に提示したのは、アリストテレスでした。アリストテレスの個体を出発点に据える哲学は、その後、西洋に受け継がれて、西洋哲学の基礎となっていくのですが、その過程で種は個体の集合体としてしか考えられなくなってしまった。種そのものにロゴスが内在しており、そのロゴスは個体性を基礎づけるロゴスとは異質なものだという考えは、顧みられなくなってしまいます。けれども、田邊の哲学では、ソクラテス以前のギリシア世界でもそれよりもさらに広い非西洋的な世界でも、思考の出発点は個ではなく、個を包摂し、成り立たせている種こそが、思考の基礎と考えられていました。種こそがあらゆる思考を生み出すマトリックス的な「前空間」であり、個はその前空間の特異点のようなものとして出現してくる。この個が相互にコミュニケートする運動から社会がつくられてきますが、その社会性の根源は種のなかに据えられており、個と種は相互に弁証法的に媒介しあっている。これが「種の論理」の基本的な考えでした。

田邊は、さまざまな側面から種の概念の現実性と豊かさをあきらかにしようとしました。まずは生物学の視点。生物は種の存続のために個的な生存活動を行います。ある意味では、個体は種の存続のための「道具」として存在していることになりますが、この考えは現代生物学のドーキンスなどの思想にもつながっていくものです。社会学的な視点からも、「種の論理」の現実性が探られます。レヴィ＝ブリュールやデュルケームやモースなど、フランスの社会哲学から多くのヒントを得て、個に対する種の根源性が語られています。

たとえば北米インディアンやアボリジニの社会に顕著な「トーテミズム」と呼ばれる習俗を考えてください。トーテミズムでは、自己と他者の関係を、同じトーテムに属するものどうしであれば、相手が人間でも自然でもそこには連続性が保たれていて、両者は一体であると考えられています。フランス社会学では、こうした種的社会が個の集合体としての社会に優先すると考えられ、デュルケームとモースなどは人類の論理能力でさえ、種的な社会構造から生まれたことを証明しようとしました。こういったさまざまな領域に表れた種の論理をシンセサイズしていきながら、田邊は、近代を超克しうる哲学の出発点に、個の論理ではなく種の論理を立てようとしたのでした。

ところが敗戦後、この「種の論理」は一転、厳しい批判にさらされることになります。大東亜共栄圏の思想から始まって、八紘一宇、大アジア主義、果ては特攻にまでつながる危険な思想として、論壇ではほぼ全否定されてしまうのです。

しかし「種の論理」は、現代のような時代のことを想定してつくられていたようにさえ思われます。独特な「種の論理」によってかたちづくられてきた中東社会に対する西洋社会の無理解が、今日のような事態を中東とヨーロッパにもたらしています。現代はまさにご質問にあった「個体を超えるもの」についての深い思考を求められていますが、それに根底的に答えられる思想はまだ現れていません。田邊元の仕事はおもに戦前になされたものですが、その基本的なスキームはまだ生きていると、ぼくは考えました。そこで田邊の思想を主題に据えた『フィロソフィア・ヤポニカ』(二〇〇一年)という研究を行いました。案の定、論壇の反応は芳しいものではありませんでした。あいかわらず個に対する種の根源性を考える思考には、警戒心が抱かれていることが、よくわかりました。

しかし、現代のような時代に、種の問題や種に媒介された類の問題を考えずして、思想はもはや成り立たなくなっているのではないでしょうか。個を出発点に据える思考からは、難民問題ひとつを取ってみても、紋切り型の人道主義などがせいぜいのところで、それはすぐに矛盾に陥ってしまい、本質的な解決策など望めそうもありません。ヨーロッパで隆盛してきているナショナリズムや右翼的な思想に対しても、なぜそのような思考が生まれるのか、そのおおもとが摑めないでいます。今日の緊急の現実問題に対して、「種の論理」を召喚することに大きな意味があると、ぼくが考えるのはそのためです。

東　その思想は、国家や民族を個人の上に立てる思想と、どのように異なりますか。

中沢　「種の論理」は、国家や民族を超えたレベルに基礎づけられます。国家や民族というものがない世界でも、「種の論理」は働いてきたのです。もちろん国家も近代的な民族も、「種の論理」なしには発生できません。しかしそれらは変異形として出現したもので、「種の論理」がそのまま国家を生むわけではありません。人類がまだ国家というものを持たなかった長い時代（実際、そういう時代のほうが長かったのですが）、人間の思考も社会も、「種の論理」によってつくられていました。国家の出現は「種の論理」の内部に劇的な変化をもたらし、それが出現してしまったあとは、国家や民族が「種の論理」の同一物であるかのように思考されることになってしまいました。しかしそれは、マルクスやエンゲルスやクラストルたちが考えたように、さかさまの、転倒した思考なのです。

東　いま、種は国家とはちがうとおっしゃいました。まさに、霊を慰め、死者を追悼する場面において、種が問題になります。追悼では、個人の死をどのように共同体の物語のなかに組み込んでいくのかが問われているからです。

いまのお話を慰霊に応用するとすれば、英霊を国家主体で祀る「靖国の慰霊」ではない、別のかたちの「種の慰霊」がありうるはずだ、ということになるでしょうか。

中沢　「種の慰霊」は実在していると感じます。震災後の東北でとくにそのことを感じます。いろいろな場所で慰霊が行われています。家族の範囲を超えたところで、たんなる形式などではなく行われている、心情のこもった慰霊です。それはどうも「テリトリー」（領土性）と関わっているようです。自分と同じ土地に暮らし、自分と似た生活形態を持ち、似た風景を見て、似た祭りをやってきた、自分の同類たちが、たくさん亡くなった。その同類たちを同類の一員として慰霊する。そういう同類性の感覚で結びついた共同性が、東北の海岸部の被害のひどかった地帯で蘇っているのが感じられます。種と領土性が結びついているという意味では、これはトーテミズムの構造をしています。

震災後の東北で行われた慰霊のための祭りで、とくに印象的だったのは、陸前高田の七夕祭りでした。津波で流された瓦礫の町に、大きな七夕の山車が引かれていきます。東北では昔から、七夕には大きな竿を立て、灯籠を吊るしたり、飾りつけた山車を引く祭りが行われています。その山車が、街灯のまったくない漆黒の夕闇のなか、瓦礫のあいだをゆっくりと引かれて進んでいく。その明かりをめがけて、亡くなった人々の霊が海の彼方から戻ってくるのだと地元のひとたちが語っていました。

そもそも東北の夏祭りは、柳田國男も『日本の祭』（一九四二年）や『先祖の話』（一九四六年）などで指摘しているように、生者のつくる踊りの輪のなかに死者たちを招き入れ、いっしょになって踊るという趣旨を持っています。原型的な盆踊りです。近年は竿燈にしてもねぶたにしても、観光化が進んでいましたが、震災後にそうした祭りの意味が大きく変わった地域が、たくさんありました。死者たちをも生者の種の一員として招き入れ、そうして拡張された種が一体となって行う祭り、という意味が鮮明になった。これこそ現代日本における慰霊の最もラジカルな形態ではないかと思います。死者を生者の世界に祭りのイリュージョンを通して取り込むことによって、領土性と一体になった種の論理を立ち上がらせようとしているからです。

死者は国家や靖国神社に帰るわけではなく、七夕の竿の先に帰ってくる。竿を立て死者を迎える人々は、そのことを通じて、たんに地縁にとどまらない、ある種のつながりを再発見しているのです。

東　戦後日本では、国家が慰霊に失敗しつづけている。しかしその一方で、大衆の無意識のレベルでは慰霊の行為は続いており、そこではまさに、国家の硬い層の下の、種に対する別の感性が顕在化しているということですね。

イエと天皇制

中沢　震災後、もうひとつ思うのは、これまでの「家族」が壊れていて、「家族の慰霊」などということが不調に陥っていることです。震災で壊れたのではなく、それ以前からすでに壊れていたのではないでしょうか。いま、慰霊が問題であるとしても、それを解決しうる新しい慰霊は家族をベースにしたものにはならないだろうと思うのです。

東　たしかに日本では家族の慰霊も失敗しています。団塊世代が高齢になるにつれ、「葬式はいらない」「仏壇も墓もいらない」といった主張が増えてきた。上野千鶴子氏が二〇〇七年に『おひとりさまの老後』を出版しベストセラーとなりましたが、「おひとりさま」という言葉は、戦後民主主義の究極の帰結といえるのかもしれません。

中沢さんが考えるのは、「おひとりさま」が集まり、種をつくるといったイメージでしょうか。そしてそこでは夏祭りがモデルになると。

中沢　そのどちらでもありません。それになによりも、究極の個である「おひとりさま」がいくらたくさん集まっても、種はつくれません。それは「集合」であって、「種」ではないのですから。ぼくはここで、いまや忘れられてしまった重大な種的概念である「イエ」について、あらためて考えてみたいと思います。いまではイエはファミリーや家庭と同義になっていますが、もともとはちがう概念でした。イエは血縁の有無にかかわらず、さまざまなひとがなかに入ってくる可能性を持っていた。このようなタイプのイエの概念は、日本ばかりではなく、環太平洋圏では一般的な制度でした。

日本のイエでは、かつては養子を取ることは平気で行われていました。イエに道楽息子がいたら勘当したりしてよそに出し、親戚や知りあいにすぐれた子がいたら、イエを持続させるためにその子を養子として迎え入れることを、積極的にやっていました。これが殊に顕著なのは商家の場合で、重要なのはまさに「商いのイエ」ですから、継ぐのはべつに血縁じゃなくてもいい。むしろ血縁なんて毒だという考えすらありました。

イエは血縁を超えたつながりであって、永続した価値を持ったなにものかを保ちつづけることが、イエの意味でした。日本でも中国でも、イエは近代以前はかなり自由で、拡大的だったんですよ。庶民の世界では、さまざまな形態のイエが、時代を超えて長く持続したんですね。

東　イエの共同体は、戦後日本では「会社」というかたちで実現していたと思うのですが。
中沢　そのとおりです。「会社」はまさに「商いのイエ」として発達しました。
東　けれども、いまは会社も、持続可能なものとしては信頼されていません。国家もない。家族もない。会社もない。では、二一世紀のいま、イエなるもの——それは霊が帰る場所でもある——を再構築するとして、どのような手がかりがあると思われますか。
中沢　国家とイエは、本来は関係のないものです。強いて結びつけられるときは、むしろおたがいが逆倒した関係で結ばれることになります。それが強引に結びつけられるようになったのが近代に入ってからで、戦後はいちど解体されることになります。解体されたあと、国家とイエをつなぐ「なにか」が必要になってきた。戦後、その役目を果たしてきたのが天皇制でした。
東　天皇を中心とした「イエ」のイメージを積極的に評価するということですか。
中沢　日本国憲法の象徴天皇は、国家とイエの媒介者として機能してきました。戦前の大日本帝国憲法では、国家と天皇の関係は「元首」ですから、まさに国家と一体になっていた。これが戦後は「象徴」というものにずらされて、そこから媒介者の機能が発生するようになりました。
　象徴天皇制は家族の形態を取ります。むしろ家族であることが、前面に押し出されている。この家族はさまざまな儀礼を行い、和歌を詠む家族です。また今日では戦争の犠牲者をだれよりも悼む慰霊者であり、憲法の精神の擁護者でもある。そうやって、日本という幻想的なイエの価値を守っている家族です。そのようなかたちで、象徴天皇制はイエを戦後につないでいるといえるのではないでしょうか。

イエとは、国民の一人ひとりが感じ取り、価値を見出す「永続させるべきなにか」の詰まった「種的な容器」です。そのイエを持続させていくことが必要です。イエは、生産や商売のための機能体として、庶民のあいだで生きつづけてきたものですが、いまやその働きを文化的なレベルで果たしているのが、天皇制ということになります。戦後は国家と天皇の一体性が切り離されましたが、そのおかげで、本来は国家とは異質なイエの概念が、象徴天皇として蘇ってきたともいえます。イエのイメージをまとった象徴天皇の機能とは、そのようなものではないかと思います。

「種の論理」に立って考えると、生命において「個体の死を超えるもの」といえば、それはゲノムの構造にほかなりません。このゲノムに相当するものが、文化や精神の領域でも見出されなければならない。戦没者慰霊碑のまえで深々と頭を垂れる天皇や、東北の被災地の夏の祭りに死者の霊を迎えようとしている人々の行為のなかには、深く共通するものがあり、それは求められている精神レベルのゲノムに触れているように思います。

東　じつは今号には、もうひとつ「現代日本の批評II」と題した特集があります。一九八九年から二〇〇一年までの批評を再検討する共同討議［★1］を行なっているのですが、その時期を振り返ってみると、小林よしのりや宮台真司のことを考えざるをえない。彼らはふたりとも、強烈な個人主義者として登場しながら、ある段階でやはり「家族」や「天皇」と言い始める。そのことを想起しました。

ジオの哲学

中沢　最初に、「個体の死を超えるもの」について考えるための思想的リソースとして、ふたつのものがあると言いました。「種」と「ジオ」です。いま問題になっている天皇制のことなどは、そのふたつめの「ジオ」とも深く関係しています。

ジオとは、geo-logy（地理学）や geo-politics（地政学）における「geo」のことです。具体的な土地や風土の問題を組み込んだ知を表します。現代では抽象的なイデオロギーはもはや通用しませんが、ジオを取り込んだ知、すなわち geo-politics や geo-economy（地経済）はますます威力を発揮しています。ジオと結びついていない観念的な「世界史」や「思想史」など、もはや意味を持ちません。人文系学問はすべてジオ化しなければならないとさえ思います。ぼくが続けている「アースダイバー」は思想と歴史の領域に、そのジオを組み込むための実践として行われていますが、それはいわば geo-mythology（地理神話論理）の試みなのです。

混乱を極める国際政治を解読するために、かつて時代遅れとされた地政学的視点が息を吹き返してきています。もはやイデオロギーからのアプローチだけでは、なにも読み解けなくなっている世界の

★1　市川真人、大澤聡、福嶋亮大、東浩紀「平成批評の諸問題　1989-2001」、『ゲンロン2』、二〇一六年。

現実があります。ぼくは日本についても、このジオの視点から考えていく必要があると思うのです。

東　日本列島がユーラシア大陸の端にあり、半島があり、海がありといった配置の意味をあらためて考えると。

中沢　日本と日本人というものを「種の論理」として考えるうえで、それが典型的な「シーピープル」(海洋民)によって形成された、「シーパワー」(海洋権力)的な本性を持っていることが、いま最も重要だと考えます。日本列島はいくつもの巨大な海底プレートの重なりあう場所につくられた陸地です。そのために火山活動や地震が盛んで、いわば「揺れ動く大地」の上に、人間の生活が営まれてきました。

この揺れ動く性質は、この列島に住んできた人間にもあてはまります。原日本人はさまざまな方角から列島にやってきましたが、北方から地続きの陸地を渡ってやってきた旧石器人を除けば、その後の縄文人も弥生人も、すべて海を渡ってきたひとたちです。縄文土器を携えて南九州にはじめてたどり着いた縄文人は、南方からの海洋民ですし、その後一万年近く経って、北部九州に稲作の技術を伝えた「倭人」も、中国の揚子江下流域から海を渡ってきた人々でした。これらのうち、のちの日本の形成に最も大きな影響力を持ったのは、倭人=弥生人ですが、この人々は農業を行う海洋民であり、彼らのあいだから出現した原日本であるヤマト国家には、揺れ動くシーピープルの本性が深くセットされていました。

民族学で大きな疑問とされてきたことのひとつに、日本人の伝えてきた神話や習俗が中国の山岳部に住むいわゆる「少数民族」と、多くの共通点を示しているということがありました。苗《ミャオ》族などの少数民族の伝承では、はるか遠い昔には揚子江河口部（いまの浙江省のあたり）に稲作をしながら暮らしていた彼らが、漢民族の進出に押されて、次第に南西部の山岳地帯に退却したことが語られています。興味深いことに、倭人の原郷も同じ江南地方で、そこで潜水漁法と稲作をしながら生活していたことがわかっています。中国山岳部の少数民族の人々と、弥生人のもとをなした倭人は、もともと隣接して暮らしていた可能性が高いのです。

倭人と苗族など山岳部へ退却した人々が分離した原因として、黄河流域から揚子江のほうへ進出した漢民族の勢力が、そこに「ランドパワー」（陸上権力）的な国家を形成しようとしたことが、大きな要因であるように思われます。仲間の非漢民族がつぎつぎと大国家に吸収されていく過程で、苗族のようなグループは南西部の山岳地帯へ退却し、彼らよりもはるかに海洋民的な倭人は、海洋へ活路を見出していったのではないか。そう考えると、謎とされてきた多くの問題が解けてきます。

苗族のように平地の勢力から逃れて山岳地に逃げ込んだ人々は、社会人類学の概念では「ゾミア」と呼ばれます。平地民の国家と、それを好ましく思わない山岳部のゾミアの対立抗争は、タイやミャンマーなどでは、現代にいたるまで続いている。「ランドパワー」的な思考をする平地民と、「シーパワー」的な思考を好む海洋＝山岳民との対立は、政治思想的な重大な問題をはらんでいます。

平地民は、土地を開拓して灌漑《かんがい》を行い、農民を良民として人口調査をして徴税のシステムを敷き、「国家」をつくる。ところがゾミアの民はちがう。平地的国家は平面を広げていきますが、ゾミア的な人々は閉じた輪をつなぐようにして環状社会をつくるのを好みます。平地民は系図をつくる際、父系のみで系図をつくる傾向があり、山と海のゾミアの民は父系と母系の両系でつくる傾向を持つ。原日本人である倭人は、「ランドパワー」的な漢民族の文明からたえず距離を保とうとしてきたように思われます。

東　つまり、われわれは、漢文明=平野の文明を逃れてきた民族だと。

中沢　距離を保とうとした、というところだと思います。そのためにこのプレート上の列島は、絶妙な位置にあったといえます。「海のゾミア」ともいうべき原日本人はやがてそこに彼らの国家を形成しますが、その国家は「ランドパワー」的な中国の国家とは本質的なちがいを持っており、その表現が天皇という存在を生んだのだと思います。天皇制のうちには「シーパワー」的、倭人的本性が深くセットされており、そのことが大陸的国家との本質的なソリのあわなさを生んできたのでしょう。

東　いまのお話だと、日本の天皇制は、中国南方の民族に起源を持つものであり、それが海を渡って独自に発展したものだということになると思います。ただ一般には、天皇制と、ツングースなど北方遊牧民のシャーマニズムとの類似も指摘されます。

中沢　敗戦後の日本の知識層は、騎馬民族征服説に代表されるそのような説を、進んで受け入れてきました。日本文化の基層にあきらかな南方的要素がセットされているという事実を抑圧して、自分たちは被征服民なのだと考えたかったのかもしれません。そのせいで「一般には」そういうことも言われています。けれども、天皇の行う祭儀とツングース系のシャーマニズムを結びつけるのは無理だと思います。天皇の祭儀は多くの面で、まぎれもない海洋民性を示しています。
北部九州にいた弥生人たちが、国家というものをつくろうとしたとき、武器や馬や馬具を持つ人々が南朝鮮からこちらに渡ってきています。当時の南朝鮮の海岸部は倭人世界とひと続きの「伽耶《かや》世界」を形成していました。馬韓から百済にいたるまで、全羅南道には北方的な朝鮮とは異なる文化が発達していた。倭国はその人々とは親和的な関係を築けましたが、北方的な新羅や高句麗とはそうはいきませんでした。

植物的追悼は可能か

東　天皇制の起源は北方遊牧民のシャーマニズムにではなく、南方海洋民の社会構造にある。さきほどの話につなげると、それこそがイエということになるのでしょうか。

中沢　これは、イエという言葉の本質につながる問題であり、ひいては建築論にもつながる話です。現在の建築では足元の土地がはらむ意味はあまり重要とされません。整地してしまえばどこにでも建物は建つからです。しかし、だからこそ建築はいま、土地や環境とどのような関係を取りうるのか、むずかしい問題に直面している。
イエは大地の上に建つものであり、土地に根ざしています。つまり、一定の定住性を持つ「植物」のようなものです。植物は土地に根を張りながら、花粉や種を空中に飛散させていくこともできる。

ですから、定住性だけでなく遊動性も備えていますが、種が存続するためには大地の存在が不可欠です。

では、イエとしての天皇制にとって大地にあたるものはなにか。そのことを考えると、戦後の昭和天皇のふるまいが、大きな意味を持ってきます。昭和天皇は戦後になって、皇居のなかで田植えを始めました。天皇が稲を育てることには、深い原日本人的な意味が込められています。天皇という存在には「天皇霊」というものが入り込んでいますが、その天皇霊とは「穀物の霊」にほかなりません。天皇の本質が植物的であることを、みずから泥田のなかに入って田植えをするというかたちで表現して見せた。それは一種の思想行為として意図されたものだったのだろうと思います。

昭和天皇は南方熊楠などと交流を持ち、若いころから生物学の研究を好まれました。植物が好きで、吹上御苑に全国からいろいろな植物を集めてきて植えた。侍従長のどなたかの日記に出てきますが、毎朝新聞に目を通して、どこかで名木が切られるという記事があると、すぐに「この木をもらってきてください」と命じたという。またこれはぼく自身の少年時代の記憶としても鮮明に残っていることなのですが、戦後、昭和天皇は全国巡幸をなさった。そういうときにも、現地で名木が切られるという話を聞くと、切らないよう土地の有力者に頼み、それを皇居に運ばせた。吹上御苑の森というのはじつにふしぎな空間で、手入れは最低限にとどめられ、ほぼ自然に任せるという方針で管理されていました。昭和天皇の無意識のなかでは、生物学研究や吹上御苑の鬱蒼たる森、そして田植えの行為、こういったものがすべてつながっており、解体の危機に瀕していた天皇制を、植物的象徴の環を通して支えようとしていたのだと思います。天皇が保持していたすべての権力を失ってもよいから、このことだけは保持したいと願ったのではないでしょうか。たいへんに創造的な方だったように感じます。

こういうことのすべてがイエの本質につながっています。鍵となるのは「大地」と「植物」です。

東　たいへん刺激的です。「種の論理」でいわれる種とは具体的にはイエであり、イエとは植物と大地の関係性であり、そして戦後の天皇制はそんなイエの守護者として存在している。

慰霊に引きつけて展開すると、西洋思想における死は、アブラハムとイサクの寓話に象徴されるように、総じて動物的だと思います。家畜を殺し、血を神に捧げ、契約を結ぶ。「命が失われる」とは「動物の命が失われる」ということであり、その死をどう処理するのかということから、追悼や贖罪の問題系が生まれている。

そのような「動物的追悼」に対して、日本独特の、イエにもとづいた「植物的追悼」のようなものがありうるのでしょうか。

中沢　植物的追悼は創造可能です。バタイユの供犠論に見られるように、ヨーロッパにおいては、人間と神のあいだに横たわる絶対的距離が、動物を殺害する瞬間に無化されて、人間と神がつながるという考えがある。しかし、植物を中心に据えてみるとどうか。植物は地下に根を下ろしてそこから生えてくる。地下の世界から生えてきて、天空に向かう。天空に神がいるというよりも、植物そのものが神でもある。

北米のインディアンにも、これに似た考え方が抱かれています。彼らは人間の発生に関する神話をたくさん持っているのですが、多くの物語が「人間が目覚めたとき、あたりは一面の暗い闇でした」などと始まる。つまり、地下で目覚めた人間の先祖は、植物のように成長して地上に現れて、動物のように動きだす存在である、というふうに考えられているのですね。

古代ギリシアにも同じような考え方がありました。たとえば有名な「オイディプス神話」。「オイディプス」という名は「片足」「びっこ」といった意味です。その名のとおり、片足を引きずって歩いている。彼は、つねに地下に片足を突っ込んだ存在である人間の生存条件を象徴していた。こういう神話が残っているということは、古代ギリシアも、インディアンや日本人に似た、大地や植物を中心とした実存の思想を持っていたのではないでしょうか。

このように問題を「ジオ」の視点で考えることは、大地的なもの、大地的な力を思考に取り込むことを意味します。もうすこし軽く表現して、自然過程をシステムのなかに取り込む、と言ってもいいでしょう。ヨーロッパの思想にはどこか「足を持って移動できる存在」である動物の比喩によって思考することを好むところがあります。デリダの最晩年の思考が、動物性と主権の主題だったことは、じつに示唆的です。動物の本質は「脱領土化」していくことにあります。けれども、人間性の根源に、古代ギリシア人やアメリカインディアンや日本人のように、大地から生え出る植物の本質が関係しているのだとしたら、ぼくたちは動物性と植物性、脱領土化と領土化の関係を、ぼくたちの流儀でもういちど考えなおす必要があるのではないでしょうか。とりわけ、日本や日本人について考えるときには、植物の観点を抜きにすることはできません。

多くの日本人が天皇制のようなふしぎなものを受け入れつづけてきた背景には、そういう民衆的無意識の働きがあると思います。逆に中国的な権力概念は、日本人には受け入れがたかったのでしょう。

東　もし天皇が種としての植物の王として存在するのだとしたら、そこでは個の死はどう扱われるのでしょう。

中沢　天皇は「稲田の王」です。慰撫しているのはあくまでも稲霊《いなだま》であって、人間の死者霊をなだめる存在ではありません。そもそも、天皇という存在自体があくまでも「器」であり、そこに天皇霊という永続する存在が入り込んで天皇になる。そのための儀式が即位式です。その成り立ちにおいても、天皇とは、本来は「死」を持たない存在なのだといえます。考えてみれば、植物には「個体の死」はありませんからね。あるのは「種の死」に対するおそれだけです。植物的日本人は天皇も含めて、そんなことを考えてきたのですね。

東　植物的追悼においては、個体の死そのものが問題にならないのですね。

柳田國男と森の問題

東　ヨーロッパでは、戦争が終われば記念碑を建て、元首が花を手向け、儀式を行い死者を追悼します。そのことによって、コミュニティの記憶にとどめようとする。しかし日本にはもとより、そういった仕組みはないということでしょうか。

中沢　まさにそのことを、終戦直後に考えていたのが柳田國男です。南方戦線でも中国戦線でも夥しい数の死者が出た。この死者たちを、日本人はどう弔えばいいのか。柳田は、終戦直後に出版した『先祖の話』で、そのことを考え抜こうとしました。

「靖国神社で会おう」と国家は言いました。しかし、そんなことで日本人の霊は鎮まるのか。その問いを突き詰めていった柳田は、「祖霊」にたどり着きます。戦死者の霊はふるさとへ帰るのだと。亡くなった人々の霊魂は、ふるさとの山の裾野に集まってきて、何年かを経て、穢れや悲しみから浄化されるにつれ、次第に山の上へと登っていく。そして山の上からふるさとを見下ろしている。その構造を前提として、かつて人々は慰霊の祭祀を行なっていた。お盆のときは、生きている人間の世界に祖霊を迎え、祭りが終わるとまた山へと帰すのです。

大戦で亡くなった人々の霊について、柳田はこの考え方をもういちど参照してほしいと主張しています。記号である記念碑など建てる必要はないのかもしれない。ふるさとに帰ればいい。帰るべきふるさと、それはイエであり、イエを立てなおすことこそが、なによりも大事です。

東　とはいえ、そのような特殊な習俗を、日本国外の人々を巻き込んだ大戦の追悼のモデルにすることは無理がありませんか。

中沢　議論の階層を分けるべきです。いまはそこがごちゃごちゃになっている。第二次大戦で亡くなったひとの慰霊のために、国家が中心になって慰霊碑を建てるのはべつにかまわないとぼくは思います。靖国に代わる施設が必要ならば、それもつくればいい。大戦の戦死者を英霊と呼び、靖国神社に祀ることにも、一理はあると思います。慰霊はイリュージョンの様式なのですから、現実の階層性ごとにそれぞれにふさわしいイリュージョンはあってもよい。海外の人々に理解してもらうには、グローバルスタンダードに合わせた様式をひねりだせばよい。諸外国に「安心してください、ちゃんとした現代の国ですよ」と見せるためには、それも一策です。けれども、そうしたものすべてが、心の深層に「ゾミア性」を抱えている日本人の無意識を満足させるものとはならないでしょう。

東　わたしたちの本来の慰霊のかたちは「平地の思想」にもとづいた国家とは関係がないものとして存在し、そちらこそが考えるに値すると。

中沢　井上ひさしさんが『父と暮せば』（一九九四年）を書き、昨年、山田洋次さんがその翻案として『母と暮せば』（二〇一五年）という映画をつくっています。作中で死霊が帰る場所は、娘のところだったり母のところだったりする。戦争で死んだ者の霊は家族のもとに帰ってくるのだと主張することによって、靖国的な思考に対抗しようとしているわけです。

しかしほんとうは、中間にもうひとつあるのではないでしょうか。個でもなく国家でもない、また家族でもない、種の慰霊の可能性があるのではないでしょうか。その表現がどんなものになるのか、ぼくにはまだよくわかりません。しかし、個や家族や国家のさきに、まだ見えていない「種の論理」による新しい空間があるのではないか、そういう可能性を考えつづけてみたいです。

古代の大王たちの墓である古墳は、いまではぶ厚い森に覆われています。築造された当初はツヤツヤと輝いていた墓が森で覆われてしまっていますが、エジプトやマヤのピラミッドなどとはちがって、森で覆われてあることのほうが自然だと感じられている。そういう森を都市のなかに抱えていることを誇らしく思う感覚が、日本人のなかにはあります。「種の論理」からは空間の構造として、一種のフラクタル性を持った中空構造が自然に導き出されますが、皇居や明治神宮や大阪・堺にあるたくさんの古墳のような、都市のなかの深い森は、そういう中空構造を表現しているように思います。靖国神社もいいんですけど、もっと明治神宮の森について考えてみるべきです。慰霊のための種的空間として、明治神宮はすばらしい構造をしています。

東　最近は震災遺構の保存が話題になっています。ぼくはなるべく保存すべきという考えなのですが、お話をうかがっていると、たとえば福島の原発事故跡地などは、とくになにも保存せず記念碑なども建てず、ただなんとなく森にしていくことこそが日本人の気質にあっているし、またこの国の記憶のしかたなのだという気持ちになってきます。

中沢　おっしゃるとおりです。森に戻すのがいちばんいいやり方です。最近、眞並恭介さんの『牛と土』（二〇一五年）という本を読んだのですが、これは、福島第一原発周辺の帰宅困難区域に生きる、いわゆる「放れ牛」について記録したものです。被曝した牛に殺処分の命令が出たあと、それに従わなかった人々が牛を野に放った。その放れ牛の生態を記録しています。

この本からもわかるのは、原発周辺は、いまやそういう放れ牛だけでなく、多くの動植物のサンクチュアリ（聖域）になりつつあることです。日本人は明治以降、サンクチュアリをつくるのがとても下手になってしまいました。唯一の例外が皇居と明治神宮で、東京のどまんなかに意識的にサンクチュアリを出現させています。とりわけ明治神宮は、明治の科学者たちが知恵を集めて、もともと練兵場などがあった殺風景な場所を、一〇〇年かけて見事な森にしてしまった。そしてそこは同時に資本主義的な時間から解放された、庶民のためのサンクチュアリにもなっています。そういうサンクチュアリを増やすほうが、追悼施設や慰霊碑を建設するより、はるかに列島文化本来の慰霊に近いと思います。

文学と政治のあいだで

加藤典洋

２０１７年9月11日

加藤典洋
かとう・のりひろ

1948年−2019年。文芸評論家。早稲田大学名誉教授。著書に『アメリカの影』(1985年)『言語表現法講義』(1996年、新潮学芸賞)『敗戦後論』(1997年、伊藤整文学賞)『日本の無思想』(1999年)『戦後的思考』(1999年)『小説の未来』『テクストから遠く離れて』(ともに2004年、桑原武夫学芸賞)『人類が永遠に続くのではないとしたら』(2014年)『戦後入門』(2015年)『敗者の想像力』(2017年)ほか多数。

文学と「語り口の問題」

加藤典洋　東さんが一一月に出される『現代日本の批評　1975-2001』（市川真人、大澤聡、福嶋亮大との共著）をゲラで読ませてもらいました。今年（二〇一七年）四月に出された『ゲンロン0　観光客の哲学』についても簡単な書評を書かせてもらっています。両方ともにおもしろかったものですから、対談はあまり得意でないのですが、今日は東さんにお会いできるのを楽しみにして来ました。

ふたつの本の中身については、このあとお話しするとして、まずは東さんが『現代日本の批評』のなかで、ぼくの『敗戦後論』（一九九七年）のことを評価してくださった。そのことについてちょっと申し上げておきます。

『敗戦後論』というのは、三つの文章——「敗戦後論」、「戦後後論」、「語り口の問題」——からなっています。発表直後は、ひとつめの「敗戦後論」がだいぶたたかれたというか、圧倒的に批判のほうが多かったけれども、非常に多くのひとから取り上げられ、さまざまなコメントが寄せられました。それから一拍置いて、社会学者の大澤真幸さんが『戦後の思想空間』（一九九八年）その他で、「敗戦後論」よりもふたつめの「戦後後論」のほうがよりおもしろいのではないかということを言ってくれた。ぼく自身も、ふたつめがけっこう重要だという気がしていたのでありがたかった。そしてこんどは、もう二〇年になるのですが、東さんが「敗戦後論」でもなく「戦後後論」でもなく「語り口の問題」を挙げて、これがおもしろい、そう言ってくださった。その指摘は、ぼくにとってはじめてなんです。

東浩紀　それは知りませんでした。そうだったんですね。

加藤　「語り口の問題」は、フランスにいるときに書きました。ハンナ・アーレントの『イェルサレムのアイヒマン』（一九六三年）はフランス語訳で読んだのですが、そこで訳者が同時期の『ニューヨーカー』初出のドキュメンタリーとしてこれをトルーマン・カポーティの『冷血』（一九六五年）と並べているのを見て、オッと思ったのです。アーレントは年下の友人の小説家メアリー・マッカーシーに紹介してもらい、同誌の辣腕編集長ウィリアム・ショーンに連絡をするのですが、ショーンからすると、一時期は、『冷血』と『イェルサレムのアイヒマン』が同時進行だった。その『冷血』の副題は、「大量殺人とその結末の実録」と言うんです（笑）。あのころ、『人間の条件』（一九五八年）とか、ほかの著書に光があたっていたなかで『イェルサレムのアイヒマン』に焦点をあてて書かれたものはそんなになかった。そこで、自分としてはこれを取り上げ、なぜ『ニューヨーカー』なのかを入り口に、その意図的に軽薄化された「語り口」の持つ問題に光をあてて書いたら、一歩さきに進める、と感じた。その後、二〇一三年になって岩波ホールで『ハンナ・アーレント』が公開されましたね。この本を書いて孤立するアーレントを取り上げたマルガレーテ・フォン・トロッタ監督の映画ですが、

「ようやくこの本を書いたアーレントの孤立に注目する人間が出てきた」と思ったものの、映画の招待状がこない（笑）。コメントも求められない。だれひとり、このときのアーレントをぼくが以前、『敗戦後論』で大きく取り上げたということを、もう覚えていなかった。

東さんは『現代日本の批評』で、加藤は「高橋［哲哉］さんへの再反論を、『語り口』についての議論、つまり文体論で行う」のだが、「これは要は『文学はなぜ必要なのか』という議論なんです」と言っている［★1］。あれは「文学」の問題だったんだと、いま、指摘しているんですね。

ぼくはこの指摘を見て、文学ということの意味がいままた更新されようとしていると思いました。昔は「政治と文学」とか「思想と文学」というように文学をめぐる対置があった。それから、その対置自体への対項として、テクノロジー、広義の技術、情報、交通などが呼び出されて、いちど文学は、「文学などもう古い」と失効宣言を受けたわけです。しかし、それを受けて、まったく異なる文脈のもとに、東さんはあらためて「ここにあるのは政治ではなくて文学の問題なのだ」と言ってくれていると思う。二〇年を経てようやく、自分のあらたな考え方の回路を経て、こういう見方をしてくれるひとが出てきた。そういう意味でも、東さんの指摘はありがたかったわけです。

東　いまお話をうかがって、「語り口の問題」にこれまで多くのひとが注目してこなかったことのほ

★1　東浩紀監修、市川真人ほか著『現代日本の批評　1975-2001』、講談社、二〇一七年、二五四頁。

うが、意外に感じました。

高橋哲哉さんと加藤典洋さんの論争、もしくは当時、加藤さんが置かれていた状況は、煎じ詰めれば「文芸評論家が政治について語るなよ」という話だったと思います。言い換えればそれは文学と政治のあいだの距離の問題で、そこで加藤さんは文学者が政治を語ることの意味について、自覚的に「それこそが大事なんだ」と訴えられていた。それが凝縮して書かれているのが「語り口の問題」というテクストです。

文学と政治の関係というのは、加藤さんの言葉で言えば「私」と「公」の関係です。この対談のまえに事前にゲラで送っていただいた加藤さんの新刊『もうすぐやってくる尊皇攘夷思想のために』(二〇一七年)でも、私を通ってはじめて語られていたはずの公が、いつのまにか私の基盤をなくし公だけで暴走してしまうとき、公はきわめて平板な思想になると警鐘をならされていますね。私と公の関係をもういちどしっかり見なおすというのが、加藤さんの中心になる発想だと思うんです。それがつまり、文学から政治を語るということです。

哲学者である高橋哲哉さんは、文学と政治は基本的に切り離されているものとして語っていたところがあって、それは彼がジャック・デリダの研究者であることを考えると皮肉なことなのですが、そう思います。高橋さんはぼくの指導教官でもあり、尊敬していますし、いい仕事もされていると思っています。ただ、一九九〇年代はフランス現代思想が大きな曲がり角を迎えた時期です。ひとことで言えば、「フランス現代思想の政治化」が始まる時期です。英語圏化と政治化が同時に始まるのです。

たとえば、ミシェル・フーコーなどもとても単純に扱われるようになっていきます。そのときに、フランス現代思想というのは本来はまさに文学と政治の中間にあったような言葉なのですが、そこから政治的な部分が取り出されるという変化が起こる。それはデリダについてもフーコーについても起こっていて、ぼくの考えでは、高橋さんはその「新しいデリダ」を使っていた。つまり、政治的なデリダを使っていた。

その高橋さんが、文学と政治をいっしょくたに語ろうとしていた加藤さんに対して哲学者として反論するという構図は、そういう意味で、フランス現代思想の当時の状況も示しているし、大学と批評の距離も示していた。あの論争はいろいろなものが表れていた事件だなと思います。その性格を最も凝縮させたテクストが、まさに「語り口の問題」です。

ただ、ハンナ・アーレント自身がどこまで「フリッパント」な哲学者だったのかというと、なかなかむずかしいところです。アーレント自体も『イェルサレムのアイヒマン』ではたしかにフリッパントですが、たとえば『人間の条件』などをふつうに読めば、公と私、ポリスとオイコスを明確に分け、公的にふるまうことが政治的に正しいと書いているように見えます。その意味では、加藤さんの読解自体も、あくまでも加藤さんふうの読解です。いずれにしても、そこでずっと一貫しているのは、文学と政治の関係です。

これに絡めて言うと、ぼくが主宰する『ゲンロン』で展開していた『現代日本の批評』というシリーズは、まさに文学と政治の関係をぼくなりにずっと考えてきた結果生まれたプロジェクトだと言えます。ひとことで言えば、一九七〇年代までは日本では文学と政治は社会のなかでもかろうじて結びついていて、その文学と政治の関係を語る言葉として批評があった。

ところが、一九七〇年代以降は、文学と政治は端的に関係がなくなる。文学者の側でその変化を象徴するひとは、ぼくは村上春樹だと思います。そして柄谷行人。村上春樹と柄谷行人は、ぼくにとっては対なんです。柄谷さんは村上さんを評価しないからふつうはそう言われないけれども、彼らは、ほぼ同時期に、文学と政治が切り離されてしまったことを体現する作家と批評家として現れた。あまり言われない理解ですが。

いずれにせよ、文学と政治の関係はぼくにとっては非常に大きいテーマでした。ただ、加藤さんと今日このように対談させていただいていますが、正直に言えば長いあいだぼくも不勉強な時期が続いていました。『現代日本の批評』のなかでも言っていますが、恥ずかしながらぼく自身、二〇代のときに一読したきり『敗戦後論』を開いていなかった。ところが今回のプロジェクトのために読み返したら、まさに文学と政治の関係が書いてある。そして、そのことを一九九〇年代の読者がすでに読み解けなくなっていた。そのこと自体が興味深いことではないかと思ったんです。つまり、一九九〇年代に加藤さんが投げたボールは、あの時代の人々にもすでにどう受け止めていいかわからなくなっていた。世の中ではすでに文学と政治が分かれてしまっていて、政治的であることが、非常にフラットな、平板なものとしてしか受け入れられなくなっていた。それはいまにいたるまで続いている。そういう点で言うと、加藤さんはある意味であえて「オールドスタイル」な批評家としてずっとふるまいつづけていて、それはたいへん重要なことであると思います。

加藤 いま、フラットとおっしゃったけれども、ぼくはよく「ねじれ」という言葉を使います。最初はべつにそんな大きな意味で言ったわけではなかったのだけれども、いろいろな場面で繰り返し使っているうち、この言葉の射程が自分のなかで伸びた。世の中がフラットになるなかでのねじれとして残るものとは、つまり文学とほとんど同義なんですね。

で、このことが現在の哲学的な動向とどう関係するかというと、東さんは『観光客の哲学』で中間項(世間＝市民社会)がもはやないということをはっきり言っている。そしてそれをセカイ系に重ねていわゆるオタクの問題とつなげているけれど、これはぼくにとっても非常に重要なポイントで、おもしろいんです。中間がなくなって、じゃあその両端、個人と世界はどのようにつながるか。そこをひとはどう生きるのか、という問題です。ぼくから見ると、東浩紀はそれを埋める動態を「ふわふわ」(観光客)と言い、國分功一郎は「中動態」と言っている。

とはいえ、フラットになる、中間がなくなるという話は、非常に長い射程の話なんですね。『観光客の哲学』ではヘーゲル的な中間項である「世間」(市民社会)に「もまれて大人になる」という図式の崩壊、つまり中間をなす「世間」(社会)の脱落・消滅ということが言われているけれども、これには、いろんな言説が日本でも併走してきました。

さきほどの村上春樹の話で言えば、まず一九九二年。この年に丸山眞男が『忠誠と反逆』を出しています。丸山さんはあまり本を出さないひとだけれども、『忠誠と反逆』のまえは一九七六年の『戦中と戦後の間』。そして、このタイトルはハンナ・アーレントの『過去と未来の間』(一九六一年)にあやかってつけたものです。つまり、『忠誠と反逆』というのも、「忠誠と反逆の間(between)」なのです。『忠誠と反逆』とはなにかというと、通常は、忠誠心があればこそ主君がダメな場合にはこれに対する反逆も生じる。そしてそこに葛藤が生まれる、ということ。主君が愚かだと諫言し、諫争し、それでもダメだと、諫死、でなければ、反逆、謀反と、そこに葛藤のグラデーションが生まれます。かつては上位審級存在との関係が忠誠と反逆の葛藤というプレイフィールドの中間地帯(between)を持っていた、しかし、一九六〇年代以降、いまや「のっぺり反逆」と「べったり忠誠」しかなくなった、中間地帯が消えたと言うのです。

ところでその同じ一九九二年に村上春樹が出している『国境の南、太陽の西』は、三角関係みたいな話だけれども、要するにイエスかノーか、どちらかしかないということが恋人の口から主人公に言われる。ぼくはあの小説のテーマは「中間がなくなった」、そういう世界でひとはどう生きるか、ということだと書いています(『村上春樹 イエローページ』、一九九六年)。象徴的なシーンは、外苑東通りかな、交差点が出てきて、そこは通りをはさんで一方が赤坂、他方が青山なのですが、そこで、信号が赤から青に変わり、青からまた赤に変わる。黄色が出てこないのです。小説中の色彩も、赤とか青が頻出する一方、黄色はない。中間はない。つまり、ねじれがなくなりフラットになる。忠誠も反逆もなく、ひとが「もまれる」場所、大人になる場所が消える。文学という場所もなくなる。このとき丸山眞男と村上春樹が同じ指摘をしていた。

『観光客の哲学』が与えた示唆

加藤　そのうえで言うと、東さんの『観光客の哲学』からぼくがどんな示唆を受けたか。いちばん刺激を受けたのは、現代世界の二層構造論というところです。それはすでにほかのひとも言っている大きなポイントだけれども、その捉え方がぼくの場合はすこしちがうかなというところがあるので、そのへんをおもに話します。

この二層構造論というのは、この本のなかでは簡単な言い方で上半身と下半身と言われています。上半身（思考と政治）はネーションに属しながら、下半身（欲望と経済）はグローバリズムのもとにある。しかし、リニアルな見方を非リニアルな見方に変えているということがすごく大きい。シンプルなので、口に出して言うと簡単なようだけれども、非常に大きなことが言われていると思うんです。

東　ありがとうございます。

加藤　リニアルな見方からは、どうしても二元論になります。つまり、「AからBへ」と言うと、「ほんとうはAのほうがよかったけれども、ダメになっちゃったからいまBなんだ」、あるいは「Aはダメだったけれども、いまはBで、よくなった」と、見方が単純化される。では、AとBが二層につながるというのは、どういうことか。これは、これまでそう言われてきたけれども、よく現実に虚心で向かいあったらそうではなかった。その新しい現実を勇気をもって受け止めようと、そういう態度変更を含んでいる。いままで国はダメだと言われてきたけれども、そういう根拠もないんじゃないの。

資本主義はダメだと言われてきたけれども、公平に見たら、資本主義によって開かれる未来もあるんじゃないの。だから、AかBかではなく、このふたつを一体として受け止めよう、そうして生きていかなきゃならない、ということですね。福澤諭吉は「一身にして二生を経るが如く、一人にして両身あるが如し」と言いましたが、これも幕末の激動期を生きた経験から出てくる二層構造論でしょう。

この本の二層構造論は世界の変化を受けた態度変更を経て出てきているということです。

それから、この本ではこの把握が非常にスケールの大きな対象の見方転換につながっていますね。これもうかうかと見過ごされがちですが、まずこの見方だと、一九五〇年代の有力な思想の担い手、アレクサンドル・コジェーヴ、カール・シュミット、ハンナ・アーレントという立場のちがう三者の共通項をスマートに提示できる。そのうえで、さらに「ネーションの崩壊が全体主義になる」「ネーションの本質は友敵」という守旧派の彼らから「もうネーションの時代ではない」「帝国の時代の到来だ」という現代派のネグリ＝ハートの『帝国』（二〇〇〇年）までをさらに一括りする観点が得られます。そこには、当然、ネーションを超えるという柄谷行人の『世界史の構造』（二〇一〇年）のアソシエーショニズムの主張も含まれるわけですけれども、もうそれではダメなのではないか、と言われている。あと、ここで重要なのは、この本で東さんは「グローバリゼーション」ではなく「グローバリズム」という言葉を用いていること。ちょっとしたちがいのように見えるけれども、じつは変わった仕掛けがある。グローバリズムというのは、グローバリゼーションという現象をもとに、そこから出てきた経済の体制ですね。帝国という政治の体制とはちがう。そのグローバリズム（世界市場体制）

とネーションステート（国民国家体制）とを対置させ、二層構造として捉えなおしているところにも、これまでほかのひとが行わなかった見方の転換がある。

ぼくのなかではビオスとゾーエー、ポリスとオイコスといった、二層構造の問題への関心がずっと続いてきているので、この点からも東さんの指摘は刺激的なのです。さきほどのアーレントについての東さんの発言に対してですが、たしかにアーレントでは固定的な二元論が一貫して優勢です。ビオスはよいがゾーエーはダメ、ポリスはよいがオイコスはダメ。だけど、それが一回だけズレて、公と私のあいだの優劣関係が揺らいだのが、『人間の条件』のあと、自民族の問題を扱った『イェルサレムのアイヒマン』だった。ユダヤ人のこと、自分のことだったから彼女のなかに揺らぎが生じたのだ、というのがぼくの考えです。そこで彼女のなかで公と私が二層構造化し、葛藤が生じた。そこがおもしろいと思った。それで『イェルサレムのアイヒマン』を取り上げているのですが、そういうところも『観光客の哲学』の二層構造性、「家族の哲学」という枠組みですべてカバーできる大きさがあります。

あと、ヘーゲルの言う、ひとが「もまれ」て大人になる中間のフィールドとしての社会＝世間がなくなって、人間は未熟なまま世界と向きあわなくてはならなくなった。これが、二層構造性から出てくるもうひとつの問題です。つまり、はざまがない。するとそこをどう生きるかという問題が出てくる。いままではみんなまともな人間、大人をモデルにして哲学を論じていたけれど、じつはもうヘーゲル型の大人がどう世界を生きていくかという問いは前提が失われている。いまや、ひとは未熟なまま、「ひとづきあいが苦手なまま」、どのように世界とつながり、世界にコミットしていくのかという課題が現れているという。そこが『観光客の哲学』の提示しているもうひとつの新しい観点です。

國分功一郎さんが『中動態の世界』（二〇一七年）で、依存症の患者の世界からこそ、いま世界の普遍的な問題が取り出せる、それを、意志と責任から抜け出た「中動態」の世界でどうひとは壊れたまま世界とつながれるか、そのとき世界はどう変容するか、という問題に同期できる、と言っています。壊れた人間の場所から世界について考えなくてはならなくなったという観点に通じあうものがあると思うのですが、東さんはそこで、國分さんの「中動態」に対し、「誤配」という概念を媒介に、誤りうること、「偶然性」、「ふわふわ」というあり方を提示している。その集約点が「観光客」ですが、そのようにして自身の哲学を展開されているところが、今回の『観光客の哲学』の新しさだったと思うんです。

東　ありがとうございます。四つほどお答えすべきことがあるかなと思いました。

ひとつめですが、さっき言い忘れて、いま、加藤さんがおっしゃったことで思い出しました。「語り口の問題」の話は「秘密」の話と関係している。主体とは秘密を持たないと公の存在になれない。これはすごく重要な問題です。いまの時代は情報公開を絶対善だと思っているところがあって、「パブリックであることはオープンである」、「すべて情報公開してまったく秘密がないのが正しい」となっている。でもほんとうは、人間というものは、秘密を持ってなにかを隠していないと、公のことは言えないのではないかという問題がある。これはすごく重要な、いまの社会にとってもアクチュアルな問題提起だと思います。政治哲学からはなかなか出てこない問題提起なので、文学者こそが投げかけるべきです。

加藤 テクスト論者が、作品におけるテクストで書き落とされること、つまりレティサンス（故意の言い落とし）ということの持つ意味に無頓着だったことに通じますね。テクスト論は書かれたものをしか相手にできないので、テクストのここにじつは言われていない重要なことがあるというのは、作者を想定しないとそんなことは言えないため、ルール違反、禁じ手になります。その結果、テクストから「ないこと」（秘密）がなくなってしまう。テクスト論は作者といっしょに作品から「語られないこと」（秘密）をも駆逐してしまった。

これに関してもうすこし言うと、もうひとつ、『観光客の哲学』でおもしろかったのがサイバースペース論で、東さんは「情報技術に接触すると、ひとは、［サイバースペースという］新世界に行くというよりむしろ幽霊に取り憑かれる」んだと言っている。ここに言われるサイバースペースはぼくに言わせるとテクスト論にいうテクストと同義です。ぼくはかつてそこで作者は死ぬんではなくて読者とのあいだで「作者の像」として残るんだと書いたことがあるけれども（『テクストから遠く離れて』、二〇〇四年）、ああ、そうか、ここは作者は幽霊として残る、と言ってもよかったわけだと膝を打った。ほぼ同じことが言われていると思いました。

東 いまのお話は、ぼくが言おうと思っていた答えの四つめにつながります。ぼくはテクスト論の話をしようと思っていました。ぼくはデリダの研究から入ったのですが、じつはフランス系のテクスト論には昔から違和感があったのですね。なぜかというと、そこには「作者」と「テクスト」しかないからです。でも、実際には小説はどういう点で批評から区別されるかというと、ひとことで言えば登場人物がいるかどうかでしょう。登場人物がいなくて、作者とテクストしかないものは、ふつう小説と呼ばない。それでは小説の固有性がなくなるんです。

ですから、小説論として展開するなら、絶対に登場人物論がなければいけない。それこそが小説が小説であることを定義しているとぼくは昔から思っていました。ところが、ご存じのとおり、フランスのテクスト論にはほとんど登場人物論がない。そして実際、彼らの理論はヌーヴォーロマンや「テル・ケル」派と結びついていたので、登場人物なんかなくてもいいんだみたいな方向に向かっていったわけです。しかし、あれは小説としては異形な形態ですよね。

加藤 貧しくなるしね。

東 では、登場人物論というのはいったいどこでやっているかというと、二〇世紀の後半で影響力を持った理論家としてはミハイル・バフチンしかいない。バフチンの「ポリフォニー」という概念は、もともと複数の声があるという概念です。ところがこれがジュリア・クリステヴァによってフランスに輸入されたときには、「インターテクスチュアリティ」になってしまう。これは兆候的です。つまり、「声が複数」という概念が「テクストの豊かさ」になってしまうんですね。また人物が消えてしまう。

加藤 そのとおりだ。

東　バフチンは声には人格があるんだと言いますが、ロシア語の「人格」という言葉はリーチノスチといって、これはリツォー（顔）という単語から来ています。顔をもつ声が複数ある状態が小説を定義する、というのがバフチンの考えで、これは別の言葉で言うと「固有名」の問題です。作者とテクストだけがあるのではなくて、そのあいだに固有名が複数埋め込まれたような状態。いわゆるテクスト論にはこういう論点がないのですよね。

とはいえフランス系の思想に登場人物論の萌芽がまったくないかといえばそんなことはなく、たとえばデリダの「幽霊論」なんかはそれになりうると思います。作者とテクストのあいだの声というのは、つまりは幽霊みたいな存在であって、まさにいるんだかいないんだかよくわからない。いないと言えばいない、いると言えばいる。いると信じているひとたちにとってはいる。小説の登場人物とはそういうものだと思います。だから、ぼくのなかでは幽霊論というのは登場人物論であり、同時にテクスト論批判であるので、加藤さんのご指摘はわが意を得たりというかんじです。

「私」から「公」をつくる回路

東　つぎはふたつめです。ふたつめは動物と人間の問題です。これについては、ぼくはこう考えています。ヘーゲルの哲学においては、動物は人間へと上昇する。グローバリズム批判をするひとたちも、「このままでは人間が失われて、みんな動物になってしまう」と警鐘として投げかける。動物と人間が対立している。

ぼくの場合は、そうではなく、人間を人間として突き詰めると、むしろすごく野蛮な動物性が出てくると考えています。ナショナリズムはそういうものです。ナショナリズム、つまりヘーゲルの国民国家のシステムは、まさに動物を人間として陶冶するためにある。けれども、動物をどんどん人間に変えていくと、そこに排除のシステムが生まれ、非常に強い暴力が出てきたりする。では、人間を人間として突き詰めて動物に戻る回路とはべつに、動物を通って実現可能な人間性もあるのではないか。これがぼくが言っていることです。そのひとつの例として、『観光客の哲学』では、たとえばダークツーリズムを挙げている。観光は、動物を通って人間になる回路として考えられている。資本主義のなかでは、一見人々が動物としてしか生きることができないように見えるけれども、そのなかにはじつはさまざまな「まちがい」があって、そのまちがいが動物的快楽を満たすために行われた交換をすこしずつずらしていく。そのズレにこそ人間性が宿るんだというのが、ぼくの理論構成になっています。

ぼくはフランス系現代思想のパラダイムから思考していますけれども、フランス系のひとたちは「贈与」という概念が好きですね。交換の外側に贈与があると言う。柄谷行人も贈与ということを好んで言う。

けれど、贈与というのはふつうに考えれば「交換の失敗」のことです。ぼくは、贈与の概念は、交換の外にあるのではなくて、交換の失敗として考えたほうがいいと思います。ぼくの理論の基礎にあるのはそういう発想です。交換が増えれば増えるほど、贈与も増える。なぜかというと、交換はけっこう失敗するからです。そして交換が失敗したときに、ある観点で見れば、それは贈与に見える。贈与というのは交換の失敗の「効果」でしかない。これは、ぼくがデビュー作の『存在論的、郵便的』（一九九八年）から言っていることですね。

　ぼくのベースにある動物と人間との関係は、資本主義を通して公共性が現れるというものです。資本主義を通すと、多くの交換をしつづけるけれども、そこには必ず失敗があるので、われわれは贈与を経験してしまう。一般に言われるのは、われわれは交換の外側に贈与の空間をつくるべきだということです。コミューンですね。けれど、そういうものをつくると、人間は必ずその内側と外側を分ける。コミューンに入れるべきひとと入れたくないひとを分ける。そこで排除の力学が働き、きわめて残酷な暴力性が出てくる。これは理論的に見えて、きわめて具体的な問題だと思います。だからぼくはそうではない道を考える。それがぼくの二層構造論のベースにある発想です。動物も人間もどちらも悪いわけではなく、どちらもいいわけでもない。そういうかんじで理論構成をしています。

加藤　いまの話を聞くと、動物のことを下に見ているように聞こえるけれども、そんなことはないの？

東　いえ。そうではないですが、ただ、ぼくは人間が動物でいいと思っているわけでもありません。人間の文化はすばらしいし、人間の人間たるゆえんは動物的ではないところにある。ただ、人間が人間的に正しくふるまうためには、人間はいったん動物でなければならない。その矛盾というか、加藤さんふうに言えば「ねじれ」こそが大事だと思うんですね。これ以上具体的に言えないのですが……。

加藤　ぼくがなぜそんなことを言うかというと、ぼく自身はずっと私利私欲からの公共性ということを言ってきました。つまり動物であることを否定しない、むしろそれを徹底することの彼方に公共性を想定するのでなければ、公共性はとんでもなく貧しい、ある意味抑圧的なものに転化せざるをえない。東さんと発想がすごく似ているんです。

東　そう思います。

加藤　ヘーゲル図式はもう崩れている。ヘーゲルも私利私欲みたいなことを認めて、そこから大人になっていくとか、あいだに社会があるとかと言ったけれども、それがなくなって取り残されてしまっている。私利私欲からの公共性というのは、もうそのルートがない。つまりさきほど話したことですが、未熟な壊れた存在は、その居場所から考えていくほうがいまやずっと普遍的だということです。ルートがなくなってはじめて、私利私欲というものが動物性、ゾーエーとしてもう一回捉えなおされることになった。公共性との関係からもう一回、それをどう考えるかという問題になってきている。そういう問題を今回、『観光客の哲学』は世界論として出してきていると思って、ぼくは興奮したんです。

東　まさにそうなっているんです。

加藤　おそらく読んでおられないと思うけれども、三・一一のあとに『人類が永遠に続くのではないとしたら』（二〇一四年）というのを書いたんです。

東　読んでいます。

加藤　だとしたら、すこしはわかってもらえるかもしれないが、吉本隆明はあなたの周辺ですっごく評判が悪いんだけれども（笑）、でも、ぼくは吉本さんのものをずっと読んできて、深い影響を受けています。柄谷行人、蓮實重彦の比ではない（笑）。で、そのぼくから見ると東さんと吉本さんにはとても重なる部分がある。つまり、あなたの二層構造性の原点は、ぼくに言わせるなら、吉本の『言語にとって美とはなにか』（一九六五年）の「自己表出」性と「指示表出」性の二層構造性です。吉本は言語の本質はその自己表出性と指示表出性の違和の構造としてある、というわけですね。この場合、「自己表出」は内在の身体性、つまりゾーエーで、欲望と身体にあたる。グローバリズムに漬かっている人間的次元です。「指示表出」は関係の意識、つまりビオスで、意識と目的連関のネーションとつながる人間的次元です。そういう人間論への展開として吉本はそのあと、『アフリカ的段階について』（一九九八年）で、ヘーゲル図式を正面から否定して、要するに、動物から人間へのヘーゲル史観ではダメで、動物と人間の二層構造性を根幹に据えた人間観・世界観で世界を見ていかなければもう現代世界に対応できない、逆にそうするなら、「世界史」は拡張されるだろう、と述べた。東浩紀が吉本隆明をほとんど参照しないというのはもったいないなというかんじがするわけです。

東　ありがとうございます。じつは吉本さんとの近接性はよく言われているんですが……ただ、正直言うと、ぼくは吉本さんの文章が苦手なんですね。そこは弱点です。

加藤　『観光客の哲学』で書かれていることは、橋爪大三郎が書評で言っていたけれども、外国に手本がない。これが特徴。かたちがすごくシンプルで大きな図柄なので、あまり目につかないが、じつは日本から出てきたオリジナルで画期的な、世界に通用すべき現代世界論なんです。

東　ありがとうございます。自己分析すると、ぼくたちにとってヘーゲルの国民国家論は輸入概念なので、内在的なものではない。だからぼくのような考えも出やすかったのかもしれません。

私から公をつくらなければならないというテーマは世界中どこにでもある。ヨーロッパは国民国家の弁証法をしっかり自分たちのものとしてつくっていて、彼らの生活はそれでしっくりいっているんでしょうけれど、ぼくたちの国ではぜんぜんしっくりいっていない。強引にヘーゲル的国家をつくろうと思ってもすぐほどけてしまう。

まさにこの問題が、加藤さんが『尊皇攘夷』で書かれているような、一八五〇年代に尊皇攘夷思想の処理をまちがえ、それが一九三〇年代に劣化したものとして再来し、またそれが二〇一〇年代にさらに劣化したものとして再来するという「八〇年周期」の歴史と関係していると思います。ぼくたちは公と私の関係の構築に失敗しつづけている。ヨーロッパ人たちの解決法をそのまま輸入しようとしても、どうもうまくいかない国がある。それがいまここでの問題です。ただ、そのうまくいかなさは必ずしも日本だけの条件ではなく、他のアジア諸国も、またおそらくアメリカやロシアもうまくいっていないんだと思います。そういう意味で、二〇世紀の後半からはヨーロッパ的な公共性がわからない国々こそが世界の主役となっていて、二一世紀はますますそうなっていく。

加藤　そういったところに普遍性の重心が移ってきている。

東　世界の中心が、今後はヨーロッパ的公共性がわからない国々になっていく。私から公をつくる回路をどう考えればいいかということは、いまこそ原理的に検討されるべきです。加藤さんのお仕事も、そういう観点からもっと国外で読まれるべきだと思います。

なぜナショナリズムは謎なのか

東　まだ四つの答えが残っていました。三つめの答えは子どもの問題です。ぼくは、ルソーの『社会契約論』（一七六二年）だけでなく、一般に社会契約論がフィクションになってしまうのは、最終的には子どもの問題を処理できないからだと思っています。というのも、子どもというのは社会契約をしない。にもかかわらずある共同体に生まれ落ちる。社会契約の仮説はこの問題を処理できない。全員が一回主体になって、そのあと契約して社会をつくるという理論構成になっている以上、では「主体になるまえ」のひとはどうなるのかという問題を扱えないのです。たまたまある共同体に生まれ落ちてしまった人間は、いつ社会契約をしたのか。この問題をいままでの政治哲学はけっこう無視してきたのではないかと感じてます。

『観光客の哲学』には反映されていませんが、最近ある仕事の関係で、ユートピアについて書かれた昔のテクストをいろいろ読んでみました。そしてふと気がついたのですが、ほとんどのユートピアは子どもを共同管理しているんですね。リュクルゴスのスパルタしかり、プラトンの理想国家しかり、トマス・モアの『ユートピア』しかり。現実になったところではイスラエルのキブツもそうですね。みんな子どもは集団管理する。家族を解体し、子どもたちを共同体のものとするというのが、どうもユートピア論の基本で、それが歴史的に反復されている。これは、裏返せば、人間が理想の社会をイメージしたときに、子どもがいかに厄介な存在であるかということを反映しているんだと思います。そういうこともあって、ぼくは『観光客の哲学』の後半で「家族の哲学」と題した論を置いている。家族というメタファーで国家とか社会を考えるというのは、いまではすごく古くさい反動的なものだと思われているけれども、そのメタファーを古くさいと思っていることこそが、われわれが本質的な問題から目をそらしているということを意味しているのではないか。

加藤 そこはおもしろい。ぼくは『敗戦後論』を書いて、その後ジョン・ダワーの『敗北を抱きしめて』(一九九九年)が出たときに感想を聞かれて、『敗北を抱きしめて』は戦後の第一世代の話なので一次方程式で済むが、『敗戦後論』で考えたのは、第一世代のあとの第二世代が、第一世代がつくり上げたものをどう受け止めて、あるいは受け止めないで変えていくかという問題で、二次方程式になっている。それは原理的に言うとルソーの『社会契約論』の問題なんだと答えました。つまり、社会契約というのは一世代の話です。そのつぎの子どもが出てきて、「あれは親父たちがやったんでしょう。おれたちには関係ないよ」と言ったらどうするか。そういう問題が必ず起こる。ルソーがあれを書いたときの草稿からの動きを見ていくと、そこであきらかにこの問題にぶつかっているんです。『社会契約論』は最後、結論のひとつまえに市民宗教についての章がぽつんと載っていますね。でも、あれはそれ以前と、まったくなんの脈絡もない。実質的には付論でしかない。
結局、ルソーはふたつ問題にぶつかったと思っています。ひとつはいまここで深く立ち入らないけれども、立法者の問題ですね。そしてもうひとつは、世代の問題です。市民宗教はいったいどのようにしてつぎの世代に社会契約を引き継ぐかへのルソーの苦肉の策です。東さんはそこをさらに展開している。

東　主体が契約によって社会をつくる、共同体をつくるという概念にもとづいているかぎり、ナショナリズムの問題もなにもかも謎のままになるわけです。ナショナリズムがなぜ魅力的なのかというのは大澤真幸さんも厚い本（『ナショナリズムの由来』、二〇〇七年）を書いていますが、結局謎だということになる。なぜナショナリズムの問題が謎かというと、たぶん近代の哲学が最初からそこは考えないことにしているからだと思います。子どもがどこかにたまたま生まれ落ちること、それは近代哲学全体の問題です。

たとえばハイデガーの実存主義というのは、基本的に死からの逆算です。人間は必ずひとりで死ぬ。その絶対的な真実から逆算して自分の運命を自覚して生きろというのがハイデガーの哲学で、これは一見すごく正しそうですが、そこでは人間の個体性が非常に強調されるわけです。しかし、人間というのは単独では生まれてこない。生物学的な親は絶対的に存在するわけです。そういう意味で、人間というのは生まれ落ちたときに「すでに複数である」という問題を考えなければならない。これは具体的にもとても厄介な問題で、だから人々は家族とかについて考えたくない。自分は独立した主体で、ひとりで生きていると考えるほうが話は簡単なんです。しかし、現実はそうではない。

これは格差問題にも関係します。格差が能力で決まるんだったら社会はもっとクリアです。能力ではなくて、生まれ落ちた環境とか、親からの遺産によって決まってしまっているから問題なのです。ではこれをどうするのか。そんなものはすべて廃絶するのがほんとうは合理的なわけです。でも廃絶できない。なぜか。われわれがなぜ家族を廃絶できないのかという問題に、ほんとうはもっと社会思想とか政治思想は取り組まなければいけない。それこそがナショナリズムの問題でもあるからです。これは、いまの時代のことを考えると、非常にアクチュアルな問題でもあると思います。

そもそも、カール・シュミットは、一九三〇年代に「政治的なもの」を主題とした著書をあらわすときに、すでに彼は自由主義というか、いまの言葉でいうとグローバリズムを相手に、それに対する反論として書いていた。「人間というのは、みんなが消費者で商品交換をしていればハッピーに生きていけるという世界にはならない。なぜならば、人間が人間であるためには友と敵が必要だからだ」と彼は言うわけです。

ぼくはシュミットの結論には賛成しませんが、この問題提起はクリアだと思う。グローバリズムに呑み込まれることがなく、ナショナリズムが再来するというのは、まさにいまのぼくたちが生きている現実です。では、なぜわれわれはナショナリズムの再来になんどもなんども悩まされるのか。シュミットはこの問題をちゃんと考えようとしている。シュミットを批判することはできても、この問題についてきちんと考えている人々はほとんどいない。ナショナリズムの語源である「ナチオ」自体が

「出生」を意味するものですけれど、ぼくはこれは、出生とか家族の問題をふたたび考えることでしか突破できないだろうと思っています。だから『観光客の哲学』の後半には「家族の哲学」が入ってくる。

加藤　卵の黄身を白身が囲んでいる、という比喩で言うと、家族というのは白身の部分が多い議論なんだと思うんですよ。たとえばいまのナショナリズムの再生に対して、それを妨げるような動きを出すとするならそれはどこなのか。個人か、個人じゃないのか。世界市民なのか、そうでもないだろう、マルチチュードだろう、などという議論のなかに、吉本の共同幻想論で言うなら、共同幻想でも個的幻想でもない、中間の対幻想の領域が入ってくるわけですね。これはフロイトがもとになった議論ですから、対幻想の核心、黄身の部分はセックスです。しかし、そこをはずして、これに対し、ウィトゲンシュタインをもってきて、家族的類縁性を言う。家族だけれども、もうすこし幅の広い空間があるじゃないか、と新しい「中間」を言いあてようとするときの、かなり原理的な思考部分に「観光客」に加えての「家族」の哲学は見あっているというかんじがするんです。

東　別の言葉で言うと、抽象的な個人というのは存在しなくて、これはコミュニタリアンも言っていることですが、ある時代とある場所に枠づけられた個人しかいない。わたしたちは必ずどこかに生まれ落ちていて、ある時代にしか生きていない。その条件をどう考えるかということです。その条件をノイズだと考えると、非常に抽象的な議論しか出てこない。

偶然性をうまく取り込むというのは、別の言葉で言うと、ある種の不平等を諦めるということです。

人間は偶然によってさまざまな環境にばらまかれている。その環境によって人生はまったく変わる。その一部は能力によって乗り越えられるけれども、乗り越えられないものも多い。そういう状態についてどのように考えるか。そういう点では、偶然性を肯定するというのは政治的に見るといささか問題がある。少なくとも保守的です。ぼくはそれを自覚していますが、しかし哲学者としてはそう言わざるをえない。

「ふわふわ」と「ギシギシ」

加藤　東さんの議論がそういうふうに進むのはなかなかおもしろいというか、そうあってしかるべきというかんじもあります。つまり中間のところをどう生きるかという問題。あとでもういちど批評の問題に戻ることにして、ぼくはこれについて東さんにどうなのかと問いをぶつけてみたいと思うことがひとつあります。

東さんの「ふわふわ」というのは、さきほど言ったように國分さんの本の「中動態」というところにほとんど重なると思うんです。でも、結論から言うと、私と公、未熟と普遍、このふたつをつなぐしかたは、「ふわふわ」と「ギシギシ」と、両方あっていいんじゃないか。

ここに「ギシギシ」みたいなものがもうひとつ「ふわふわ」のほかに必要になる理由を、まず國分さんの『中動態の世界』で説明すると、この本では、依存症のひとがボランティアのひとなどに回復を目指して、善意ではあるけれども、〝励ま〟される。これに患者のひとは「意志とか責任とかと言われると痛い。どうもしゃべっている言葉が違う、という気がする」と言うわけです。これは、よくわかる話ですね。で、國分さんの議論では、ここのところは、アーレントが最後の著作『精神の生活』（一九七八年）でアリストテレスに触れ、アリストテレスにあるのは意志ではなく選択という概念だけで、その概念はその後、中世のスコラ哲学では自由意志みたいに解されるけれども、それはちがうんだという指摘につながっていきます。古代ギリシアに意志とか責任という概念はなかった。あったのは中動態的な世界だったということですが、しかし、アーレントは、なぜかその後、意志が必要なんだというほうに逆行していく。あれあれ、というかんじだ、なぜなのか非常にとまどう。そう國分さんは書くんですが、あれはアーレントにしてみれば当然なわけです。というのも、彼女はさきに、『革命について』（一九六三年）でメルヴィルの『ビリー・バッド』（一九二四年）とかを扱って、要するに根源的な悪とか根源的な善は、法では扱えないと言った。けれども、その後、アイヒマンが「わたしは意志して悪いことをしたんじゃない。上から言われて、いままでの過去の積み重ねのなかでこういうことをやっただけだ。だから、わたしは意志でしたんじゃないから責任はない」と言うのを聞いて、ショックを受ける。アイヒマンは言ってみれば中動態の言い方をしている。「意志とか責任とか言われると痛いんだよね」と。つまり、根源的な悪が問題なのではなかった、凡庸な悪こそが問題だったというのが、アーレントのアイヒマン裁判体験での発見で、では、この中動態的なあり方をどうするかという問題意識が出てきて、『精神の生活』は書かれる。國分さんの理解とアーレントの経験がここで骨折している。

東　それは鋭い指摘です。フリッパントであるということは中動態ということでもあるので、それだけでは政治的な問題を解決できない。そういう意味では高橋さんの加藤さんに対する批判も正しい。フリッパント＝中動態的なものの危うさをアーレントはわかっていたはずだということですね。

加藤　『観光客の哲学』で中間項が抜けていくということを書いていますが、なぜそういうことが起こったか。その理由を東さんは『現代日本の批評』のほうで語っているんです。

昔はお金もうけに後ろめたさがあった。だからそのころにはまだ文学みたいなものが生きる余地があった。でも、あるときから、金融経済のなかでお金をもうけたりすることは正義であって、そのことになんの後ろめたさも感じない、というあり方が優勢になった。倫理的にちょっとおかしいんじゃないかということがあったとしても、もう抗議は譴責という効き目をもたない。

聖書の言葉で言うと、「塩が塩しなくなったらどうするか」（塩から塩味がしなくなったらどうするか）、というマルコ伝に出てくる問題ですが、要するに、一九九〇年代あたりで塩が塩しなくなった、効かなくなった。倫理性が世界市場から消えた。それが「中間」が消えたということの指標で、以来、もう文学は従来のあり方では無効になった、そういう指摘を東さんがしている。

だとすれば、これは同時に、中動態だけでは済まない、「ふわふわ」だけでは済まない、ということでもある。中間の成層圏に大きなオゾンホールがいくつもできて、強力な紫外線が直接皮膚に降ってくるようになった、ということになるわけですからね。格差が過酷化し、また、ネーションも抑圧の手を加えてくる。これに「ふわふわ」と中動態だけで済むのかということになる。

東　そうなんです。じつはつぎの『ゲンロン7』（二〇一七年）に、國分功一郎さんと千葉雅也さんとぼくの三人の鼎談が載ります［★2］。そこでも同じ問題を國分さんに問いかけています。

中動態の哲学の議論は、医療とかそういうところでは使えると思います。実際にそういうコラボレーションも進んでいるようです。病で苦しんでいるひとたちは、まさに、能動・受動ですべてが仕切られている「表の世界」というか、標準的な現実から脱落したひとたちだから、彼らにとって必要な言葉が中動態の言葉になるのはよくわかる。問題は、國分さん自身も市民運動をされていたり政治活動もされていますが、中動態の哲学がそのような「表の世界」を変える活動とどう結びつくかということです。おそらくそれはとてもむずかしい。繰り返して言えば、この結びつかないという問題こそが、まさにぼくたちが抱えている問題で、文学と政治の乖離の問題です。ぼくもその解決は思いついていません。

加藤　「意志と責任」を言う話法は審問の言葉、尋問の言葉で痛い。でもなぜそれだけで済まないのか、ということですね。さきほど、ネーションとグローバリズムという話をしました。グローバリズムは欲望と経済でまだいいけれども、ネーションのほうはこちらの自由を拘束してくる、ということがあ

★2　國分功一郎、千葉雅也、東浩紀「接続、切断、誤配」、『ゲンロン7』、二〇一七年。

りえます。その場合、拘束してきた人間が「自分はぜんぜん責任感じてないし、悪くないと思う」みたいな対応で迫ってきたら、どうするか。そこで、ひとを罪に問う「おかしいじゃないか」という言葉は、中動態からは出てきません。同じく「ふわふわ」だけでは済まない。

東　突然卑近な話になりますが、いま、国会議員の不倫疑惑が話題ですね。不倫そのものはどうでもいいのですが、その過程でリベラル知識人の「ダブルスタンダード」が話題になっている。つまり、なぜある国会議員は不倫で攻撃するのに、他方は攻撃しないのかという問題です。これは、中動態的な議論を突き詰めていくと、どうしても出てくる話だと思うんですね。たとえばある犯罪者に対しては、「これは環境がさせたんだ。本人の能動性を問うこと自体が暴力なんだ」と指摘するとする。それはいいですが、アイヒマンみたいな者が現れたときに同じことが言えるのか。そのときにもし「おまえは担当者だろう。責任を取れ」と言うのだとすると、これはダブルスタンダードになる。

加藤　中動態には中動態でひとつのジレンマがあると思う。そこがおもしろいところでもある。ぼくのまとめ方で言うと、壊れたひとが、あるいはひとが未熟なままで、どのように世界の普遍性につながるかというセカイ系の問題では、「ふわふわ」した世界とのつながり方のほかに、「ギシギシ」したつながり方、つまり、「ひとづきあいの苦手なやつ」が慣れない国会前につい来てしまう、デモの周辺をうろついてしまう、ということも、同等に権利を持っているのではないか、と思うのです。つまりデモと言ってもかつてのようにリベラル知識人とか革新系市民とか、やる気のある学生だけがそこにいるとはかぎらない。健全なひとが社会を変革しようと思ってやるんじゃなくて、またマルチチュードが新しい抵抗を示すのでもなくて、もっと別のかたちで、不毛に、「ギシギシ」と、壊れたまま関わる別のかたちがありうる。それもほんとうは東さんの観光客の哲学に許容されるべきなんじゃないか、少なくともそこにあるジレンマには権利があるのではないか、と思うわけです。どうしてそんなことを言うかというと、ぼくの周辺にも東浩紀の影響を受けている若いひとがいて、そういうなかには、やはり「ひとづきあいが苦手」で未熟なままデモなんかに行ったりするようなひともけっこういるからです。そういうひとが、東浩紀がデモに否定的な言辞を吐くと、すごく反発する。東さん、なぜ反発すると思う?

東 デモに行かないからじゃないかな(笑)。

加藤 デモに行かないからじゃなくて、東浩紀にこういうことを言ってほしくないからだよ。

東 最近ぼくに向けられている批判は、東浩紀はなぜ政治参加しないのかという問題に尽きていると思います。それに対するぼくの答えは、いま政治参加するということは、非常にシンプルな言語の世界に入ることを意味しており、それはぼくには暴力的に感じられるのでやらないということです。「あいつが悪い、おれが正しい」というような場所に、身を投じたくないからです。そういう場に身を投じることは、ぼく自身の哲学に対する裏切りになると感じてしまうんですね。だからやらないんです。

加藤 そういうことで言ったら、ぼくもそのへんのことにすごく抵抗してきている人間です。べつに原則もなにもないけれども、デモなんてそのときのいちばんいい加減な気分でしかやらない。以前、中原昌也と対談したときに、中原さんが「デモって寂しいですね。行って、ぐるぐる回って、結局帰ってきた」と言っていたので、このひとはすばらしいなと思った。ぼくもまったくそうです。ほんとうにデモはやるせない。ぼくはただ国会の周りをおろおろと歩いて、帰ってくるだけ。だれにも会わないけど、だれかと万が一、会ったら、すぐにその場を外れてビールでも飲みに出かける。こういうのをデモの観光として認めてもらいたい。

東　デモはぼくの哲学からはどうしても出てこない。出てくるべきだと言われても、出てこない。自分が批判される理由はよくわかっています。ぼくの考えが特殊なのはわかっているし、期待される役割を裏切っていることもわかっている。けれども、ぼくの思考システムから出てこないことはできない。そうとしか言いようがない。

加藤　いろいろなやり方があっていいので、ぼくはぜんぜんそれについて意見があるわけではないよ。ぜんぜんいい加減だから、東さんはそれでいい（笑）。

東　つけ加えて言えば、これは永遠にデモに行かないということでもない。結局それはもしかしたら、ぼくのなかでなにかが熟していないからなのかもしれない。だとすれば、それが熟すのを待つしかない。そういうときが来るのかもしれないし、来ないのかもしれないけれども、いずれにせよ、政治参加というのはぼくはそういうものだと思うんです。結局、いまはまだしっくりきていない。

加藤　お話はよくわかったよ。なかなかいい話を聞いたというかんじがします。ぼくも「こいつ、なにもしていないじゃないか」と思われているでしょう。ぜんぜんなにもしなくて、それで、いろいろなグラデーションがあるほうがいいだろう、くらいに思っているんですけれどもね。

東　今日の対談のテーマですが、ぼく自身の課題がずっと政治と文学の分断にあったんですね。そういう点で、デモへの参加ひとつでもそれを強く意識せざるをえないところもあります。日本では政治と文学のあいだに大きな隔たりがあって、それが批評をおかしくしてきた、そんな歴史をぼく自身も本で書いてしまっているわけで、そこを解決しないと動けないいんですね。

加藤　ぼくは怖がるひとが好きなんです。怖がることって好奇心のひとつだと思う。ダークツーリズムもそうですね。で、そもそも観光客が観光に行く。これも一種の行動だよね。

東　そうですね。『観光客の哲学』では書かなかったのですが、日本人は、移民とか難民とか外国人労働者とかに対してほんとうに冷たいですね。これは嘆かわしいことですが、他方で観光客は好きみたいだから、観光客をいっぱい受け入れるのは現実的なのではないか。観光客は、いまの日本にとって多様性を増すほとんど唯一の道なのではないかと思います。

一九九〇年代と現在の隔たり

加藤　最後に批評の話をしましょう。『現代日本の批評』、おもしろく読みました。

東　これは、全体が柄谷行人さんと浅田彰さんの『近代日本の批評』（一九九〇－九二年）の本歌取りです。スタイルもあの本に合わせていきました。座談会を「共同討議」と記すとか、必ず基調報告があるとか、ぜんぶ合わせていています。

加藤　それ自体、ひとつの批評だよね。たとえば、一九七五年から始まっているけれども、その前史を考えない。そう聞きましたがそれも批評のひとつの方法だと思う。東さんは、やはりきわめて批評的な人間だなと思います。

『現代日本の批評』は一九七五年から二〇〇一年までの批評を扱っている。この終わりくらいに東浩紀の『動物化するポストモダン』(二〇〇一年) が出てきます。こんどの本の次巻 (『現代日本の批評2001－2016』、二〇一八年) が二〇〇一年から二〇一六年を対象とすると書いてあるよね。そこまで視野において考えると、この四一年の期間は、ひとことで、批評誌『批評空間』がオタクに負けたというか、席巻された、そういう動きだったと思うんです。

東　そうです。

加藤　ビオスの突端部分が、対極のゾーエーというか、動物化するポストモダンからひっくり返された。大きく言うと、そういう図柄です。

東　これはたいへんなことです。

加藤　そうしてみると、一九七五年以降、新しく出てきた批評家で独創的だったのは、この段階では大塚英志だということになる。『漫画ブリッコ』から出てきて、あとは柳田國男とかを使って独自の批評を展開した。

東　そう思います。大塚さんは決定的に重要な批評家です。でも彼も二〇〇〇年代以降はほとんど活動しなくなってしまうんですよね。

加藤　あとは、中島梓（栗本薫）。『グイン・サーガ』（第一巻一九七九年）ほかは読んでいませんが、ぼくは『コミュニケーション不全症候群』（一九九一年）というのはきわめて大事なすぐれた批評的著作だったと思っています。

東　同意見ですが、いまはもう二〇一七年で、大塚さんがあまり活動されないようになってから一〇年以上経ってしまっている。いまの若いひとたちにとっては、いま語られているような歴史でさえ見えなくなっているので、その点でも『現代日本の批評』の出版は大事だと思っています。

この本の批評史はあくまでも「柄谷行人以後」ということで、出発点も一九七五年にしていますが、その背後には当然、江藤淳と吉本隆明が亡霊のように存在している。とくに第一巻では、たとえば大塚さんを通して江藤淳や吉本隆明の話が出てきたりするので、いまの若いひとたちにとっては逆に江藤、吉本の時代にアクセスする手がかりになるのかなというかんじがします。

たとえばこれはぼくの仮説ですが、いまのネトウヨは、批評史的には江藤淳の「私生児」として位置づけられるのではないか。座談会のために江藤淳の最後のほうの『閉された言語空間』（一九八九年）を読みなおして、あの本は、いまのネットに溢れる「南京虐殺はなかった」といったタイプのブログの手ざわりにすごく似ていると感じました。つまり、単身どこかに乗り込んでいって、資料を丹念に調べる。その資料からストーリーをつくって、一見すごくきれいな物語ができていて、「どうだ、新事実だ」と出す。その手つきが、もちろん劣化しているけれども、いまも受け継がれている。もちろん江藤淳のような精神性、文学性はないんだけれども、江藤淳がひとつの基礎をつくったのだと思いました。

加藤　まえに『ゲンロン』に載ったときに『敗戦後論』が取り上げられていると見せてくれたひとがいて、自分のことに触れてあるところだけは読んだけれども、今回、全体を通して読ませてもらいました。この討議を読むと、ルソーで言うと、独立人として言いたい放題発言しているのは東さんで、その東さんの発言がいちばんおもしろいんだけれども、通読して、四人でやっているでしょう。四人四様で、みんなちがうバックグラウンド、知識、気質を持ってやられていて、そこもなかなか悪くなかった。たとえば柄谷行人と『不機嫌の時代』(一九七六年)の山崎正和が似ているんじゃないかというう福嶋亮大さんの指摘など、ぼくから見るとなかなか刺激的です。

あと、『敗戦後論』については、市川真人さんが、国内三〇〇万の死者をさきにして、二〇〇〇万のアジアの死者をあとにしてというのは、あくまで公共性を手に入れるための技術論なんじゃないかと言ってくれているのなども、ようやくこれくらいまで成熟してクールに受け止める見方が出てきたかと思って、感慨がありました。

東　ぼくたちの認識としては、むしろ、加藤さんの『敗戦後論』がどうしてあんなに問題になったのかわからないというかんじです。『敗戦後論』では「国内の死者もちゃんと追悼しておかなければ、国としてまえに進めない」という主張が問題となりましたが、これが右翼的だという批判はいまはおそらくリベラルからも出てこないんじゃないか。そういう意味では状況は変わったと思います。

加藤　一〇年くらいまえ、学生たちからも、「なんでこれが問題になったんですか。ただふつうのことが書いてあるだけじゃないですか」みたいに言われたけれども（笑）。

東　最近の『戦後入門』（二〇一五年）では九条改憲論も展開されていますね。

加藤　あれも技術論です。国連中心主義を対米自立のために使うというところがそうで、それを前面に出してどこまでも展開するというのと、九条の護憲論のいちばんの核心を保持したまま現在の問題を解こうとすればどういう主張になるのか、というのと。その動機に立った思考モデルを提示しました。そうしたら、最後、論理的不整合のうえに立て、という主張になった。

東　対米従属から脱出し、自立性を持った国民に生まれ変わらなければいけないという主張は、本来なら、リベラルとか右翼とか以前に基礎として共有されるべき思考だと思います。

加藤　そのとおり、幕末の尊皇攘夷のラインですね。

東　『尊皇攘夷』はたいへんおもしろく拝読しました。蒙がひらかれたというか、あの手の「周期説」はぼくはふつうは疑ってかかるのですが（笑）、一八五〇年代、一九三〇年代、二〇一〇年代の比較にははっとさせられました。劣化した尊皇攘夷論がいまを席巻しているというのは、まさにおっしゃるとおりです。

それに関連して思ったのですが、天皇についてのタブーもいまは高まっていますね。最近、辻元清美議員が八〇年代に「天皇制はないほうがいい」という発言をしていたことが問題になりましたが、八〇年代に左翼の学生だったりリベラルの側についていたひとだったら、そういうことを言うのはめずらしくなかったと思います。ところが、いまやリベラルの側も、天皇制は尊重し、天皇に対して敬意を表するのが基本になっている。「天皇制なんかなくてもいいんじゃない？」というような発言はいまはありえないと思うんです。若い論客はそうで、極端なひとでないかぎり天皇制に対する感覚もまったく変わってしまった。右傾化というなら、そちらのほうがちょっと不気味なかんじがしますけどね。

加藤　ぼくは昭和天皇が死んだときに、「ヒロヒトと呼ばれた天皇の死に」というタイトルの文章を毎日新聞で書きました。本文では天皇のことを「彼」で通したんですよ。

東　いまだったら炎上しますね。

加藤　あのころも無言電話が続き、最後は、赤報隊を名乗る電話が二度かかってきました。蓋を開けてみたら、天皇に敬語を使わず、「彼」と書いたのはぼくだけだったらしい。当時、いろいろなひとが書いたけれども、みんな敬語を使っていたんですね。ぼくはいまも、もし共和制への道が開かれるようであれば、天皇を含め、京都の御所に帰ってもらうというのがいちばんいいと思っていますけどね。このあいだの現天皇の退位意志表明や行動を護憲の支えにするような動きは、賛成できません。主権者として困ったものだと思っています。

東　内田樹さんも、最近は「天皇で安倍を止めるんだ」という話になっちゃったでしょう。あれはたいへんな主張ですね。そもそもあれは天皇の政治利用でしょう。高橋哲哉さんの批判は正しい。

加藤　ぼくも、あれ、ここに自分と同じ意見のやつがいると思ったら、高橋哲哉だった（笑）。

批評は変化しながら生き残っている

加藤　あと、この四〇年近くを同時代人として生きてきた者として言うと、なぜこの『現代日本の批評』が一九七五年から始まるのかというのは、それなりに納得できることでもあるんです。討議を読むと、その意味は、柄谷行人の時代、というように読める。そのまえの一、二年は、柄谷行人はまだ三〇代前半。生意気なやつが出てきたというかんじで、このひともじつはバッシングに遭っている（「戦後文学の党派性」、『群像』一九七四年一月号）。その後、マルクスのことを『群像』で書いて（「マルクス　その可能性の中心」、一九七四年四月号－九月号）、イエール大学へ行ってしまう。で、戻ってきたら、ガラッと変わっていた、というのがそのときの印象です。

江藤淳がどこかで「批評家というのはいちど、生き埋めにされる経験をしないとダメだ」ということを言っているわけです。それは福田和也に言ったのかどうか、不たしかだが、なにかに出ています。江藤淳自身がそういう目に遭ったからの言説だろうけれども、これはぼくには至言だと受け止められる。で、ぼくのなかでは柄谷行人もそういう時期を過ごしている。それというのが、この一九七四年、一九七五年という時期なのです。ですから、そこから始まっている。そのまえにいちど、「生き埋め」に遭って、その反逆の表れとして、七五年以降の批評的行動が出てくる。

東　つまり、柄谷さん自身、文芸誌の先行世代ともめていろいろ痛い目に遭っていた。それで出ていった。それが彼にとっての文学の切断の実体だったと。

加藤　このひとの切断とそのしかたが、いまになってこういう批評のかたちで出てきて、そこがぼくはおもしろいと思っているんです。ぼく自身がその後なんどか、この『群像』とのつきあいを含め［★3］、そういう生き埋めのような目に遭ってきているけれどもね（笑）。批評というのは、そういうものだと思うんです。学問とはあきらかにちがう。でないとおもしろくない。ひととぶつかって言いたいことを言う。批評の反対は忖度だよね。

東　それはいい言葉ですね。

加藤　いろいろな人間とぶつかってなにかを生み出すということが、とくにいま、非常に少なくなっています。ぼくもだいぶいろいろなところで問題人物視されていて、アメリカなんかでもひどいんですけれども、あなたもいろいろなところで問題人物視されているんだろうと思って。

東　ぼくはたいへん評判が悪いです。

加藤　そういうところがすばらしいと思っているんです。

東　ただ、ぼくの仕事は加藤さんのような世代の方々からすれば穴だらけで、「なんじゃこりゃ」というふうに見えるということは承知しています。

加藤　そんなことは思っていないけどね。

東　それでも、あえてこういう蛮勇をふるいました。大事なのは、一九七〇年代以降の批評というのは、もはや文芸批評が代表できるものではなくて、どんどん変化しながら拡散し生き残っているということです。さきほど「柄谷行人以後」と言いましたが、それはべつに柄谷さん以後の文芸批評を扱いたいということではなくて、彼がその拡散を象徴しているからなんですね。それをひとつの歴史としてまとめるということをだれもやっていない。だからやることが大事だと思ったんです。そうでないと、文芸批評だけが批評だということになってしまう。文芸批評そのものは、今日の対談は文芸誌の『群像』の場なので言いにくいですが、一九七〇年代あたりから急速に細っていっていると思うんです。

加藤 そう、ふたつある。ぼくがさっき大塚英志と言ったのは、それも入っているんです。大塚さんもそういうところにちゃんとぶつかっている。

東 大塚英志さんも外から来ているし、有力な書き手はだいたい外から来るようになっている。にもかかわらず、いまでも文芸誌こそが批評の場だと信じているひとたちもいる。むろん、信じていることそのものはかまわないんだけども、ぼくからすると、ちょっと見当ちがいな時代認識を語っている。それは正しておきたい。

加藤 ぼくもそうだし、大塚英志もそうだし、東浩紀もそうだけれども、『群像』の新人賞とかには応募していないでしょう(笑)。ぼくは最初『早稲田文学』に書いて、この売文業を始めたけれども、応募しようなんて気はぜんぜんなかった。大塚さんは『漫画ブリッコ』から出てくるでしょう。東さ

★3 本対談は「私と公、文学と政治について」として『群像』二〇一七年一一月号に掲載された。巻末の初出情報を参照。

んは『批評空間』。そういうひとつの流れがあると思います。

東　文芸誌から出てもいいんです。ただ、文芸誌が批評の先端を切っている時代はとうの昔に終わっているし、それがいまの条件なんだということを自覚してもらいたいんです。そうでないと、「古いスタイルの文芸批評こそが批評なんだ」と堂々と宣言されてしまう。いまもそういうひとはいます。そうすると、ぼくなんかは距離が取れるからいいんだけど、下の世代は「そうかな」と本気で信じてしまうんですよ。それはむしろ批評の死を近づける。大前提としてこの四〇年間、批評というのはさまざまなかたちに鵺のように広がっていて、文芸誌という場だけではコントロールできないいろいろなかたちで影響を及ぼしあって動いていくものに変わっている。それを引き受けないと。

加藤　パスカルは「ほんとうの哲学は哲学に抵抗する」と言ったけれども、批評にもそういうところがありますね。批評は批評に抵抗する。批評が出てきて生きようとしたら、それは目のまえにある批評にあらがってしか出てこられないというところがあると思うんです。

東　いずれにしろ、若い読者が、この『現代日本の批評』の出版を機に「そうか、こういう四〇年間をもとにいまの議論があったんだ」とわかってくれればと思います。

あと、これもまたべつに思うんですが、この二〇一七年はぼくの『観光客の哲学』が出て、國分功一郎さんの『中動態の世界』と千葉雅也さんの『勉強の哲学』が出て、それぞれ話題になって人文書ブームや哲学ブームと言われています。でも、こんなのは基本的に一過性のもので、コンテクストがちゃんと共有されないと、「あのときあいつら売れたけれども、それでどうなったんだっけ」ということになってしまうんですよね。実際、「ゼロ年代の批評」はそうやってすぐ解体してしまった。そういう点からも、ここ一〇年間ぐらい、歴史を引き受けて未来に伝えることがすごく大事だなと、批評家として思うようになったんです。

加藤 あなたがいま、そういうことをやろうとしている。いちばん若いひととつきあう場をつくっているよね。それこそ、「家族」という新しいキーワードにもつながりそうな気がしますが。

東 そうですね。これは誤解を受ける言い方かもしれませんが、文壇とか論壇とかは「家族的」でないとダメだと思いました。つまり、たんなる対等な人間関係だけでなく、世代の継承関係のような垂直軸がないといけない。同年代の人間が集まるだけではダメなんじゃないかというのが、ぼくが最近思っていることです。

加藤 縦の流れをつくるものが、ぼくは文芸誌だと思う。

東 縦が大事ですね。縦というのはむろん抑圧とか暴力を含んでいる。それはそれで批判してしかるべきだけれども、反発のクリエイティビティも生むわけです。

加藤 ぼくは自分のなかで、『群像』には育ててもらったという気持ちがあります。同じくらいの年代の、たとえば高橋源一郎なんかと話しても、たまたま大岡昇平とか埴谷雄高なんかというひとたちとつきあって、家にも行ったなんていうのは自分たちが最後くらいです。大岡さんは最後、手紙が書けなくなってテープを封筒に入れて送ってきてくれました。こちらはそれを聴くためレコーダーを買いに走る(笑)。ひとりで行って夜遅くまで埴谷さんとしゃべっているみたいなこともあったけれども、よく覚えているのは、『死霊』(第一巻一九四八年)の最後あたりを書かれたときに、五〇枚超くらいの書評の仕事がぼくのところに来て、ぼくもまだ書き始めてそんなにたっていないから、もちろん抜擢だったと思う。『群像』に書いた。そのときに、埴谷さんの『死霊』八章はよくない、と否定したんです。埴谷さんがどんなに苦労して書いているかを間近に見ていたんだけれども、「ちょっとでも筆を鈍らせたら、おれは批評家としてはこれで終わりになるな」とそのとき思った。つまり、御用達批評家になってしまう。書いて、当時の編集長が読んで、電話でやりとりしたとき、ぼくの書いていることに「わたしは反対です」と言った。でもぼくは、それでこそ編集者、と気持ちがよかった。編集者はどうあってもひとのまえでは書き手を守らなければダメだよね。その後、埴谷さんとはもう会えないと思い、会わなくなったけれども、最後のころ、夜中の三時くらいに帰ったときに、傘を忘れた。一年か二年したあと、本を送ってくださったんだけれども、そこに「あなたの傘はまだ預かっています」と書いてあった。ゾッとしたね、と同時にうれしくもあった(笑)。そういうかたちでいろいろなひととのつながりがあった、それがいまの自分をつくっていると感じます。

東　ひととの具体的なつながりでなにかを背負っているという感覚がないと、ある年齢をすぎたら仕事は続けられなくなると思います。「家族」というメタファーはそういう意味でもあります。ぼく自身も家族という言葉にそんなに満足しているわけではないのですが、この性格をあらわすために家族以外の言葉が見つからなかった。だから、家族でいくしかなかった。これは一般社会の話になりますが、ここ一〇年間ぐらい、シェアハウスのような、新しい集まりのかたちに注目が集まりつづけています。ネットを使った、対等なひとたちの透明で開かれたコミュニティです。けれど、ぼくはそういう集団にはどこか決定的に欠けているものがあると感じつづけてきた。それが縦の問題です。自分がだれか別の人間を生み出してしまうという、世代の問題であり生殖の問題ですね。

ぼくは昔からなぜか後輩を育てることに対して積極的な人間でした。批評家としてデビューした直後から、いかに後輩を育てるかをずっと考えつづけてきたように思います。そのことによってぼく自身はすごくトラブルを抱えているけれど、育てないでトラブルを起こさないことと育ててトラブルを起こすことと、どちらがいいのかといったら、やはり育ててトラブルを起こすことだと思います。そういうことについても、これからはポジティブに明示的に語る必要があると思うようになってきました。とはいえ、これは単純に年を取っただけかもしれない。ぼくはもう四〇代もなかばなので、批評の場から新しい書き手がもっともっと出てきてほしいと思います。

正義は剰余から生まれる

國分功一郎

２０１７年12月10日

國分功一郎
こくぶん・こういちろう

1974年生まれ。哲学者。東京大学大学院総合文化研究科博士課程修了。博士（学術）。東京大学総合文化研究科・教養学部准教授。著書に『ドゥルーズの哲学原理』（2013年）『来るべき民主主義』（2013年）『暇と退屈の倫理学　増補新版』（2015年）『中動態の世界』（2017年、小林秀雄賞）『原子力時代における哲学』（2019年）、訳書にジャック・デリダ『マルクスと息子たち』（2004年）、ジル・ドゥルーズ『カントの批判哲学』（2008年）など。

東浩紀　本日は「いま哲学の場所はどこにあるのか」と題して［★1］、哲学者の國分功一郎さんとともに、これからの哲学の役割とはなにかについて考えたいと思います。今年（二〇一七年）はぼくの『ゲンロン0　観光客の哲学』や國分さんの『中動態の世界』が話題となり、千葉雅也さんの『勉強の哲学』もベストセラーとなるなど、人文書ブームが起きました。このブームがなぜ起こったのか、哲学はいまの社会に必要とされているのか、そしてこれからのぼくたちの仕事はどうあるべきか、いろいろと議論できればと考えています。

國分功一郎　よろしくお願いします。

★1　本対談のもととなったゲンロンカフェイベントのタイトルは「いま哲学の場所はどこにあるのか」だった。巻末の初出情報を参照。

現代思想と政治の問題

東　今回の議論の出発点として、まずは現代思想と政治という論点を取り上げたいと思います。というのも、近刊の『ゲンロン7』（二〇一七年）に掲載されているぼくと國分さんと千葉さんの鼎談「接続、切断、誤配」で、積み残しになっていたのが政治の問題なんです。

ぼくたちが学んできたいわゆる「フランス現代思想」、おおざっぱにポストモダニズムと呼んでいいと思いますが、それは「主体」「国家」「責任」などを疑うものです。しかし、そのような懐疑では世の中を変えられず、九〇年代後半以降、思想界でも「主体」や「責任」といったものが回帰してきた。これは一般的には、ポストモダニズムの時代が終わってアイデンティティ・ポリティクスの時代が来た、とまとめられますが、身も蓋もなく言えばポストモダンの哲学が政治に使えなかったということです。

このような素朴な議論に回帰した九〇年代以降の思想状況に対して、國分さんの「中動態」、ぼくの「観光客」、千葉さんの「勉強」といった概念は、ポストモダンの哲学を新しく捉え返すようなものとして出されています。では、それを使ってどんな新しい政治的なアクションを起こせるのか。そのビジョンが見えないかぎり、いくら本が話題になっても、哲学は結局は政治に敗北することになると思うのですね。この隘路を逃れるためにはどうしたらいいのか。そういうことがいま哲学に突きつけられていると思うのですが、いかがでしょうか。

國分　ポストモダンの哲学が政治に使えないという話について、まず考えてみたいのは「主権」の問題です。これはジャック・デリダが非常に粘り強く脱構築を試みた概念です。しかし現在の状況を見ていると、主権の脱構築どころか、「主権がないので取り戻そう」という話になっている。しかもそれに根拠がないわけではない。たとえばいまの日本の政治、とくに沖縄の問題を考えると、日本に主権があるかどうかは疑わしい。世界に目を向けると、ブレグジットがいま大きな話題としてありますが、これも主権の要求です。ブレグジットは一見、レイシズムやナショナリズムの発露に見えますが、あの投票での離脱の選択というのは、自分たちの政治をEUの官僚たちが勝手に決めていることに対する批判であり、主権を国民主体で運用して政治を行うべきだというまっとうな問いかけでもある。

こうして見ていくと、ポストモダニズム的に主権の脱構築云々というまえに、近代的な政治の大前提であった主権を政治のなかにきちんと取り戻すということが求められているのが現状であるし、しかもそこにはたしかに理がある。

もちろん、デリダが考えたように、主権そのものが非常に問題含みであることもたしかです。主権の名のもとに戦争が行われてきたからこそ、それを制限しようとEUのような超国家的な組織が出てきた。さらにデリダが問うていたのは、そもそも自分たちで自分たちのことをすべて決定することは可能なのかということです。自己免疫の話をしながら、デリダはそれは原理的にできないと言う。ただぼくは、主権の概念なしに民主主義を考えることができるのか、という気持ちを捨てきれなくて、少なくともデリダに乗っかってただ主権批判をしているような単純な議論にはものすごくいらだってしまうんです。

その意味で政治においてぼくはあるていど近代主義的な立場を取っています。ぼくらはいまのところ、有効な政治的主体として近代国家以外の組織を持っていない。社会保障や教育を考えると、国家という組織をうまく利用すること以外は思いつかないし、それを運用する概念も主権以外にはないと思います。主権で満足することがあってはならないけれども、それをぼくらがうまく使えていないなら、まずはうまく使うことを考えなければいけない。

東　まずは、主権を国民のもとに取り戻し、政治的な主体を再構築するのが先決だということですね。とはいえ、ブレグジットが決まった国民投票や、あるいは最近のカタルーニャの住民投票などがあきらかにしたように、いま人々が直面しているのは、「国民」が「主体的」に意志決定を行うのはいいとして、しかしその主体自体が分裂してしまったらどうするのか、という事態だと思います。シャンタル・ムフなどがいうように、本来であれば民主主義は、闘技の段階と熟議の段階を経て、多数の意見を分裂させせながらも、同時に縫合し包摂するようなプロセスとしてある。要するに、民主主義はつねに「主体」そのものを生み出すプロセスです。しかしいまは、国民投票をしたら国民がふたつに割れたというかたちで、その主体自体の分裂が露呈した時代になっている。その意味で主権論の困難は、哲学的な議論である以上に具体的な現実としてあると思います。

同じことは日本でも具体的に起きると思います。たとえば、これから日本は憲法をめぐる国民投票を迎える可能性があります。そこでは護憲と改憲に必ず意見が割れるでしょう。そうすると必ず、護憲改憲の二項対立に巻き込まれず建設的な議論をというひとが出てくるはずですが、ぼくはそれは無理だと思います。なぜなら、それは、日本においては、たんに憲法についての意見が分裂しているという話ではないからです。それはむしろ、「日本とはなにか」というアイデンティティの問いへの答えがちがうふたつの集団が存在していること、つまり「日本国民」の主体そのものが分裂していることを示している。護憲派は、日本という国家のアイデンティティを戦後に求めている。改憲派は、アイデンティティを明治維新以降の連続性のなかで捉えている。これは個別の政策以前のアイデンティティの問題で、その分裂に巻き込まれるとみな冷静な議論ができなくなる。

このように、さまざまな国で、いま、民主主義もしくは主権がなにを「一」の単位としてみなすかが、現実的に問われているように思います。

國分　「主権」はひとつでしかありえないにもかかわらず、それを使う主体自体が分裂してしまっていて、縫合する方向性もまったく見えない。その現実の状況に哲学的議論が追いついていないということでしょうか。

東　というよりも、デリダが行なったような哲学的な議論に現実が追いつき、問題がようやく具体化してきたというのがぼくの認識です。二、三〇年まえまでは、主権を疑うことは思弁的な問題でした。むろん当時も、単数的な主権やナショナル・アイデンティティに対して、抑圧されたマイノリティの複数性に目を向けようという話はされており、それは具体的な運動に結びついていましたが、まだマジョリティのアイデンティティは疑われていなかった。しかし、いまはマイノリティの複数性以前に、マジョリティそのものがふたつあるいは多数に分裂している。つまり、国家や国民は単一のものではないということが、哲学的でもなんでもなく、あまりにもあたりまえの現実として露呈し始めている。かつて哲学者たちが例外状況として議論していた事態が、むしろメインストリームになっている状態です。

國分　カタルーニャはまさにそうですね。

東　報道を見るかぎり、カタルーニャは、自分たちが独立を望んでいるのか望んでいないのかが、数週間単位で変わる状況のようです。デリダに「日延べされた民主主義」というテクストがありますが、そこでデリダは、民主主義にはある種の時間や遅れが必要だと言っています［★2］。一九八九年に発表された当時は抽象的な議論でしたが、これもいまでは現実そのものになっている。どんなタイミングや頻度で世論調査を行うかによって、一般意志がまったく変わってしまう。国民の意志が時間的な要素によってこそ決定されてしまうわけです。SNSを前提とすると、時間の単位をできるだけ細分化して人々の意志をリアルタイムで汲み上げればいいという発想になるけれど、それではポピュリズムやメディア操作にきわめて弱くなる。かつてよく議論されていた意志と時間の関係が、現実的に問われる時代になってきた。

「信じる」ことを取り戻す

國分　インターネットがここまで広がる以前に、東さんはまさにそのような話をしていました。国民全員の一般意志を瞬間的に測ることが技術的に可能になったとしても、それはつねに変わりつづけてしまう。そうなると、柄谷行人さんがカントを引いて言った「統整的理念」が機能しなくなる。

東　これは哲学的に言えばヒュームの問題です。ヒュームは、現実にはセンスデータ（感覚与件）が刻一刻と流れていくだけで主体など存在しないと考えましたが、まさにいま世界はそうなっている。国民がいまこの瞬間になにを望んでいるかがすべて可視化されたのはいいけれど、それは昨日の望みとも明日の望みとも異なるかもしれないという、たいへん不安定な時代です。そこでは主体や国家の基盤が怪しくなる。

國分　この論点を展開するためにすこし別の話題に言及してみます。最近ハンナ・アーレントの『全体主義の起源』（一九五一年）を読みなおしたのですが、そこで彼女はヒトラーを生み出したワイマールの大衆社会の分析をしていて、その分析がいまの日本の社会に驚くほどあてはまるんですね。とくにぼくが大きなインパクトを受けたのは、大衆社会の大衆は「なにも信じていない。だからなんでもすぐに信じる」、そして「なんでも可能だと思っているが、なにも真理ではないと思っている」というふたつの指摘です。そのような状況に対するアーレントの答えは、真理を信じることの回復でした。

★2　ジャック・デリダ『他の岬——ヨーロッパと民主主義』、高橋哲哉、鵜飼哲訳、みすず書房、一九九三年所収。

「信じる」ことはどうしたら可能かを、アーレントは考えようとした。

アーレントに触発されて、ぼくも最近「信じる」とはなにかについて考えています。いまこの政治状況のなかで、なにかを信じることを見出せるのか、さらには信じるものを哲学が提示できるのか、と。

たとえば、かつて「戦後民主主義」が言われたときには、人々は単純に民主主義を信じていた。いまはみんな民主主義なんて信じていない。強いリーダーがだれかいてくれれば、そのひとが決めてしまうほうが早いし、それでいいと思っている。アガンベンはいまの政治について、これはポリティクスとは呼べないから別の名前が必要だと言っています。「ポリティクス politics」はギリシア語の「ポリス polis」に由来しています。しかしいまのぼくたちは、以前の政治とはかけ離れた新しい政治に慣れてしまっていて、政治をポリスに起源を持つものとしてイメージできなくなっている。むしろテュラノス（僭主）がうまくものごとを配分したほうがいいと思っているわけで、独裁制にみな同意しつつある。

アーレントは独裁について、それが問題なのはうまくいくからだと言っています。古代ギリシアを見ても、政治は独裁者がパッと決めてしまうほうがうまくいく。だから「独裁は危険だ」というロジックではなく、独裁のほうがうまくいくことの問題を考えなければいけない。それがアーレントの問題提起だった。なにも信じていないからこそ、逆になんでも信じてしまうという大衆に対して、信じるものをどのように提示するか。それが彼女の政治哲学のひとつの課題だったと思います。

東　重要な問題提起ですね。さらにつけ加えて言えば、いまは、ひとになにかを信じさせることが、情報を与えることとイコールだと思われてしまっているんですよね。イデオロギーの問題から疑似科学の問題まで、あらゆることについて「Aか反Aか」というふたつの立場があり、陣営が分かれ、たがいに敵は嘘つきだ、なぜならばこれこれのデータやエビデンスがあるからだと言いあっている。しかし、それはひとを「信じさせる」ことではない。情報をいくら与えても、ひとの意見は変えられない。実際、フェイクニュースについては、そのニュースが嘘だという情報を与えると、むしろニュースへの信頼が増すという困った研究結果があります［★3］。情報提供のテクノロジーはインターネットの登場で格段に進歩しましたが、一方でひとを「信じさせる」テクノロジーに関しては、ぼくたちはまったく原初的なものしか持っていない。それこそ、結局、会って握手するとかがいちばんだったりする。情報を与えることが意味をなさない世界にぼくたちは生きている。

國分　情報は意見を変えない、というのはいい指摘ですね。情報を与えても意見は変わらないし、なにかを信じさせることもできない。いままでの傾向を強化するだけであると。だからこそ、どうやって「信じること」が発生するのかを考えなくてはいけない。

★3　長倉克枝「ネットで軽くなる『事実』の重み」、『日経サイエンス』二〇一七年七月号。URL=http://www.nikkei-science.com/201707_050.html

東　これは根深い問題です。いまの世界にはいわゆる「エビデンス」が大量に溜まりつづけていて、それによって過去の「検証」がいくらでも可能になったと考えられている。けれども、これは危険な傾向でもある。

かつては、過去というのは忘却され、証拠や記録は例外的にのみ残るものでした。ぼくたちはつい二〇〇〇年まえまでは写真すら持っておらず、録音も映像記録もなにも存在しなかった。つまり過去はデータでは検証不可能だった。だからこそ逆説的に、大きな物語としての過去を共有する必要があったわけです。

ところがいまでは、なんでも映像や録音に残すことができるし、それらのエビデンスを使えばあとからなんでも検証可能だと考えられるようになった。けれども、それでも結局は過去はひとつに確定しないんです。なぜなら、たとえばある会話そのものは記録されていたとしても、その解釈については、それは「その場で言ったことと別のことを意味していた」「現場ではまったくちがう意味として機能していた」とさまざまな解釈が生まれるからです。エビデンスがあれば事実はひとつに決まるかと思いきや、そんなことはまったくないんですね。にもかかわらず、エビデンスさえあれば事実は確定する、「ほんとうの過去」を検証できるという信念ばかりがひとり歩きしているので、むしろ問題が増えているように思います。この問題は、さきほどのアイデンティティ＝主体が確定しないという問題と深くつながっています。エビデンスが多くなればなるほど、歴史修正主義の誘惑が強くなるということですね。

ちなみに、批判されることを承知で言えば、最近流行の「#MeToo」も同じ根っこから生まれていると思います。かつてわたしは暴力を許容してしまった、しかしいまとなっては許容できないという「過去の再解釈」への欲望ですね。むろん、「#MeToo」自体は弱者に力を与えるものではあるのだけど、過去の再解釈への欲望は諸刃の剣であることも忘れてはならないと思います。

國分 ただ、「#MeToo」は欧米では流行しましたが、日本では流行っているとは言えません。なぜかを考えると、やはり欧米のひとたちは「信じている」からだと思う。この場合は信じているのは「人権」でしょうか。どんなに昔の罪であっても、そんなことをしてはいけない、掘り起こして罪を償うべきだという価値観をみんなが共有している。なかには疑わしいものもあると思いますが、しかしみなそれの味方にはなる。

たとえば、一〇年くらいまえにフランスにいたとき、「わたしは幼いときに性的虐待を受け、それを六、七〇年ずっと言えなかった」と打ち明けたおばあさんがテレビでしゃべっていて驚いたことがありました。その話をみな真剣に聴いていて、非常に感動しました。日本なら「ほんとうの話か?」と言われるのが関の山でしょう。

東さんが言ったように、エビデンス過多になることでみんなが共有できる歴史がなくなっていったというのはたしかですが、「#MeToo」に関してはちがう話だというのがぼくの意見です。

東 たしかにそこは欧米と日本の感覚の差がありそうです。人権に加えて、もうひとつヨーロッパ人が「信じている」ものとして「証言」があると思います。デリダは「証言 témoignage」というものにたいへんこだわるでしょう。じつはぼくは昔から、読んでいて違和感があったんです。「証言が大事といっても、嘘つかれたら終わりでは?」と。しかしいま翻って考えてみれば、それこそ日本人的な感覚なのかもしれない。日本人はあまり証言を重んじない。「わたしは暴力を体験した」と言っても、「エビデンスは?」という話になってしまう。エビデンス信仰は、そのように弱者の抑圧としても使われている。そこは非常によくないところだと思います。

政治のなかの文学的なもの

國分　ただ東さんの言うように、エビデンスの時代になって物語が共有できなくなったことの弊害はあると思います。昔は物語に頼ってものごとを解釈できたけれど、いまのようなエビデンス過多になるとなかなか物語をつくれなくなる。情報はいろいろと利用できる側面があるとはいえ、人間が処理できる量には限界がある。

東　政治の話につなげれば、トランプ現象にしてもブレグジットにしてもカタルーニャの問題にしても、ぼくたちがいま直面しているのは単一のアイデンティティにもとづく単一の物語がつくれないということですね。アメリカとはなにか、イギリスとはなにか、カタルーニャとはなにかという物語そのものが分裂し、たがいに衝突してしまっている。それは政策で解決する問題ではない。

さきほど言ったようにそれは日本もひとごとではなくて、現在の日本についても、いまの繁栄や平和がなんのおかげでどのような経歴で可能になったのかについては、いろいろな解釈＝物語がありうる。同じ現実を生きているのにまったくちがう歴史観を生きていることがありうるし、またそれぞれを強化する情報がたくさん提供される時代になってしまっている。現実はひとつでも、過去は複数なんです。

最初の話に戻せば、このようなアイデンティティの分裂を解決し、主権を立てなおすという企図は、どうもうまくいかない気がします。

國分　ぼくはどうしても主権にこだわってしまうのですが、アイデンティティの問題は煎じ詰めれば政治的決定に参加できるかどうかという問題ですよね。トランプにしてもブレグジットにしても、国家の決定に自分たちが参加していないという人々の不満が強くある。カタルーニャの独立運動も、いまのスペイン中央政府が非常に中央集権的だからこそ起きている。

東　それだけでしょうか。実際には、その不満に対してどう応えるかこそが問題になっているのではないですか。たとえば、トランプを支えたのはいわゆる「ラストベルト」の白人男性労働者層だといわれていますが、彼らは選挙権も持っているし、マジョリティとして地域コミュニティにも参加していたはずです。彼らの疎外感は、政治参加だけでは吸収できないのではないか。

國分　たしかにそこには、ある種文学的、感覚的なものもあるかもしれません。ブレグジットに賛成したひとたちの政治的疎外感にしても、たんに政治参加できていないということ以上のなにか「感覚」としか言いようのないものがあったとも考えられます。アメリカの「ウォール街で政治が決まっている」という感覚もそうかもしれない。

ぼく自身はこれまで、住民投票運動に関わった経験から、政治制度の改良、具体的には行政における政策決定に住民が関われるような制度をさまざまに考案し、それを足していくということで政治参加のルートを増やすべきだと主張してきましたし、その主張には変更すべき点はいまのところありません。

ただ、いまここで問題にしている政治的疎外感は、それによっては解決されない非合理的なものを含んでいる。東さんのいう「アイデンティティ」も、その非合理的なものと関わっている。ぼくはだから、なにか「信じる」というモーメントを取り戻さないと政治が回らなくなっているのではないかと主張しているわけですね。

この政治における「信じる」についてですが、戦後日本の憲法がとても文学的に語られてきたことがヒントになると思うんです。憲法についての議論というのは、憲法学者たちが担うべき高度に技術的で専門的なものです。ところが日本では江藤淳をはじめとした文学者たちが憲法を大いに論じてきた。憲法論は文学的であったわけです。じつは憲法学者の文章もいい意味で文学性を持っていました。たとえば、憲法学の重鎮として、奥平康弘と樋口陽一のふたりの名前を挙げられると思いますが、おふたりとも名文家ですね。文学を感じます。彼らの書くものはいわゆる専門家の論文とはちがう。安保法制問題のときに、憲法学者が路上に出て話題になりましたが、あの行動は日本の憲法学のこのような文学的位置づけと無関係ではない。

剰余としての哲学

東　いまのお話はおもしろいですね。日本の憲法についての語りが文学的で、そこを評価したいというのはまったく同感です。そもそも現行の日本国憲法は、ＧＨＱが中心となってさまざまなひとが絡み、つくられた経緯が複雑で、込められたメッセージも重層的なので、国民が政府を縛るためにつくられた合理的な文章にはまったくなっていないんですよね。そのあり方自体が文学的だと言えます。

それは「哲学的」とも言えるかもしれない。今日の対談は「いま哲学の場所はどこにあるのか」と題されていますが、ぼくは哲学について、とくにそれが「哲学的」という形容詞として使われるときは、「文学的」とかなり近い意味をもっていると考えているんです。たとえば、商品を開発する、会社をつくる、映画をつくる、さまざまな行為がこの世界にはありますが、そのようなとき、必ず目的とはズレるなにかが生じる。そのズレが「文学的」や「哲学的」と呼ばれる感覚を発生させる。というよりも、文学や哲学とは本来、文学や哲学という実態があるのではなくて、そのような「文学的」「哲学的」なズレ、ぼくの言葉では「誤配」としてしか存在しない。

その点でいまの日本国憲法は、まさに誤配だらけで、「文学的」「哲学的」な存在であるわけです。もちろん、誤配は必ずしもいいものではない。とくに政治においてよくない。だから現行憲法の抱える文学性＝誤配にしても、それこそ政治改革にとっての障害だと考えているひとたちも多い。正直言うと、ぼくも半分はそう考えています。だから憲法九条は改正すべきだという立場です。

でも、いまの國分さんの指摘で気づきましたが、それは現行憲法から誤配を除去しろという話なんですね。だとすれば、ぼくは、デリダ派として、誤配を守るために護憲派に転じるべきかもしれない（笑）。

國分　（笑）。そういえば、大澤真幸さんと対談したとき、大澤さんが中動態と憲法を結びつけて語ってくれました［★4］。アメリカの憲法は能動的だから強いのではなく、むしろ自分たちでつくって自分たちで従う中動態的な存在だから輝きを持っているんだと。それと比較するならば、いまの日本の護憲改憲論争は、むしろ、改憲をして能動的な憲法に変えるか、柄谷さんが言うように受動的なままがいいと考えるのか、という対立になっていると思います。

東　なるほど、護憲派もけっして中動態的というわけではないのだと。実際、憲法にかぎらず、政策的な合理性主導で政治的な議論が行われると、剰余がそぎ落とされていくんですよね。エビデンスがあり、合理的な政策の提案があり、ロビー活動があり、それを実現するタイムスケジュールがある、という話だけで政治が進むと、まさに「哲学の場所」がなくなってしまう。政治が哲学的であるときとは、剰余の部分が多いときですね。

國分　いまの話題に関連して、プラトンについておもしろい話があります。プラトンがなぜ対話篇を書いたのかは大きな謎ですが、じつは彼は、若いときに悲劇を書いていたらしいんです。ギリシア悲劇は、当時は大衆芸能のようなものだった。彼の対話篇が大衆的な言葉で書かれているのには、そういう文学的な背景がある。しかも、プラトンは名家出身で本来は政治家志望だったけれど、師匠のソクラテスが刑死したためその道を断たれてもいる。つまり、プラトンのなかで政治と哲学と文学がまさに交差しているんです。哲学と政治の起源に文学的な剰余があったとも言える。

東　若いころは文学青年で、そのあと政治家を志したのだけれど、師匠が刑死したのでその道が断たれ哲学者になった。なかなかつらい人生ですね。ソクラテスが死んだときには「アテネはもうだめだ」と絶望していたにちがいない。

國分　絶望していたはずです。でも彼はそのあと対話篇を書き、学校までつくっている。そういうプラトンの活動は、東さんがやっているゲンロンとも近い。

東　ありがとうございます。まさに、ぼくはいま、ソクラテスとプラトンのころまでさかのぼるべきなんじゃないかと思っています。最初に語ったように、いまは情報だけは増えている。けれどそれはひとの信念をなにも変えない。その状況を打破するためには、哲学とはそもそもなんだったのか、起源に戻って実践的に考えるしかない。そうすると見えてくるのは、ひととひととの会話にはもともと大量の剰余＝誤配があり、ある主張の背後には論理だけではないさまざまな物語が付随していて、議論の発展や融合のためにはそれらがきちんと衝突する場をつくるのが大切だということです。でないと議論は形式的に対立するだけで、そこからさきは発展しなくなる。だからプラトンの対話篇という

★4　大澤真幸、國分功一郎「中動態と自由」、『週刊読書人』二〇一七年六月二三日。URL=https://dokushojin.com/article.html?i=1580

のは、つねに哲学者の戻るべき指針としてあると思います。

國分　いまの世の中は、どんな議論でも少数のパラメーターに収束させてしまう。ぼくは新自由主義的な議論は、人間味や温かみがないという理由ではなく、単純に考えているパラメーターの数が少ないからだめだと考えています。あえて差別的な言い方をすれば、バカ向きになってきている。

東　まったく同感です。最近はＴＥＤのようなプレゼンテーションがいいということになっていますが、あそこには剰余がまったくない。ああいうタイプのプレゼンテーションばかりが新しい知のかたちとして流布していくことに危機感を覚えています。ＴＥＤとはまったくちがうプレゼンが見たいということは、ゲンロンカフェをつくった当初から考えていました。ゲンロンカフェの売りは、ＴＥＤなら三分でできることを三時間かけてやるという圧倒的な「効率の悪さ」ですね（笑）。

國分　すばらしい！　いま、そういう場所はほんとうに少ないでしょう。ドゥルーズは、哲学は概念を創造することだと言っていますが、彼のイメージではそれは小説の登場人物をつくることです。たとえば「コギト」という概念には、小説の登場人物のようにいろいろな背景があって、気持ちの変化があって、ほかの人物＝概念との関係がある。つまり、どうでもいいところがたくさんあって、はじめて概念が機能するということです。だから、箇条書きで「コギトとは○○である」と説明できるものではない、というのがドゥルーズの考え方です。

つまり、小説を読んで登場人物の気持ちを推し量るように、哲学も概念の「気持ち」を推し量ることができるようにならなければいけない、というのがドゥルーズの哲学教育なんですね。そういう教育がいまはできなくなっている。プレゼンテーションも「三分で要約してください」となっているし、箇条書き二、三個で説明できるようなものしかひとは受けつけない。

東　そうなんですよね。だからぼくも自分で会社をつくるしかなくなってしまった。それくらい世の中に絶望しています。

失われた非合法性

東　ここまでの議論をまとめますと、ぼくと國分さんは、とりあえずは、哲学がいま世の中に広がっている即時性優位の現実にどう立ち向かうのかを共通して考えている。ただそこで、「哲学では世の中を変えることはできない」といわば身を引いてしまったぼくとちがって……。

國分　いや、身は引いてないでしょう（笑）。

東　まあ、基本的にはゲンロンに閉じこもっているので……。それはともかく、國分さんのほうはちゃんと現実に踏みとどまっている。政治的な発言も活発だし、中動態の研究も、熊谷晋一郎さんらの当事者研究と密接に関わりながら、臨床や自助の現場に介入するものとして差し出されている。手ごたえはどうですか。

國分　ぼくの中心にはスピノザ哲学があります。臨床の現場では、そういうものが人々の生き方に示唆を与えるものだとみなされる土壌が広がっていると感じます。政治とはちがって、臨床の現場では、人間に対する理解が広がっていて希望が持てます。人間がいかに弱いのか、なにができてなにができないのか。そのことに関する認識が昔と比べ物にならないくらい繊細になっています。たとえば熊谷さんが力を入れている当事者研究は、精神分析の民主化版だと言えます。

東　その表現はよくわかります。斎藤環さんが推奨しているオープンダイアローグも同じ流れですね。

國分　だから臨床に関しては希望を持っています。一方、政治となると希望を持てない。ぼくの友人の萱野稔人さんは、かつて現代思想の専門家でした、けれども、哲学では壁を突破できない状況に痺れを切らしたのか、研究の場からは退いてしまった。最近では保守派の政治家に近いことを言うこともあり、納得できないことも多い。ただ、その必然性はとてもよくわかります。だから、ポストモダン系の学者が彼を単純に転向者とみなしてバカにするのは非常に腹が立ちますね。ドゥルーズ＝ガタリを使って革命がどうこうと言うのが政治なのか、と。

萱野さんの選択は、現実の政治を哲学的に考えることの必然的帰結なのかもしれない。ぼくの政治参加は小平での住民投票までにとどまっていますが、あれ以上やると保守派にならざるをえないという気持ちもあるし、実際すこしそうなっている。

東　なるほど。そう考えていたんですね。

國分　逆に東さんからは現状はどう見えているんですか。

東　そうですね。一方に即時性にもとづいたネオリベ的な空間があり、他方でそれに抵抗するＮＰＯやコミュニティ系の運動の空間があるという整理はよくわかります。いま國分さんがおっしゃった臨床と政治の対立はそういう話ですね。

ただ、一見ここには対立があるように見えますが、ぼくは両方とも「まじめ」であることが共通していると考えているんです。プラトンの対話篇にはふまじめさや笑いが満ちていたけど、いまはそのような感覚と政治の実践が切り離されている。体制派だろうが反体制派だろうが、保守だろうがリベラルだろうが、すごくまじめです。ぼくとしては、それに対して、「ふまじめさ」や「笑い」の感覚が政治や公共性とつながるような第三の空間をつくりたい。

國分　もうすこし具体的にお願いできますか。

東　先日、千葉県佐倉市の国立歴史民俗博物館で開催された展覧会『「1968年」——無数の問いの噴出の時代」』に行きました。展示自体はよかったのですが、ある種の行き詰まりも感じました。というのも、展覧会を見てまず気づいたのは、現在のSEALDsや国会前抗議の方法論が、半世紀前のべ平連（ベトナムに平和を！市民連合）によってほぼ完成されてしまっているということです。組織をつくらず、同時多発的に草の根で集会を行い、そこにアーティストやミュージシャンを呼んで祝祭感を生み出す。そうした「現代的」な社会運動の方法は、すでにべ平連で先取りされています。

國分　震災後の運動ですね。

東　はい。ところが、べ平連にあって現代の運動にないものがある。それは「非合法的なものへの容認」です。展示では、ベトナム戦争を忌避する米軍脱走兵を支援するために、運動家がスウェーデンのパスポートを偽造してモスクワに送り出したことが肯定的に紹介されていました。けれど、これはいまの感覚ではあきらかに犯罪です。SEALDsや国会前抗議がこれをできるかというと、絶対にできない。いまのリベラルは、こういった非合法活動を絶対に許容しないと思います。

それは運動家もわかっている。たとえば野間易通さんの『金曜官邸前抗議』(二〇一二年)で説かれているのは、合法的にいかに運動をするかという方法論です。野間さんにも直接言ったことがありますが、あの本はコミケのマニュアルに似ている。どうやって行列をさばき、どうやって問題を起こさないで大衆をコントロールするかということばかりが書かれている。警察に睨まれないよう、終電できちんと帰りましょうとまで書かれている。

誤解してほしくないんですが、ぼくはべつに反権力のためには非合法活動が必要だといいたいわけではありません。ただ時代の変化を指摘したいだけです。かつてべ平連の時代には、祝祭的な市民運動と非合法スレスレの運動論はセットになっていた。ヒッピー文化などの影響もあったでしょう。それはいろいろ悲惨な事件も引き起こしたけど、だからこそ祝祭は実体的な権力闘争につながっていたし、影響力もあったとも言える。そこは表裏一体なわけです。ところがいまは、非合法なものは端的に許容されない。残ったのは「文化祭」のような安全な祝祭にすぎない。それは完全に権力のコントロール下にあるので、しょせんはガス抜きにしかならない。言い換えれば、「笑い」の領域が、完全に政治から切り離されてしまっているわけです。

六八年革命の現代的意義を考えるとしたら、この非合法スレスレの祝祭感覚を現代でどのように位置づけるかを問うことが大事だと思うのですね。件の展覧会では、六八年革命を継承した運動として横浜新貨物線反対運動を取り上げ、いまやエゴイズムこそが公共圏の問いなおしのために必要なのだという結論にもっていこうとしていましたが、それだけでは弱いと思うんです。

國分　なるほど。ぼくが小平で市民運動をやっていたときも地域エゴイズムと批判されたことがあります。しかしあれはエゴイズムではなく、意見をみんなでつくり上げていったんです。いろいろなひとが意見を出して、切磋琢磨していった。それが肯定的な意味で六八年革命を引き受けることだと考えているのですが……。

東　でも、そこで「いろいろなひと」とはだれかが問題でしょう。よく知られているように、ベ平連代表の小田実は「ふつうの市民」という言葉で連帯を呼びかけた。おそらく当時はその「ふつう」のなかにはチンピラみたいなひとが数多くいたわけです。犯罪者もいたでしょう。ところがいまは「ふつう」がすっかりジェントリフィケートされ、そのような人々は運動から慎重に排除される構造になっている。あるいは、かりにそういうチンピラが運動のなかにいたとして、彼らが犯罪に手を染めたこと、それそのものが社会構造の歪みの現れなのだから、チンピラはその犠牲者として捉えなければならないということになっている。それもまた一種のジェントリフィケーションです。ひとことで言えば、リベラルはいまやすごい優等生っぽいんですよ。ちなみに、この点では野間さんの「レイシストをしばき隊」はじつに反時代的な試みで、そこはすこし評価していました。

さきほど國分さんが表明されたいらだちも、結局はこの問題に集約されると思います。ドゥルーズ哲学の革命性を称揚するけれど、そう言うおまえらは背広にネクタイで大学で教えてるだけじゃないか、と。

國分　ジジェクふうに言えばツイート文化に堕した左翼ですね。昔は左翼こそが汚い言葉を使っていた。しかしいまは右翼が汚い言葉を使っていて、左翼はポリティカル・コレクトネスをあげつらうだけで、議論をしない。

ジャスティスとコレクトネス

國分　すこし哲学の話に戻しましょう。いまの話はデリダの言葉で言い換えると、「正義」の問題になりますね。デリダによれば、正義は合法性とはまったくちがう。たとえば市民的不服従で徴兵・兵役を拒否することは非合法です。けれども最終的には正義になるかもしれない。そしてそれは事前にはわからない。べ平連の人々は非合法活動をやっていたとき、それが正義だと信じていたでしょう。
　それに対して、ぼくらは正義を「信じる」ことができない。自分の活動が非合法だと言われることばかり心配し、それが東さんのいう「文化祭」化をおしすすめる。しかし、そこで達成されるのは、けっしてジャスティス（正義）ではなく、せいぜいコレクトネス（正当性）にすぎないわけです。それだけでは、市民的不服従のような概念はまったく理解されない。

東　おっしゃるとおりです。デリダは、正義と正当性を計算可能性の観点で区別するとともに、その時間性を問うてもいました。コレクトネスがあくまでも現在性の時間のなかにあるのに対して、ジャャスティスは時間の外にあるんですね。

國分　そう。コレクトネスは現前的なもので、瞬間的に判断できてしまう。それに対してジャスティスのほうは、いつ実現されるかわからない。だから「信じる」ことが必要になるわけです。

東　「信じる」行為は現在の時間の外に出ることなんですね。そのように整理すると、現代において、なぜ「信じる」ことがこれほどむずかしくなっているのか、説明がわかりやすくなると思います。SNSが世界を覆った現代では、なにごとについても、その場その場で瞬間的な正しさにもとづいて判断し、リアクションをすることが求められている。コレクトネスはまさにそのようなリアルタイムの判断基準にふさわしいものです。けれども正義は、そもそも時間的な幅を要求する。そしてSNSはまさにその幅を消してしまう。だからぼくたちは正義の感覚を持てなくなっているし、なにごとも「信じる」ことができなくなっている。

実際、最近のぼくたちはおそろしく忘れやすい。この対談のわずか二ヶ月まえには衆議院選挙があり、小池劇場をはじめさまざまな大騒ぎがあったわけですが、早くもほとんど話題になっていない。

國分　積極的に物忘れしているような状況になっている。

東　デリダは『マルクスの亡霊たち』（一九九三年）で、『ハムレット』の台詞を引用しながら、正義が成立するためには時間の「たがが外れること out of joint」が必要なんだと記していますね［★5］。昔はあまり意味が理解できなかったのですが、いまはすごく具体的にわかります。リアルタイムメディアで即レスばかり要求されている状態では、正義は実現できない。正義の感覚を持つためには、

「いまここ」の正当性から距離を取る必要がある。これはまさに、ポリティカル・コレクトネスに支配されたネットからどのように距離を取るかという話ですね。

　さきほどの繰り返しになりますが、このような意味で、デリダの議論はいまたいへんアクチュアルなものになっていると思います。

國分　まったく同感です。現実のほうが哲学に追いついてきて、抽象的な思考実験のようなことが現実に問われることになった。ぼくもじつはポリティカル・コレクトネスを叫ぶひとたちの単純さにはうんざりしている。正義は目のまえの確実な証拠によって行うのではなく、いつか実現されるものとして「信じる」対象でしかありえないはずです。現在は、情報が溢れているという意味では正義の条件が整っているように見えますが、もっと大事な条件である「信じる」ことが切り崩されているのでは意味がない。

東　むしろいまや、溢れた情報を恣意的に並べ、自己肯定的な正義を振りかざす人々ばかりが目立ちます。ネトウヨはまさにそういうかんじです。

國分　ハイデガーふうに言えば、コレクトネスはジャスティスの頽落形態なのかもしれません。

東　時間を超えた正義の存在をどう信じるか、信じさせるか。むずかしいですね。

國分　むずかしいから、みなコレクトネスに逃げる。そして「いまここ」で他人にどう解釈されるかに怯えながら生き、ますます「いまここ」で正しさが判明するコレクトネスにすがるようになる。コレクトネスが勝ちつつある状況は、「信じる」力が失われたことの必然的な帰結ですね。

東　そしてそれは、主体が失われ主権が失われることともつながっている。「いまここ」のデータの連続しかなくなってしまった世界で、時間を超えた主体や正義をふたたびどう立ち上げるかが問われているわけです。

計算なき憐れみの時間

國分　ところで、デリダの問題系で言えば、正義だけではなく「責任」に関しても頽落形態が広がっていると思います。責任（レスポンシビリティ）という言葉はもともと、レスポンス、つまり「応答する」という言葉から来ている。それが具体的にわかる例が、聖書の「よきサマリア人」の話です。怪我で倒れている旅人を見たときに、よきサマリア人はなにかをしてあげなければならないというレスポンシビリティ、つまり応答＝責任を感じた。困っているひとがいたら、それを助けてあげたいと思う。それこそが責任の起源だと思います。

ところがそれがいまや、立場上責任を取らなければならないから取るという感覚に頽落し、さらには、「おまえこそ責任を取れ」とたがいに押しつけあうものへと変わっている。意志概念というのは、

★5　ジャック・デリダ『マルクスの亡霊たち』、増田一夫訳、藤原書店、二〇〇七年、六一－六二頁。

応答すべきひとが応答しないときに、行為をそのひとに帰属させ、責任を取らせるための装置なんですね。最近は、デリダが応答責任について考えていたことの意味がわかるようになってきました。

関連して思い出しましたが、東さんが帯文を書いていたフランソワ・ジュリアン『道徳を基礎づける』(邦訳文庫版二〇一七年)も、仁と義の定義から始まりますね。日本では「仁義」というと、「なになにをすべき」と当為を定める道徳的基準として理解されています。けれどもこれも正義と同じで、仁も義も仁義もあらかじめ定められた基準があるわけではない。あるときにそれを感じただれかが、それを実践するというだけなんです。

東　よきサマリア人のたとえは、まさにルソー的な「憐れみ」に関わる話だと思います。責任あるいは憐れみの感覚は、現前的な自発性としてあるという話ですね。フランソワ・ジュリアンは、孟子の「仁」にも同じ特徴があると主張していて、そこはたいへんおもしろいと感じました。

この責任＝憐れみ＝仁に関わる話は、今日の対談の構図をもう一段複雑にするものでもありますね。さきほどぼくたちは、現前的で計算可能な正当性と非現前的で計算不可能な正義を対置させましたが、責任＝憐れみ＝仁(レスポンシビリティ)は、現前的だけれど計算不可能なものとして現れる。ひとが倒れていて、思わず手を差し伸べてしまうときに計算は働いていない。

國分　まさに。孟子は、井戸に落ちそうになっている子どもがいたら、だれでもなにも考えずに手を差し伸べると言っているでしょう。そういう計算なき瞬間的な現前性が責任の時間です。それに対立するのが計算の時間でしょうね。

東　現代人にわかりやすいたとえを使うなら、ライフプランニング的な時間感覚ですね。未来の自分のために、毎月すこしずつお金を貯めていくような時間感覚。

國分　しかしそれは、未来の自分に責任を取っているようで、ほんとうはなにも責任を取っていない。非常に短期的な時間しか考えていない。

東　そう。じつは現在の自分のことしか考えていない。

國分　とはいえ、憐れみと仁にはちがいもあると思うんです。ジュリアンは「もしその立場に自分がいたら」という想像力が働かないと、ルソーのいう憐れみは作動しないと言います［★6］。けれども、苦しんでいる子どもにとっさに手を差し伸べるとき、ほんとうに想像力は働いているのか。

東　そこもぼくはヨーロッパの哲学者の限界を感じます。ジュリアンは、憐れみの作動をあくまでも「想像力」という主体を前提とする言葉で捉えていて、孟子もそちらに引きつけて理解しようとする。けれども、憐れみ＝仁は、むしろ主体以前に作動するもの、ぼくの言葉で言えば「動物的」な位相で作動するものと考えたほうがいいのではないか。目のまえで苦しんでいる子どもがいたらとっさに体が動いてしまう、それは人間的主体としての想像力以前の、ぼくたちの動物としての本能であり、そ

★6　フランソワ・ジュリアン『道徳を基礎づける――孟子 vs. カント、ルソー、ニーチェ』、中島隆博、志野好伸訳、講談社学術文庫、二〇一七年。とくに第一部「憐れみをめぐる問題」を参照。

の存在こそが計算に支配された合理的＝現前的な「正しさ」に対するノイズとして機能する。

國分　まさにそういうことだと思います。

東　けれども、このような論理構成はヨーロッパの哲学者には理解されにくいのかもしれない。すこし話を広げますが、ぼくはここが自分の哲学の独創だと思っているんです。ぼくはいわば「誤配原理主義者」で（笑）、超越論的なものはすべて誤配＝ノイズから生まれると考えている。人間が正しく計算にだけもとづいて生きれば、神のような超越論的な観念は必要とされない。実際、リチャード・ドーキンスやスティーブン・ピンカーのような世俗的人間主義者たちはそういうことを言いますね。にもかかわらず、人間はどうしても神を必要としてしまう。それが人間の人間的であるゆえんなんだけど、それはなぜかといえば、要は人間が動物にすぎないからです。つまり、超越論的な観念を生み出す誤配＝ノイズは、つねに人間の愚かさや動物性とつながっている。正義のような超越論的な観念は、人間的で合理的な正しさからはけっして生まれてこないので、それは同じ理由で悪の可能性から切り離せないわけです。

これはきわめて具体的な話でもあります。たとえばギャンブルの魅力は生理的なアディクションで、ほんとうはそこに神秘はない。愛にしても煎じ詰めれば生理的な本能にすぎない。けれども、ぼくたちはそこになにか神がかっているものがあると考えてしまう。人間の頭は、動物的な本能を合理性よりも優先させることがあり、それは論理的には誤作動というべきなのだけど、その再帰的な解釈こそが超越論的な観念の源泉になる。つまりは、ぼくたちはけっして完璧に人間的に生きることができなくて、ときに動物的にしか生きられないことがあるのだけど、そのときに強引に理由をつくろうとするとそれが超越論的な観念になるんじゃないかと思うんです。言い換えれば、神や宗教は動物性の延長線上で生み出されているのではないか。神とは動物性の人間的再解釈のことなのではないか。

國分　なるほど。非常にユニークな哲学だと思います。動物的な本能を自己解釈することで生み出された神が、再帰的にその主体を方向づけて、道徳性を付与する……。

東　ヨーロッパにおける「人間」の中心は、合理性、カントの言葉で言えば悟性です。それはたとえば、五人を救うかひとりを救うかを選ばなければならないとき、迷いなく五人を救うことを選ぶような、計算にもとづく世界です。けれども、人間には憐れみのような悟性の外部があって、そのことによって計算の時間を超えることができるのだと思います。

さきほど六八年革命の話が出ましたが、それは政治とも関係していると思います。たとえば革命は、合理的に考えれば起きないほうがいいのかもしれない。その意味で、革命を批判する保守主義者は合理主義者でしょう。常識で考えればエドマンド・バークのフランス革命批判のほうが正しくて、あの段階で革命の理念を見通すことはできない。そもそもフランス革命がほんとうに革命の理念によって起きたのかというと、そうではないわけです。それはむしろ、動物的な、非合理的な衝動によって起きた。にもかかわらず、革命を起こすことによって政治の理念は進化してきた。われわれは、動物的衝動によって起きた理念を後づけで再解釈することで、いまの政治的な理想を手に入れている。それが民主主義というものなのではないかと思うんです。だから民主主義そのものが、ほんとうはまったく合理的なものではない。

國分 おもしろいですね。フロイトが近いことを言っていたと思います。主体以前、すなわち「想像力」以前の時間という話はいろいろと豊かに展開できると思います。

想像力の復権

國分 ただ一方で、ぼくはもうすこし主体の側にとどまって、「想像力」について考えたいとも思います。憐れみにも想像力が働いているというジュリアンの話は、ハイデガーの有名なカント論である『カントと形而上学の問題』(一九二九年)につながっている。

ハイデガーは、感性、理性、悟性、想像力といったカントが設定した主体の構成要素が、すべて想像力に由来すると言っています。そして、主体を構成する想像力とは、要するに時間化のことなのだと。この図式を踏まえると、「計算の時間」以外の時間が存在しなくなっているといういまの状況は、想像力の縮減と言い換えることができるのではないか。ご存じのように、カントは想像力を「ここにないものをここに存在させる力」と定義しています。これはすさまじい定義です。

東 アーレントにも『カント政治哲学の講義』(一九八二年)というカントを論じた本がありましたね。

國分 まさにそこがつながっています。いま政治について考えるとき、「想像力」というテーマでカントとハイデガーとアーレントをつなげて考えることが非常に大事だと考えているんです。現前的な

「正しさ」にすべてが収斂してしまい、だれも正義を信じられなくなっている状況に対して、どのように正義の実現を「想像」できるようにするか。想像力がなければ正義も信じられない。六八年革命は「想像力の革命」と言われましたが、当時は日本だけではなく、世界的に想像力が話題になっていました。それがいつのまにかダサくなり、まともに顧みられなくなってしまった。

東　たしかに、想像力の問題は現代思想でもあまり問題にされていませんね。ラカン派精神分析に「イマジネール」(想像界)「サンボリック」(象徴界)「レール」(現実界)という有名な三幅対がありますが、議論されるのは象徴界と現実界の関係ばかりです。想像界の位置づけはあまり重視されない。ぼくはその状況に違和感を感じて、象徴界と想像界をつなぐものこそがエクリチュールで、そこにデリダのラカン批判の要があるという論文を書いたことがあります[★7]。

國分　そう、想像界はなぜか理論的に論じられてこなかった。東さんが先駆的に論じていたのが目立つくらいです。ただ近年では、松本卓也さんが紹介しているように、ラカン派も同じ問題意識を持っているようです。

東　ぼくが九〇年代に研究をしていたころは、人間と非人間の境界は言語の有無で規定されるという

★7　東浩紀「想像界と動物的通路——形式化のデリダ的諸問題」、『サイバースペースはなぜそう呼ばれるか+——東浩紀アーカイブス2』、河出文庫、二〇一一年。

思考がまだ主流でした。それはフランス現代思想にかぎらず、アーレントの『人間の条件』(一九五八年)においても、政治的な存在かどうかの境界線は、他人のまえで堂々と「話す」ことができるかどうかに置かれています。ひらたく言えば、声が大きく演説がうまい人間こそ政治的な人間だというわけですが、ぼくはそのようなステレオタイプにたいして昔から強い違和感を持ってきた。だからこそぼくは『動物化するポストモダン』(二〇〇一年)でオタクを主題に取り上げたのだし、同じ問題意識は近年の『観光客の哲学』にも引き継がれています。

國分　アーレントに関しては、彼女がそもそも民主主義者だったのかという問題がありますね。言葉を操る人間がマウンティングの取りあいをして、勝利者の意見にもとづいて合意形成がなされるのがよいというのが、アーレント的な政治の概念です。これは民主主義と言えるのか。

東　ぼくには、むしろそれこそが民主主義的なように聞こえます。さきほどシャンタル・ムフの名前を挙げましたが、ほんとうは闘技民主主義と熟議民主主義は分けられないはずです。弁論術がそうであるように、議論というのはそれそのものが勝ち負けと切り離せないからです。言葉の技術で勝ち負けを決め、勝ったひとには従うという前提こそ、民主主義における「少数意見の尊重」の条件ではないでしょうか。逆にあらゆる意見が対等で、内容で勝ち負けを決めないのだとすると、多数決ですべてを決めるほかなくなる。いまはむしろそれだけになっていますが。

これは、民主主義とはパターナリスティックなものだと言い換えることもできます。ひとはしばしば、民主主義は単純な多数決ではない、弱者への配慮が必要だと言います。強者が弱者に配慮するというのは、つまりパターナリズムです。結局民主主義においては、数の力で勝敗を決めて少数者を排除するか、勝者が敗者を包摂するパターナリズムか、そのどちらかしかないのではないか。

國分　いや、だからこそ想像力が必要なんです。敗者が勝者に配慮を求めるという発想がよくなくて、そこでこそ議論や説得という契機が大事になってくる。いろいろな意見があるなかで話しあい、戦って、それで説得されるという過程がなくてはならない。それが民主主義の核です。多数決かパターナリズムかという二分法こそが、想像力の衰退によるものだと思いますよ。

東　國分さんが気にかけているのは、コミュニティの「主体」をどう立てなおすかということですね。国民という主体あるいは主権は、想像力でこそ打ち立てられる。けっして断片化した一般意志からは出てこない。だから政治には想像力が必要だし、想像力があれば多数決でもパターナリズムでもない第三の道があるはずだと考える。他方でぼくのほうは、想像力、あるいは正義や憐れみといった計算不可能な概念は人間の生にとって必要不可欠ではあるけれど、それはもう集団的には使えず、したがってかつてのような国民的な主体あるいは主権は回復できないのではないかと考えています。だから多数決かパターナリズムしかないと考える。くしくも、冒頭の話題に戻ってきました。

哲学の場所を再構築する

國分　最後に、今日のテーマである「いま哲学の場所はどこにあるのか」という問いについても考えてみましょう。東さんはどう考えますか。

東　さきほども言ったように、ぼくは哲学というのは、人々のあらゆる生活のなかに潜んでいるノイズ＝誤配の体験そのもののことだと考えているんです。だから、いま哲学の場所はどこにあるのかと問われたら、それはどこにでもあると答えます。

とはいえ、この答えではあまりに抽象的なのでもうすこし具体的に答えるとすると、ぼくとしては、いま哲学の場所を確保するためには、今日話題となってきた「いまここの正しさ」から逃れるための空間をどのように設計するかが重要だと考えています。これはとても具体的な話で、たとえばトークショーひとつ取っても、書店で開催するとほんとうに時間どおりに終わってしまうでしょう。ああいう「正しさ」「合理性」から、どのように距離を取るか。ゲンロンという会社を経営しながら、いつもそんなことを考えています。

國分　それはかつて大学が担っていた機能ですね。たとえば、いままでの大学では、計算不可能な剰余を担保したのはサークルの部室のような場所でした。けれどもそれは自分たちで獲得したものではなく、伝統によって守られてきたものにすぎない。いまやその伝統も破壊され、サークルなんていらないというネオリベ的な管理思想が高まっている。そこで新左翼は部室は大事だと懐古趣味的に抵抗しているわけだけど、東さんはそれともちがい、その剰余の生成の場自体を自分たちできちんと確保しマネージするという、また別の立場を選んでいる。

東　そのとおりです。ひらたく言えば、ぼくはソクラテスにならって、ただだらだらと飲んでしゃべる空間をつくりたいだけなんです。しかしそれこそが重要なんですね。

國分　まったく。いまは話す場自体がない。

東　先日、アンスティチュ・フランセ東京の中庭でふたりで対談をしましたね［★8］。たいへんいい対談になりましたが、あの会話がうまくいったのにはさまざまな理由があった。突発的に対談が生まれたのもよかったし、ビールを飲んだのもよかった。そしてなによりも緑のある空間がよかったですね。哲学的な議論が深まるためには、そのようなさまざまな環境要因を整えることが大事になってくる。

けれど、いまの大学はそういうことをまったく配慮していないでしょう。最近は大学の市民講座が盛んですが、無料で広い教室を使えるのはうらやましいと思いつつ、蛍光灯に照らされ時間制限のある教室をあてがわれた瞬間に、議論の内容はだいぶ決まってしまうなという思いもある。

國分　よくわかります。アリストテレスのリュケイオンという学校には、散歩道があったという有名な話があります。アリストテレスは散歩しながら講義していた。それはまったくわかる話で、そもそも大学の教室で講義なんてしたら学生は眠くなるに決まっている。アーレントの伝記映画に講義をす

★8　國分功一郎、東浩紀「日本で哲学をするとは——アンスティチュ・フランセ東京『哲学の夕べ』ガーデントーク」、『ゲンロンβ16』、二〇一七年。

る彼女が出てくるのですが、その部屋も木張りでとてもかっこいいんですね。ここで話したら、みな哲学をやりたくなると思いました。

東　ぼくもかつて、エコール・ノルマルやコロンビア大学を訪問したときに、「ここであの哲学者が講義をしたのか」とテンションが上がりました。教室に歴史が刻まれている。そうすると話す内容も変わってくる。

國分　そういう場所をどうつくるか。いま大学は、むしろコレクトネスへの対応で手一杯ですね。学園祭も夕方には終わるし、学生会館への泊まり込みなどはもってのほか。最近は教員が場所を借りるのも、完全にコレクトネスの論理です。ジャスティスの論理では貸してくれない。昔は大学の空き教室を、勉強会とかで勝手に使うことができた。いまはそれは許されないし、空き時間には自動的に施錠される。コレクトネスの論理を持ってこないと、大学人ですら集まる場所がない。

東　ぼくは、このコレクトネスの時代においては、もう大学のなかでは哲学はできないと考えています。では大学外で哲学をどのように実践すべきか。ぼくがそこでときどき考えるのは、スロヴェニア出身の哲学者スラヴォイ・ジジェクです。

ぼくは、ジジェクのテクストそのものは、画一的であまり好きではありません。けれども彼の存在には興味がある。先日、オレグ・アロンソンというロシアの哲学者にモスクワでインタビューをしたときに、おもしろいことを言っていました。ジジェクのテクストにスラブ的なものはないが、ふるまいはきわめてスラブ的だというのですね［★9］。これは重要な指摘だと思うんです。ジジェクの「理論」はじつにグローバル的で、それゆえ退屈なのですが、辺境の出身である彼のふるまいには反グローバルなところがある。それが彼のトリックスター的な話し方やふるまいに出ている。その点では、ジジェクは、いくら話の内容が大学的でも、本質的に反大学的なひとです。

ハイデガーにしてもデリダにしてもドゥルーズにしても、そもそもは大学的な哲学の制度に抵抗する思想家でした。けれども、ヨーロッパのなかで消費されているかぎり、その思想はどうしても大学制度のなかに回収されてしまう。実際にいまはデリダもドゥルーズも学会発表や紀要論文の格好の対象になっている。

けれども、幸か不幸か、ぼくや國分さんはその点では徹底的に外部であることを運命づけられている。それは端的に日本人だからです。ぼくたちはヨーロッパ人ではなく、ヨーロッパの知の伝統に属すことができず、それゆえに自然に反制度的で反大学的でありうる。だとすれば、その自然の条件をそのまま伸ばしてあげれば、むしろ逆に普遍的な哲学の場に届くのではないかと最近は考えています。具体的には、日本における公共性や哲学のあり方をもっとちゃんと実践的に考えるべきではないかと思うわけです。かつて柄谷行人さんたちは、日本の辺境性にいらだち、文芸批評の伝統を北米のアカ

★9 オレグ・アロンソン、エレーナ・ペトロフスカヤ、聞き手＝東浩紀「レーニン、収容所、ポストモダニズム——ロシア現代思想概観」、上田洋子訳、『ゲンロン8』、二〇一八年。

デミズムに紹介し組み込むために大きな努力をしたわけですが、その功績を最大限に評価しつつも、それは結果的には日本の批評の強みを消すものでしかなかったのではないかと思っています。柄谷さんも、いまやたんなる文化左翼だとみなされている。

國分　絓秀実さんが『JUNKの逆襲』（二〇〇三年）のなかで、批評家的な研究者と研究者的な批評家について論じていたことを思い出しました。批評家的なところがなくなって、研究に吸収されてしまうとつまらなくなる。ぼくもどちらかといえば批評家的な研究者だと思います。ぼくもドゥルーズやデリダが生き生きとやっていた時代を知っているので、彼らがたんなる研究対象に堕して、ドゥルーズ・スタディーズやデリダ・スタディーズが隆盛を迎えている現状には反発を覚えています。

東　いまやポストモダニズムはグローバル言語で、中国の研究者も韓国の研究者もふつうにドゥルーズやデリダについて語る。けれど、そんな「おしゃべり」を積み重ねても本質的に退屈だと思います。政治的にもまったく力はない。むしろ重要なのは、その外側をいかにつくるかで、ゲンロンはそういった「グローバルなアカデミズムの外側」のひとつのつもりで運営しています。ぼくとしては、そこで、座談会やトークイベントといった日本ならではの文化的な遺産が、ソクラテスの対話のような哲学の原点にショートカットされ、思わぬ「剰余」が生まれるといいなと思っています。

國分　制度化された空間とはちがう空間をどうやって想像するか。これもまたコレクトネスをいかに乗り越えるかという問題ですね。絓さんは、六八年革命のスローガンだった「大学解体」は、結局はいま文部科学省の大学改革によって実現されたじゃないかと言っている。ある意味で、六八年革命はいま最悪のかたちで実現されてしまったのかもしれない。大学の外部を用意しないまま、大学だけを解体してしまった。

ぼくは東さんとちがって大学で教えているし、大学が好きです。だから大学をなんとかしたい。ただ、「これまで哲学の場はどこにあったか」と考えると、哲学は大学のなか、もっと言えば文学部のなかにしか場をもっていなかったんですね。けれども、そもそも哲学が文学部になければならない理由はありません。イギリスの大学には政治学と経済学と哲学を同時に学ぶコースがありますが、そういうかたちで哲学を学んだっていい。そもそもぼくは社会科学系の出身なので、このコースに近いやり方で哲学を学んできました。

あと哲学が大学のなかにしか場をもっていなかったことも大きな問題ですね。大学の外で哲学ができる場をつくるということに関して言うと、哲学カフェや哲学対話がものすごい勢いで日本社会に浸透しつつあることには注目しています。ぼくはこれまでそうした営みにはすこし距離を取っていたんですが、最近は考えが変わってきました。社会のなかに強い〈哲学への欲望〉があるんじゃないか。デリダは〈哲学への権利〉と言いましたが、ドゥルージアンとしては、「いや、〈哲学への権利〉より〈哲学への欲望〉だ。〈哲学への欲望〉が〈哲学への権利〉に先行しているのだ！」となんとしてでも言いたい（笑）。ぼくなりに大学の外での哲学の場をつくりたいとは思っています。社会の〈哲学への欲望〉に応えるというのは、まさしくドゥルージアンとして哲学をやっているぼくの責任ですね。

東　ゲンロンもぜひ協力できればと思っています。今日は長い時間ありがとうございました。

デラシネの倫理と観光客

五木寛之＋
沼野充義

2018年4月20日

五木寛之
いつき・ひろゆき

1932年福岡県生まれ。戦後朝鮮半島から引き揚げる。早稲田大学文学部ロシア文学科中退。1966年『さらばモスクワ愚連隊』で小説現代新人賞を受賞しデビュー。1967年『蒼ざめた馬を見よ』で直木賞、1976年『青春の門』で吉川英治文学賞を受賞。ニューヨークで発売された『TARIKI』は2001年度「BOOK OF THE YEAR」（スピリチュアル部門銅賞）に選ばれた。2002年に菊池寛賞、2009年にNHK放送文化賞、2010年、長編小説『親鸞』で第64回毎日出版文化賞特別賞を受賞。おもな著書に『朱鷺の墓』（69－78年）『戒厳令の夜』（76年）『風の王国』（85年）『蓮如』（95年）『百寺巡礼』（03－05年）『大河の一滴』（98年）『下山の思想』（11年）『孤独のすすめ』（17年）『作家のおしごと』（19年）など。

沼野充義
ぬまの・みつよし

1954年生まれ。東京大学教授を経て、現在、名古屋外国語大学副学長。著書に『永遠の一駅手前』（1989年）『亡命文学論』（2002年、サントリー学芸賞）『ユートピア文学論』（2003年、読売文学賞）『世界文学から／世界文学へ』（2012年）『チェーホフ　七分の絶望と三分の希望』（2016年）、編訳書に『ロシア怪談集』（1990年）『東欧怪談集』（1995年）、訳書にスタニスワフ・レム『ソラリス』（2004年）ナボコフ『賜物』（2010年）ほか多数。

東浩紀　本日は作家の五木寛之さんにゲンロンカフェにお越しいただいています。今年（二〇一八年）の二月に刊行された『デラシネの時代』では、「デラシネ」＝根無し草をキーワードに、現代における人間の本質を鋭く分析されており、ぼくも感銘を受けました。
この鼎談のきっかけになったのは、五木さんが『日刊ゲンダイ』の連載コラム「流されゆく日々」で、『ゲンロン6』『7』（ともに二〇一七年）を取り上げ、記憶の問題を論じてくださったことです［★1］。五木さんは、デビュー作の「さらばモスクワ愚連隊」（一九六六年）をはじめ、ロシアを題材にした作品を多く執筆されています。とはいえ、まさか五木さんが『ゲンロン』のロシア特集に反応してくださるとは予想しておらず、驚きました。ぼくの『ゲンロン0　観光客の哲学』（二〇一七年）もお読みいただいたとのことで、恐縮しています。

★1　五木寛之「流されゆく日々」、『日刊ゲンダイ』二〇一八年一月一八日号。

考えてみれば、五木さんのおっしゃる「デラシネ」と「観光客」は近い概念なのかもしれません。かたや故郷を持たない根無し草としてアイデンティティを求め、もう一方は、故郷はありながら世界の多様性の意味を探る。今日は、ロシア文学者で、五木さんの愛読者でもいらっしゃる沼野充義さんをお招きしました。五木さんと三人で、ロシア、そして「デラシネ」と「観光」について、踏み込んだお話ができればと思います。どうぞよろしくお願いいたします。

六〇年代を目撃したエンターテインメント

沼野充義　五木さんの著作は、『大河の一滴』（一九九八年）や『親鸞』（第一部二〇〇九年）、それに『青春の門』（第一部一九七〇年）など、どれも大ベストセラーとなり、広く読まれています。しかし、五木文学がじつはロシアと深い関わりがある、いやそれどころかロシアこそ五木文学の原点であるということは、いまの若い世代には見えにくくなっているのではないか。まずはそこからお話しできればと思います。

五木さんは、早稲田大学のロシア文学科（露文）のご出身ですね。そして、東さんからもご指摘のあったとおり、作家デビューが一九六六年に雑誌『小説現代』に掲載された「さらばモスクワ愚連隊」でした。当時、モスクワを舞台にして小説を書くというのは、それ自体がきわだって先進的だったはずです。耳慣れないタイトルなので、「さらば息子は愚連隊」と聞きまちがえたひともいたという話を聞いたことがあります（笑）。

五木寛之　エンターテインメントとしてロシアを扱うのは、当時としては非常にめずらしかったかもしれません。あのころは「ロシア」といえば、ドストエフスキーのような重厚な文学でしたから。

東　あらためて五木さんの初期作品を拝読して感じたのは、エンターテインメントと政治の距離が近いということです。あくまでも娯楽作品として書かれていながら、同時に政治的なメッセージを含んでいる。しかもそれだけではなく、主人公の二〇代から三〇代という若い世代ならではの実存的な悩みもそこに投影されている。これらの要素が一体になっている小説はなかなかない。六〇年代の日本だからこそ生まれた表現だと思いました。いまはエンターテインメント、政治、世代という三つの要素が完全にばらばらになってしまっていて、それらが自然に融合しているような文学作品は出てこなくなっています。

五木　当時はエンターテインメントというのは汚れた言葉で、穢れた表現だったんです。ぼくの印象にすぎませんが、「エンタメ」の「エンタ」にはどこかに「穢多」という言葉がダブっていた。つまり、下層の卑しい仕事という差別的な含みがあった。だからあのころにエンターテインメントという言葉を使うのには、崖から飛び降りるほどの覚悟が必要だったのです。

もうすこし中立的な言葉としては「中間小説」がありました。純文学と大衆小説のどちらでもない第三勢力を示す言葉です。中間小説を掲載する雑誌も『オール讀物』『小説現代』『小説新潮』『小説公園』『小説セブン』など、ずいぶんたくさんあった。大手だけを合わせても、一〇〇万部を超えていたと記憶しています。『群像』『新潮』『文學界』といった純文学でもなく、『講談倶楽部』のような純大衆文学でもない。ある意味マージナルな、鵺的な存在で、ぼくにはこれがおもしろかった。体を見れば狸、顔を見れば猿、鳴く声は鵺、いったいこれはなんだ、という感覚でしょうか。

　じつはぼくは、自分の作品に対して「文学」という言葉はいちども積極的に使ったことがないんです。ぼくが書いているのは大衆「文学」じゃなくて大衆「文芸」だと考えてきました。文芸の「芸」というのは芸者の「芸」と同じ（笑）。

　短篇集『さらばモスクワ愚連隊』のあとがきは、ぼくが物書きとしてスタートするにあたってのマニフェストになっています。そこでぼくは「文学をやる積りでこれらの作品を書いたのではない」と宣言している［★2］。当時、ぼくのなかでは「文学」というものへのカウンター意識があったのかもしれません。「娯楽」を手段として駆使しながら、そのときどきで移りゆく社会状況に対していっちょう文句をつけてやろうと考えていたんです。だから、時代とともに消えてゆく一回性のものを書こうと。

沼野　ところがそれが、いま読んでもすごくおもしろい。小説のタイトルにもなっている「愚連隊」はロシア語で「スチリャーギ стиляги」と言って、芸術やジャズに凝って格好つけている若者たちのことです。反体制というよりはカウンターカルチャーを象徴している。「スチリャーギ」の語源はスタイルや様式を示す「スチーリ стиль」ですから、まさに「格好つけ」という意味です。この時代のソ連は、まだ雪どけ後のあらたな息吹が残っていたとはいえ、フルシチョフが失脚し、政治的な反体制運動が次第に抑圧されていき、ふたたび社会が停滞し始める時期にあたる。ちょうどこのころ、のちに亡命してノーベル文学賞を受けるヨシフ・ブロツキーや、アンドレイ・シニャフスキーなどの、いわゆる反体制作家たちが捕まって裁判にかけられていくのですが、他方、スチリャーギのような政治的ではなく、むしろ風俗的なカウンターカルチャーの若者たちもいた。当時は一時的な軽薄な流行くらいに考えられがちでしたが、いまではスチリャーギは重要な現象だったと再評価されています。五木さんは当時、実際にモスクワで彼らに会っているわけですよね。

五木　はい。当時はまだコムソモールも健在でした。共産党の青年組織ですが、同じようなものとして日本でも民青（日本民主青年同盟）がありました。そういう時代に、コムソモールが代表する党の理念や規範とは関係なく、勝手にライブハウスに集まってジャズを聴いたり酒を飲んだりするという、社会のクズといわれている若者たちがいた。当時のロシア研究者には、あまりこうした「悪い場所」に注目したひとは少なかったようですね。けれどもぼくは、ゲンロンさんふうに言えば、とにかくロシアの「悪い場所」をさまよい歩いた。

　ぼくの出自はまさに「観光客」と呼べるようなものです。九州に生まれて、朝鮮半島に渡り、父親といっしょに満洲や上海に旅をし、戦後に平壌《ピョンヤン》から引き揚げてきた。そして東京に住み、のちに金沢

★2　五木寛之『さらばモスクワ愚連隊』、講談社、一九六七年、二四〇頁。

に住み、京都に住み、いまは横浜で暮らしている。こんなふうにどこへでも行く困った観光客のひとりです。

東　とはいえ、当時のロシアでは観光客が好きなように移動することはできなかったと思います。そういう「悪い場所」に行くことができたのはなぜですか。

五木　それは嗅覚といいますか。ボブ・ディランやジャズのレコードなんかを抱えて街角に立っていると、そういう連中がむこうからどんどん寄ってきますから。

沼野　当時はジーパンをはいているだけで、ロシア人が「売ってくれないか」と寄ってくるような時代ですからね。みんな西側の文化に飢えていた。

東　危険な目に遭うことはなかったのですか。

五木　むろん遭いました。写真を撮っているだけでスパイ容疑で逮捕される時代です。スチリャーギの連中といっしょにいたときに民警に捕まったこともあった。けれど、ぼくはソ連では書類が役に立つという話を事前に聞いていたので、「この人間は政府の重要な人間との対外折衝の必要があってソ連に来ている」という書類を事前につくっておいたんですよね。

東　それはむろん……。

五木　偽物です（笑）。実在しないサインがあって、実在しない官庁名も入っている。それがパスポート以上に力があった。いっしょにいた若い連中は逮捕されたけど、ぼくは幸いにして無事でした。「さらばモスクワ愚連隊」は映画化の話もあり、その後東宝がらみで旅行者としてソ連に行きました。

そのとき隠し撮りをやったんですが、これが当局の逆鱗に触れまして。また、「さらばモスクワ愚連隊」と同年に「蒼ざめた馬を見よ」（一九六六年）を発表していますが、これもサミズダートといわれる地下出版や、反体制的な小説を国外へ持ち出すといった話題が出てくる話でした。そんなわけで、当局はかなり神経を尖らせていたようです。ぼくはソ連では、長いあいだ好ましからざる人物ということでマークされていたみたいです。

東　すごい話ですね。

デラシネの旗

五木　その後、一九六八年には五月革命の渦中のパリにいたんですが、そのときはどういうわけか、サン＝ジェルマン＝デ＝プレの学生の拠点だったボザール（パリ国立高等美術学校）に紛れ込んでしまった。つぎにプラハへ行ったら、こんどはワルシャワ条約機構軍が入って大騒ぎでした。自動小銃を持ったソ連兵がウロウロして。

東　五月革命のあとにプラハの春を目撃されているのですね！

五木　行く先々でなにかが起こるのがふしぎ。

今年は一九六八年のパリ五月革命から五〇年です。あれはきわめて大きな転換期で、六八年を境にいろんなものが変わった。ぼくはその年の秋に日本に戻ってきて、一ヶ月ぐらいで五月革命を舞台にした小説を書き上げた。それが『デラシネの旗』（一九六九年）です。湯気が立つぐらい即製のドキュメントでした。

沼野　「デラシネ」はもともとフランス語の déraciné で、「根こぎにされた」という意味です。最近出されたご著書が『デラシネの時代』ですから、五木さんは半世紀にわたってこのテーマを追っていらっしゃることになります。「デラシネ」は、政治的動乱の時代を描いた小説のテーマだっただけではなくて、五木さんの世界を通底する言葉でもあったということですね。

五木　当時はそんなつもりはなかったのですが、いまにして思えばそうなっているのかもしれません。

東　『デラシネの旗』は六八年革命を扱っていますが、主要登場人物は、革命を担った学生たちよりもひとつ上の世代、当時すでに三〇代を迎えている人々です。運動に身を投じたかつての青春を忘れてしまったひとたちが、五月革命に接してそれぞれ複雑な思いを経験するという物語になっている。五木さんご自身の感覚も投じられていると思うのですが、六八年世代の全共闘の人々や運動は、当時五木さんの目にどのように映っていたのですか。

五木　ぼくは一九五二年に大学に入ったのですが、そのころの学生運動の母体は全学連でした。当時の状況は非常に単純で、一方に民青がいて、他方に全学連がある。中間にノンポリがいる。それは純文学と大衆小説に二極化した文学状況と似ています。

　しかし六八年はぼくらの時代とはちがう。たとえば新宿駅で学生たちがカンパをする。あるときは砂川の基地拡張反対デモをアピールして、こんどは長崎のエンタープライズ寄港反対だという。そうするとダンボール箱にばんばんお金が貯まる。新宿駅で乗降する一般のサラリーマンたちがみんなこぞってカンパする。全共闘の運動はけっして独走ではなく、当時の市民的共感のもと、国民的なバックアップを受けていたということですね。六八年以降は、学生運動が知識人とも労働者とも別れて孤立していく。

東　のちに挫折を余儀なくされるにせよ、一瞬でも夢を見ることができる時期があったと。いまの時代も、比べると規模が小さいもののデモの時代といわれています。そのことを考えると、『デラシネの旗』には現代的な意味があります。

いずれにせよ、この小説は複雑な作品で、主人公たちはパリ五月革命の熱狂に身を投じるのだけれど、もう年齢も重ねているので距離がある。青春を探しに行ったはずが、最終的に青春を発見できたのかどうかもよくわからない。そのとまどいがおもしろい。当時は五木さんも革命の夢のなかにいたのでしょうか。

五木　いや、ぼくはやはりもうすこしクールな感じでした（笑）。赤旗があって白旗があって、最後に掲げるのは第三の旗なんです。それが「デラシネの旗」です。どちらにも共感を持ちつつ、自分では参加しない。

東　なるほど。

沼野　まさにそれこそが、どこにも根を持たない五木さんの立場の表明なのですね。

五木　『デラシネの旗』のころは「神田カルチェ・ラタン」という言葉がありました。ですからまさにその時代とともに消え失せ、忘れられていく、一回性のエンターテインメントなわけ。いま『デラシネの旗』を読んで語れることはいろいろあるかもしれませんが、ぼく自身が時代を忘れてしまっている。

古典の『万葉集』を、ぼくたちはいま、斎藤茂吉の『万葉秀歌』(一九三八年)を通して読んだりするでしょう。ところが当時の『万葉集』の表現はちがったはずですね。たとえば挽歌というのは、天皇が亡くなったあとに、「帝が亡くなられた。もう天も地も割けよ」って叫びながら葬列の先頭を桂冠詩人が髪振り乱して歩いていき、それを後ろから泣き女がついて行く、見ている観客たちはその詩人の叫びに心打たれるという、そういうあり方でうたわれたものだった。その現実はいまでは味わうことのできないものです。むろん、古典は骸骨になった枯れた標本を読んでさえも感動させる力があるからこそすごいわけですけど、本来は一回性のものだと思います。

歌とロシア文学

沼野 すこしまた時間を戻してもよいでしょうか。五木さんの作品には、抽象的な思想や議論ではダメで、体験に裏打ちされていないものは弱いという考えがつねに見え隠れしています。デラシネを語るときにも、今回の『デラシネの時代』では、最初にご自身の朝鮮半島からの引き揚げ体験に触れられている。それであらためて思い出したのですが、作家の後藤明生さんにも、五木さんと同じく引き揚げの体験がありますね。しかも、たしか早稲田の露文のほぼ同世代でいらしたのではないですか。

五木　はい。後藤さんとはふしぎなくらいに経歴が重なっているんです。彼もぼくと同じく福岡出身なんですよ。中学はそれぞれ平壌中学と元山中学といういわばライバル校に通っていて、それからふたりとも東京へ出てきて、大学へ入って、彼も早稲田の露文で。彼は卒業したあとしばらく博報堂にいたんだけど、ぼくもCMソングなんかを書いて広告に関わっていた時期があった。そもそも彼は、ぼくに『青年は荒野をめざす』（一九六七年）の執筆を勧め、連載を担当してくれた編集者です。当時、後藤さんは『平凡パンチ』の記者でエディターだった。

沼野　後藤明生さんのほか、三木卓さん、宮原昭夫さん、李恢成さんと、早稲田露文出身で作家になった方がその世代には多くいますね。五木さんはなぜ露文に入られたのですか。作家志望の若者を惹きつける魅力が当時のロシア文学にあったということでしょうか。

五木　それを説明するのはとてもむずかしいのですが……。ぼくが露文を選んだ理由は、一九四五年八月の敗戦にさかのぼります。父親は戦中に朝鮮半島に渡って師範学校で教師を務めていました。そのため終戦を迎えたのは平壌でした。高級官僚は敗戦直前に情報を摑んでさっさと引き揚げていましたが、われわれ一般人は、国体は護持される、住民は現地にとどまれ、治安は維持されるというラジオニュースを真に受けていました。ところが、そんなあいだにも、あれよあれよというまに満洲のほうから難民が流れてきて、続いてソ連軍が進駐してくる。ぼくらも難民収容所のようなところに集められました。

占領した土地では一週間ぐらいはなにをしてもいいという、戦時の不文律があったといいます。日本では「乱取り」といいますね。最初にぼくらの住んでいた土地に入ってきたのは、囚人部隊と呼ばれる刺青のソ連兵で、しばらくのあいだ略奪やレイプなど筆舌に尽くしがたい惨劇が続きました。ぼくは彼らのことを動物以下の「ケダモノ」だと思っていた。

ある夕方、そんな彼らが歌を歌いながら兵舎へ帰っていくのを見たんですね。隊列はいい加減で、銃を逆さに持ったり、服装も浮浪者のようです。けれど、その歌声は聴いたことのないようなものだった。ぼくはそれまで、みんなが同じメロディーを同じ声の高さで歌う、いわゆる斉唱しか知らなかったのです。それが、このときはじめて合唱というものを聴いた。だれかがひとりで歌いだすと、それに低音がつき、高音がついて、三部合唱になる。ときには四部合唱ぐらいまでの複雑なハーモニーになる。その無頼漢どもの歌声が、天使の声、天上の音楽のように聞こえて、ぼくはちょっとした錯乱状態に陥った。なぜあんな動物みたいに残虐な連中が、こんなにひとの心を感動させる歌を歌えるのかと。これが巨大な謎として、引き揚げ後もずっと残っていたのです。ぼくはその謎を、高校時代にゴーゴリやチェーホフを読みながら、ひたすら考えつづけていました。それがロシア文学を志した理由かもしれません。

ただ、露文科を受けると言ったとき父親がもらしたのが、「ロシア人は母さんの敵だぞ」という言葉でした。ぼくの母親はあのとき亡くなっています。だからぼくにはソ連への幻想はありませんでした。

沼野　うかつにうかがってはいけないような、重いお話でした。ロシア文学は、悲惨な社会で生まれてきた文学だからこそ力があるとよくいわれます。かっこいいから読むような文学とはすこしちがうところがある。他方で日本では、満洲や朝鮮半島から引き揚げてきた人々の苦労の重みがあり、またシベリアに抑留されていたひとも多い。五木さんよりはだいぶ年長ですが、内村剛介さんのように一一年間もシベリアのラーゲリに拘留されながら、帰国後ロシアを憎むどころか、ロシア文学に関わりつづけたひともいる。五木さんの五歳年長のロシア文学者として活躍した江川卓さんも、朝鮮半島から引き揚げる際に、まだ少年だったのですが、ロシア兵との苛酷な出会いを経験しています。五木さん前後の世代のロシア文学の受容のしかたには、のちの世代にはうかがい知ることができない部分が少なくないと思います。

東　お話に圧倒され、考え込んでしまいました。いまの時代には、筆舌に尽くしがたい大きな経験があって、それゆえに対象を選ぶということそのものがほとんどなくなっているように思います。ロシア文学にかぎらず、いまの世代は、なんとなく若いころに出会って好きになったから、というだけで研究対象を選んでいる。自分を含め、反省を迫られました。

ところでいまのお話をうかがって、五木さんの文学に歌や音楽のテーマが基調低音として流れている理由がわかった気がします。歌というのは、五木さんにとって、正邪の倫理的判断を超えてしまうものの象徴なんですね。代表作の『親鸞』でも歌は重要な機能を果たしています。歌は、念仏を人々に伝える善きものであると同時に、人々を惑わせる悪しきものでもある。この小説では、親鸞自身がたいへん歌がうまいという設定になっています。他方で親鸞の息子は、歌の力に巻き込まれて、結局親鸞から離れていく。『親鸞』は、歌との関係を主題にした物語のようにも読めます。

五木 それはうれしいですね。現実の生活では、理性と情熱、感情と知性がある場合、そのどちらを取るかという問題があります。ぼくは情のほうに肩入れしている。それはなんとも説明がつかないところがあって、八五歳まで五〇年近く考えつづけていますが、まだ自分自身結論が出ていません。ですからぼくが書いているエッセイでも、この問題について断定している箇所はないはずです。文末はいつも「かもしれない」とか「ではないだろうか」とかです。

吉本隆明さんに『最後の親鸞』（一九七六年）という本がありますが、ぼくにとって「最後」ということはとてもありえない。親鸞は歌について悩みつづけた人物であったにちがいないし、それと同じようにぼくもロシア兵の歌について悩みつづけている。この問題については、これからさきも答えは見つからないのではないかと思います。

シモン・ラックスとルネ・クーディーが書いた『死の国の音楽隊』（一九四八年）という本がありますね。アウシュヴィッツで収容所内の音楽隊に参加したため、ガス室に送られずに済んだユダヤ人たちの記録です。土曜の夜にはナチの将校やご婦人がたをまえにしてコンサート、行進のときにはマーチ、起きるときには起床の音楽を演奏する。ジョルジュ・デュアメルは、自分たちはクラシック音楽がヒューマニズムの最後のよりどころだと思っていたが、ナチの将校が囚人たちの音楽に感動して涙を流すようなことがある以上、もはやクラシック音楽もヒューマニズムも信じることができないと書いています。人間はそもそも不可解なもので、なかなか解決にはたどり着けない。
沼野さんにおうかがいしたいのですが、このあたりはドストエフスキーはどう考えていたのでしょうか。

沼野　ドストエフスキーは歌や音楽に直接関連しては、いまのような問題について掘り下げていないと思います。音楽の持つ根源的な魔力についてよく知っていたのは、むしろトルストイのほうだったかもしれません。他方、ドストエフスキーは、善と悪、美と醜の両極が同居する人間の不可解さを終生問いつづけていました。『カラマーゾフの兄弟』（一八八〇年）のドミトリーが慨嘆するように、「人間（の魂）は広すぎる。狭めてやりたいくらいだ」というわけです。ドストエフスキー自身も、神を求めていたし、答えを探して一生悩みつづけた。しかし自分のなかに矛盾を抱え込んでいて、一生かかっても答えにたどり着けなかった。そういうかんじがします。

五木　なるほど。インテリゲンチヤという言葉はロシア語ですよね。ドストエフスキーも、同時代のロシアの知識人や読書階級の熱狂的な愛国心や、神を求める気持ちの盛り上がりのなかで読まれた。そのような背景があったからこそ、『カラマーゾフの兄弟』も『罪と罰』（一八六六年）もたいへんな部数が売れた。ここにも古典の一回性が表れていると思います。
わたしたちは古典と呼ばれる作品に感動する。けれども、ぼくは、すべては一回かぎりで、古典などというものはほんとうは存在しないと思う。たとえば平安時代に熱狂的に流行した今様という歌謡がありますね。そのなかの、「はかなきこの世を過ぐすとて／海山稼ぐとせし程に／よろずの仏に疎まれて／後生わが身を如何にせん」という歌。これは「海山稼ぐ」、つまり食うためにひとを騙したり殺したりしたあげく、よろずの仏にすがっても救われない民衆の絶望を表している。そんななかで法然が、「南無阿弥陀仏」を唱えて信じれば救われると言った。それは、ぼくの考えでは、念仏は説教ではなくて、歌なんです。だからこそ民衆は、自分たちのような悪人でも救われると彼の勧める念仏を歌った。しかし、その歌の力は二度と味わえない。ぼくたちは古典をテクストのかたちで読むことしかできません。こういった背景まで含めてほんとうに感動を理解することは不可能だと思うのです。

沼野 文学研究に携わる立場上、などというと口幅ったいのですが、反論しないとまずそう……（笑）。

五木 どうぞ（笑）。

沼野 古典に一回性があったのはそのとおりだと思います。けれどもその点を強調しすぎると、結局わたしたちは過去の文学からなにも得ることができないし、ほんとうのところはなにもわからないのだというシニカルなスタンスになってしまう。けれども実際には、ほかでもない五木さんご自身が、古典を読まれるとき、描かれている当時の様子をまるでリアルタイムに経験したかのように感じ、理解しているからこそ、そこまで言えるのではないでしょうか。

五木 なるほど。

東 今様は当時最新流行の歌だったわけです。だからこそ五木さんは『親鸞』で、まさにその生々しさを描こうとしている。そしてそれはいまのわれわれに訴えかけてくるものがある。そういう意味では、古典そのものは復活しないけれど、そのコンテクストを伝えることはできると言えるのではないでしょうか。なによりも、五木さんの五〇年まえの本もいまや古典になりつつある。読者は素朴にそれを歓迎し、読むべきなのだと思います。

デラシネと観光客

東　ところで『親鸞』でもうひとつぼくが印象に残ったのは、五木さんが親鸞を「家族をうまく愛することのできない人間」として描いたことです。ぼくは仏教文学に疎いので的はずれな感想かもしれませんが、これはとても新鮮な親鸞像でした。

もし親鸞をデラシネとして描こうというのであれば、家族を捨てた僧という描き方をすることもできたと思います。けれど五木さんはそれはなさらず、「家族と生きようとしたができなかった人物」として描いた。史実として、親鸞は八〇歳を超えて息子を義絶したことが知られています。だから親鸞の人生を描こうとすれば、家族の問題に直面するのは当然といえば当然です。けれどここにはそれ以上に重要なメッセージが隠れているのではないか。

ぼくの専門に引きつけて言えば、それは国家や社会思想の問題につながるように思います。近代においてつくられた国民国家（ネーション・ステート）の概念は、つねに家族に重ねてイメージされてきました。国民はみな家族だという考えです。他方でそういう考えに反発を覚える人々もいて、ときに哲学者たちは、プラトン以来、トマス・モアを経由していままで、繰り返し家族と私有財産の放棄こそが理想社会につながると言いつづけてきました。人間は家族や財産をもつと公正にものごとを判断できなくなる。だからそういうものはないほうがいいんだ、という考えです。実際に宗教者は一般に家族や財産を捨てたひととして描かれることが多い。

でも五木さんはそういう宗教家像は描かなかった。そこには、ひとは結局は家族への欲望を放棄できない、それが人間なのだという五木さんの人間観が表れていると思いました。さきほどの情や歌の話ともつながるかもしれません。親鸞は、デラシネになったはずなのに、最後まで家族＝根の問題に悩みつづけた。それが『親鸞』のメッセージなのかなと。

沼野　デラシネの生き方は積極的に評価すべき一方で、人間は家族を捨てられず、どこかに根を持っていないと生きていけない。どこか遠い場所に移っても、またそこに仮の根でも生やしてしがみつけるようにするのが人間なのかもしれません。それは亡命者や移民の生き方を見ていても、多くの場合がそうです。

五木　シベリアから帰国しなかった日本兵俘虜がけっこういたのをご存じですか。彼らはソ連国内で技術者や医師として雇われたり、あるいは恋愛して結婚したりして国籍を取った。『異国の丘』を歌いながら母国に帰ることを願うひともいれば、新しい土地で生きるひともいる。地面に落ちて根を生やす「落地生根」という生き方を、ぼくは肯定します。その場合、デラシネにそれまでの記憶はすべて残っているので、新しい家族にしきたりなどが伝承され、現地のものと混合され新しいものが生まれる可能性がある。世界中にあるチャイナタウンなんかがその例ですね。

そこで今回、東さんが「観光」という言葉を出されたのは非常におもしろいと思いました。観光では、そこへ根を下ろさずに通りすぎる。ところが東さんは、それを積極的に評価されるわけですよね。

東　はい。観光客は観光地を通りすぎるだけですが、それだけでも観光地は変わるし、また観光客も変わる。「落地生根」ほどラジカルな形態ではないですが、それはそれで異文化をつなぎ新しいものを生み出す契機になると思うんです。

ぼくが観光について考え始めたのは東日本大震災がきっかけなんです。震災と原発事故に対して哲学や批評の人間がどのような応答ができるかを探っていたとき、二〇一二年にウクライナとポーランドで開催されたUEFA欧州選手権に合わせ、サッカーのユニフォームを着た観光客がチェルノブイリで記念写真を撮っているというニュースを見たんです。それまでぼく自身もチェルノブイリは死の町というイメージをもっていたので、大きな衝撃を受けました。原発事故の現場が観光地になるとはどういうことなのかと。

そこからさかのぼるかたちで、観光の実態や概念についても調べ始めました。するとおもしろいことがわかってきた。じつはいまは、世界で年間約一二億人もの人々が観光客として国境を越えているといわれています。一日に換算すれば約三〇〇万人です。こんなことは人類史上はじめてであり、これについてはなにか意味があるにちがいない。哲学者のカントは、『永遠平和のために』（一七九五年）

という晩年の著作のなかで、平和の三つの条件のひとつとして「人々が互いに訪問し合う権利」を挙げています。観光客の増加はまさにその権利を実装していると言えないか。そんな問題意識で書いた『観光客の哲学』が、五木さんの目に留まったわけですね。

沼野 五木さんが六〇年代にモスクワに行かれたときは、まだソ連観光は容易ではなかった。

五木 一九六四年に個人旅行が許可されますが、それまではふつうのひとは行けなかった。個人旅行の解禁のあとも、事前にすべての予定を出して、移動の許可をあらかじめ取っておく必要がありました。当時は国防上の理由で外国人は行けない町もたくさんあって、たとえばウラジオストクの日本兵墓地なんて絶対に行くことが許されませんでした。

沼野 それがいまでは極東などの場合はインターネットでビザが申請できる。昔から見ると、ずいぶん変わりました。

東 ロシアにかぎらず、この二〇年くらいで、世界の多くの場所に簡単に観光に行けるようになりました。しかし皮肉なのは、一方で政治的にはナショナリズムと排他主義が高まっているということです。このふたつの傾向は、まったく別方向の未来を指し示している。一般に思想家や批評家は悲観的な未来について語るのを好むのだけど、ぼくはむしろ大量の観光客が移動できる時代のポジティブな意味を考えたいと思っています。

ひとつ観光のポジティブな意味の例を出します。これはマキァーネルという学者の本に載っている話なのですが、一九〇〇年のパリ万博のときに英語で出版された観光ガイドには、パリに行って見るべきものとして、屠殺場や地下水道、あるいは死体置場が掲載されているというんです［★3］。つまり、イギリス人観光客は、自分の国ではけっして見ないものをパリで見るというわけですね。観光にはそのように、自分の国で無意識に働かせている階級的、経済的なフィルタリングを解除する機能がある。これは観光のいいところだと思うんです。マキァーネルは、断片化した近代社会を再統合する機能があると指摘しています。

沼野　なるほど、それはおもしろい見方ですね。

五木　いまのお話を聞いて思い出しました。昔、タンゴに関心を持っていろいろ調べたことがあります。一九三七年以前、ヨーロッパではタンゴの時代といわれるほどの熱狂的なブームがあった。三七年というのはスペイン内戦の年で、その年からタンゴブームは衰退していきます。ところで、タンゴのふるさとはアルゼンチンのラ・ボカという港町なんです。さまざまな外国船がやってくる場所で、屠場があり、歓楽街があり、スポーツの殿堂があり、囚人の収容施設があった。そういう場所でタンゴは花開いた。音楽の出自はたいていそういう「悪い場所」ですね。

沼野　文明の秩序によって、死体や汚物は隠されて、見てはいけないものとされていく。観光あるいは音楽などの芸術には、それをシャッフルし、また明るみに出す機能があります。

★3　D・マキァーネル『ザ・ツーリスト――高度近代社会の構造分析』、安村克己、須藤廣ほか訳、学文社、二〇一二年。

東　もうひとつ。そこに「よそ者」の問題が関係すると思います。イギリスの観光ガイドになぜパリの屠殺場が載るかといえば、「よその国の問題」だからです。外国だからこそ、「悪い場所」の存在を直視できる。

じつはゲンロンでは、二〇一三年から定期的にチェルノブイリへのツアーを企画しています。日本人の参加者も、チェルノブイリでは、けっこう原発事故や復興について自由な感想を言うんです。こういう現象はふつうは「よそ者は好き勝手に言うだけだ」と否定的に捉えられますが、そこにも肯定的な効果があると思います。日本ではいま、福島の原発事故はとても話題にしにくく、どのように話してもすぐイデオロギー的に味方か敵かに分けられる状況がある。そんななか、観光の相手から「よそ者」だと切断されているからこそ、逆にいろいろなものを見ることができるし、いろいろなことを考えることができるという利点がある。

沼野　当事者に対してあくまでもよそ者として考えるというのは、デラシネでも同じことですね。べったりコミットメントすると、離れられなくてかえって苦しくなる。そこで必要になるのはデタッチメントです。ある距離を置くことによって自由が獲得される。五木さんのデラシネも東さんの観光客も、自由になる作法という点で同じことを言っているのかもしれない。

五木　現代は大移動の時期だと思います。まず難民という言葉で呼ばれる人々がいる。力づくで根こぎにされたデラシネです。またぼくたちの足元にも福島に帰れない多くの人々がいる。彼らもデラシネではないか。デラシネはいまものすごく大きなグループとして存在している。デラシネの倫理と思想が確立されないことには、二一世紀という時代はありえないような気がしてなりません。

宗教・娯楽・建設事業

五木　ところで、東さんのおっしゃる観光という観点に戻れば、日本という国はじつは中世から明治にいたるまでとても観光が発達した国でしたね。

東　そのとおりです。日本の文学にはとにかく紀行文が多い。それにお伊勢参りのような、近代以前の大衆的観光としては先駆的な事例もあった。観光先進国と言えます。

五木　かつての封建時代のイメージでは、関所があり人々の自由な往来が制限されていたように思われています。でも実際にはこの国ではお伊勢参りのみならず、「宗教的観光」が盛んに行われてきました。平安時代の熊野詣や、成田山や長野の善光寺もそうです。「富士講」というように「講」をつくって、宗教的な行事として山に登る。旅行先に門前町があり、帰ってくると精進落としをやる。すべて歓楽を伴う。宗教というかたちを取っているけれど、一種の観光だったと思います。

沼野　世界の宗教を見ると、イスラム教徒はメッカに詣でるし、ロシアの古儀式派にも放浪するひとたちがいます。ただ、彼らはどちらかというと禁欲的な放浪ですね。あまり楽しんで観光する様子はない。そこは日本の特殊なところかもしれません。

五木　宗教が一種の娯楽なんですね。一五世紀に蓮如というふしぎな人物がいます。法然と親鸞の念仏をさらに日本全国に普及させたひとですが、彼がおもしろいのは、とにかく大きな工事をしたことです。たとえば彼は、比叡山から追われた逃亡先の吉崎（福井県）に一大宗教都市・吉崎御坊をつくる。本堂があって寺が並ぶだけでなく、両側には宿坊、いまでいうビジネスホテルが立ち並ぶ町そのものをつくる。参拝者が物々交換をするフリーマーケットも開く。そして寺のなかには贅を凝らした絵巻や壁画、お坊さんの絵解きを置く。それだけではなく、蓮如は説法のあいだにエンターテインメントとして謡曲を歌わせた。彼のつくった仏教儀式には、入場から主旨の説明から、すべてに音楽がついていたのです。散華のときは若い美貌の僧がぐるぐる回りながら花をまく。読経には合唱やフーガのような音楽的構造を凝らした声明がある。マーケットがあり、エンターテインメントがあり、そして後生を約束してくれる念仏の法要があるという場所をつくった。それはいまで言えば、ディズニーランドに行くようなものだったと思います。

東　おもしろいですね。ディズニーランドといえば、ウォルト・ディズニー自身も、宗教的とまでは言わずとも啓蒙的な信念を持って、理想都市をつくるためにフロリダに広大な土地を買った人物です。その名残りがいまのディズニー・ワールドです。

そもそも、観光業の基礎をつくったトマス・クック自身も、一九世紀イギリスのブルジョワらしく労働者の感化啓蒙に対する情熱を持っていた。彼は鉄道会社や宿屋と組んでバウチャーを発行するなど、いまの集団旅行の基本メソッドを編み出したひとですが、なぜ彼がそんなことをしたのかといえば、禁酒運動にコミットしていて、その主催者として集会に人々を動員する必要があったからなんです。それが近代観光業のスタートだった。これは宗教の話と近い。大きな目的のために人々を動員しなければならないときに、その手段として観光が編み出された。

五木　手段ということで言えば、蓮如は吉崎御坊のあと京都の山科に本願寺を建てるんですが、これもまた巨大な事業でした。この事業の効果はふたつあって、ひとつはケインズのいうような公共投資の手段として、大きな経済効果を生んだ。もうひとつは、そこへ集まる人々に与える心理的な効果です。非人といわれる当時の被差別者たちがそこで瓦を焼いて、木材を調達し、庭木を取る。仏師もいるし、塗り絵をするひとがいる、僧侶がいる、鍛冶屋がいる、ありとあらゆるひとたちがそこへ集まってくる。事業が終わると彼らは全国に散り散りになって、「あそこの瓦の一枚はおれが焼いたんだ」と一生自慢する。

九州の若松へ行ったとき、飲み屋でうらぶれたおじさんたちのうれしそうな会話を聞いたことがあります。ひとりが「おれは若戸大橋の工事に参加した」と言うと、別の季節労働者が「いやおれは昔、黒部ダム工事現場にいたことがあるんだよ」と。これが彼らのアイデンティティなんですね。全国を流れ歩いている季節労働者にとってみれば、自分がそれらをつくり上げたという意識が生き甲斐になっている。ですから蓮如の事業は、物質的な経済を刺激しつつも、同時に人々に生きるための精神的アイデンティティを与える手段でもあったわけです。

東　いまのお話で、ふたたび福島を思い出しました。福島第一原発の廃炉は、下手をすると一〇〇年単位の時間がかかる巨大な公共事業です。しかも、放射性物質自体はもっと長く残る。だから世代を超えた事業にならなければいけない。まさに「おれはあそこで働いたのが誇りだ」という方を増やすことが重要ですね。

「暗愁」という感情

五木　今日はひさしぶりにロシアについて考えさせられました。思えばロシアというのはふしぎな国です。最近もフィギュアスケートでリプニツカヤやメドベージェワが滑るすがたを見ていると、ヨーロッパの失った精神性や高貴さがここにはまだ残っているという感覚にとらわれることがある。しかし一方で、おそろしく野蛮な面もたくさんある。そういった高貴さと野蛮さが同居してしまうところに、表現しがたいふしぎさがありますね。

沼野　たしかにロシアには、ふつうなら同居しえないものが同居してしまうところがあります。五木さんはよく「暗愁」という言葉に言及されますね。ロシア語でいう「トスカ тоска」ですが、たしかにロシア人は説明しがたい憂いを魂の奥に秘めていて、これが一種の国民病と呼んでもいいような性格になっている。おもしろいことに、「トスカ」というロシア語自体、明治末期から大正期の日本であるていど知られるようになっていて、国語辞典などにも登録されています。しかし、ロシア人はその「トスカ」に苦しめられた果てに、どこかで爆発してしまうということもある。

五木　「暗愁」という言葉は、古くから文人墨客のあいだで知られた言葉でした。それが明治時代に復活して、小島憲之さんの表現を借りれば「一種の流行語化していた」というくらい使われるようになった［★4］。漱石も鷗外も、永井荷風も二葉亭四迷もこの言葉を使っています。

余談ですが、二葉亭四迷はゴーリキーの「トスカ」という短篇小説を訳すときに「ふさぎの虫」という訳語をあてています。人間は生まれたときから「ふさぎの虫」を胸に宿している。これは非常に厄介な虫で、存在することをだれにも気づかれないように息を潜めて時機を見ている。そしてその人間が生涯の危機的な瞬間を迎えるとき、ガバッと顔を起こして人間の胸を噛む。すると、なんとも言えないどす黒い陰鬱な気持ちが広がって、人間は破滅していくという。昔読んで思わず笑ってしまったのですが、本の推薦文に「読めば読むほど人生が嫌になる名作」と書いてあった（笑）。

東　（笑）。

五木　それはともかく、伊藤博文も暗殺される前日に、この言葉を入れた詩を書いています［★5］。明治というのは、司馬遼太郎ふうに言えば、国民と国家が一体となって「坂の上」を目指して駆け上っていった日本の青春時代だった。けれども他方では、その坂の下は暗い霧で包まれてもいました。暗愁という言葉はそのなかで蘇り、人々のあいだで広く使われたキーワードです。日本人はそこでロ

★4　小島憲之『ことばの重み――鷗外の謎を解く漢語』、講談社学術文庫、二〇一一年、二四二頁。

★5　「十月二十五日奉天を発して哈爾賓《はるびん》に赴く汽車中の作」と題された七言絶句「万里の平原南満洲／風光闊遠なり一天の秋／当年の戦迹余憤を留め／更に行人をして暗愁を牽かしむ」を指す。同書、二三四頁。ルビを一部削除。

シア的な二面性に共鳴したのかもしれない。しかし敗戦と同時にこの言葉は消え、高度成長のなかでもはや問題にされなくなる。

ロシア語の「トスカ」だけでなく、ポルトガル語には「サウダージ」、中国語には「悒《イー》」、韓国には「恨《ハン》」、アメリカには「ブルース」という表現があります。それは世界中で共有されている感情で、けっして隠さなければならないものではない。しかしいまの日本にそれを的確に表現する言葉はないですね。いまの日本人は明るく楽しい賑やかなことが大好きで、「暗愁」に関心のない、影のない時代になった。だからこそロシアのフィギュアスケートの選手のすがたに、暗愁を探してしまうのかもしれません。

沼野　じつはわたしはほかならぬロシア語の「トスカ」についてという論文を書いたこともありまして、それはおもにチェーホフの短篇「ふさぎの虫」とゴーリキーの「ふさぎの虫」の両方に即して、いったい「トスカ」というものがロシア人にとってなんなのか、考えてみたものです[★6]。わたしが調べたかぎりでは、「トスカ」という単語を「ふさぎの虫」と訳したのは二葉亭が最初で、これはさすが二葉亭ならではの天才的名訳です。いま五木さんが言われたように、二葉亭はゴーリキーの短篇のタイトルをそう訳したのですが、その後、チェーホフの同名の短篇を訳す際にほかの訳者たちがそれを踏襲した。そして、より広く読まれているチェーホフの短篇のほうが「ふさぎの虫」というタイトルで知られるようになりました。

そういった書誌的な詮索はともかくとして、「トスカ」はロシア語では非常に多義的な言葉で、胸が押しつぶされるような、ときにひとを自殺にまで追いやるほどの苦しい憂愁を意味することもあれば、祖国や恋人を思う「ノスタルジア」の意味もある。これは苦しくもあれば、ちょっと甘く切なくもあるものです。ちなみに、自分の翻訳を云々するのはおこがましいのですが、わたしは二葉亭の天才に敬意は払うものの、「トスカ」を「ふさぎの虫」と訳しつづけるのはちょっとどうかな、と前々から思っていたものですから、新訳の機会を与えられたとき、これを「せつない」と改題しました。現代の日本語としては、これがいちばんロシア語の「トスカ」にぴったりだと思うのですが、読者はなかなかこういう新機軸を受け入れてくれないようです。沼野というやつは日本語のセンスがない、とか罵られまして(笑)。

それはともかく、多義的で守備範囲の広い「トスカ」ですが、どのような意味で使うにせよ、その意味論的な核にあるのは、いまここにないものについて、それがないから辛く切ないという喪失の感情です。だから、暗愁というのは、まさに故郷を喪失したデラシネが抱く感情でもあるわけです。

東　最初のテーマに戻ってきました。ここまでいろいろお話をうかがうなかで、五木さんの文学のテーマが、ひとはデラシネ＝暗愁を逃れることはできない、ならば逆にしっかりと受け止めることが重

★6　沼野充義「タスカー考──『ふさぎの虫』から『せつない』へ」、『文学』二〇一二年七・八月号、岩波書店、八一－九六頁。なお「タスカー」は「トスカ」をロシア語の実際の発音に近づけた表記。

要だという両義的なメッセージであることが、うっすらとわかってきた気がします。そしてその両義性の担い手は歌であり、それは、少年時代に出会った囚人部隊の謎から『親鸞』までまっすぐつながっている……。

大きな課題をいただいた鼎談でしたが、そろそろ終わりの時間です。最後にひとことずつお願いしたいのですが、いかがでしょうか。

五木 いまから四〇年以上も前に、ドストエフスキー生誕の記念講演会がありまして、わたしも埴谷雄高さん、原卓也さん、江川卓さんなどとともに登壇させていただいたのです。そこではいろいろな文学者たちが議論を戦わせて、ちょうど革命まえのロシアのインテリゲンチヤたちが持っていたのに似た熱気があったんですね。あのときのような経験を、もういちど今夜はここで味わうことができてほんとうにうれしく思います。

沼野 同じイベントかはわからないのですが、渋谷の小劇場ジァン・ジァンに五木さんが登壇されたとき、満員になった会場入り口で、強引に入ろうとするお客さんを追い払っていたのが、当時まだ学生だったわたしでした。消防法の規制で、定員以上入れてはいけないというんですね。五木さんがなにを話されたか、じつは恥ずかしながらほとんど覚えていないんですが、ひとつ鮮やかに焼きついたシーンがあります。五木さんが学生時代から好きだったロシア語の詩の一節を口にされ、「だれの詩かわからなくなってしまったのだけれども」とおっしゃると、司会の江川卓さんが、「それはレールモントフです」とすかさず答えたんです。

そのやりとりを見てひたすらかっこいいなあと憧れていた若造が、いまここでこうしてお話しできて、もうこれ以上なにも言うことはないという思いです。貴重な機会をありがとうございました。

東 このような機会を設けることができ、ぼくのほうこそ光栄です。本日は長い時間ありがとうございました。

歴史は家である

高橋源一郎

2018年7月30日
2018年11月28日

高橋源一郎
たかはし・げんいちろう

1951年生まれ。作家。1981年「さようなら、ギャングたち」で群像新人長篇小説賞優秀作を受賞してデビュー。著書に『優雅で感傷的な日本野球』（1988年、三島由紀夫賞）『日本文学盛衰史』（2001年、伊藤整文学賞）『ミヤザワケンジ・グレーテストヒッツ』（2005年）『さよならクリストファー・ロビン』（2012年、谷崎潤一郎賞）『ゆっくりおやすみ、樹の下で』（2018年）『今夜はひとりぼっちかい？』（2018年）ほか多数。

東浩紀　今日は小説家の高橋源一郎さんをお迎えし、これからの文学の役割について、とりわけ歴史と文学の関わりについてお話をうかがいたいと思います。高橋さんは、二〇一八年に長篇小説『今夜はひとりぼっちかい？』を刊行しています。同作は『日本文学盛衰史』（二〇〇一年）の第二部にあたり、第三部にあたる「ヒロヒト」も『新潮』二〇一八年四月号から連載が始まっています。お話のなかで、この一種の「歴史小説」の狙いにも迫れたらと思います。よろしくお願いいたします。

戦争と記憶の継承

高橋源一郎　よろしくお願いします。歴史と文学というテーマはさまざまな広がりをもっていますが、まずは戦争と文学の話から始めたいと思います。ぼくは、今年（二〇一八年）「高橋源一郎と読む『戦争の向こう側』」というラジオ番組のＭＣをしました。終戦の日、八月一五日の夜に、戦争に関する文学作品を朗読し、その作品についてゲストと話しあう企画です。どんな作品を選ぶべきか悩みましたが、最終的に三篇を取り上げました。
ひとつめは「戦争と銃後の女たち」というテーマで向田邦子の「ごはん」(一九七七年)を、ふたつめは「戦争と子どもたち」というテーマで野坂昭如の『戦争童話集』(一九七五年)を、そして三つめは「戦争と若者」というテーマで、小松左京の短篇「戦争はなかった」(一九六八年)を朗読し、論じました。
選んでから気がついたのですが、取り上げた作家は生年がほとんどいっしょだったのです。向田は一九二九年、野坂は一九三〇年、小松は一九三一年の生まれです。戦争文学にもさまざまな種類があるので、ここにはたとえば一九〇九年生まれの大岡昇平『野火』(一九五二年)が入っていてもおかしくなかった。でもそうなってしまった。

東 どのような基準で選んだのでしょうか。

高橋 震災以後、「忘却」が時代のキーワードになっているので、「記憶の継承」を意識して書かれたものがいいと考えました。取り上げた作品では、いずれも「どうすれば忘れずにいられるのか」「そもそも忘れないことは可能なのか」という忘却への怯えが濃厚に表明されています。
じつはその怯えは大岡のような先行世代の作品にはほとんど読み取れません。大岡の作品には当事者ならではの強烈な戦争体験が書かれていますが、それゆえに戦争を知る同世代に向けられているように感じます。「記憶の継承」がむずかしいという発想がなく、戦争体験がそもそも伝わらない可能性への怯えがないんです。

それに対して終戦時に一五歳前後だった向田たちは、戦場に行っておらず、戦争をすこし外側から眺めています。彼らが作家になる六〇年代から七〇年代にかけての時期には、戦争の記憶はすでに薄れ始めている。その状況に対する危機感からか、彼らの文章は戦争を知らない世代に向けて書かれている気がしました。彼らの作品がいまでもおもしろく読める理由はそこにあるのでしょう。

なかでも「戦争はなかった」は今回はじめて読み、小松の戦争への感受性に驚きました。読むきっかけは東さんが監修した『小松左京セレクション』(二〇一一－一二年)だったので、東さんに感謝しなければいけません。

東 それは光栄です。「戦争はなかった」は、まさに人々から戦争の記憶が消え去った世界を描いた短篇ですね。主人公には従軍の記憶があるにもかかわらず、同級生たちは軍歌を知らず、戦争文学も書店から消えている。第二次大戦そのものが存在しない並行世界に迷い込んでしまったわけです。主人公はどうにかして人々に戦争を思い出させようと奔走しますが、最終的に精神病院に入れられてしまう。SF的設定ですが、ポスト・トゥルースの時代に読むととてもリアリティのある小説だとも思います。たとえ世界が「戦争はなかった」と言っていても、自分は「戦争はあった」と証言しなければならない。これはきわめて倫理的な問題です。

小松の作品はジェンダー観など、いまからすると問題含みな部分もありますが、戦争を扱った短篇にはいい作品が多いです。彼の実質的なデビュー作は「地には平和を」(一九六三年)ですが、そこでも第二次大戦で本土決戦が起きた並行世界を舞台にしている。そこで小松が一貫しているのが、SF

特有の「if（もし）の想像力」です。「戦争はなかった」というタイトルもその例です。「歴史を絶対に忘れない」という前提ではなく、「歴史はたやすく忘れられ、記憶は書き換えられてしまう」という感覚をもとに、戦争を捉えているように思います。

高橋　たしかな記憶がある人間も、記録がないと自分が正しいのかがわからなくなっていく。ifノベルで「戦争がない世界」を導入しようとするとこの世界とまったくべつに描かれることが一般的だと思いますが、「戦争はなかった」は、現在がぼくたちの世界と変わらないのもポイントですね。ただ戦争だけがなくなっている。

東　そうですね。あの設定は、敗戦への反省から平和な社会をつくった、つまり平和のためには敗戦が必要だったと思い込んでいる戦後の日本に、ほんとうに戦争が必要だったかを問いなおすものだったとも言えると思います。高度経済成長期の日本への痛烈な批評です。

小松は文壇や研究者のあいだでは評価されていませんが、戦後日本を考えるうえでは決定的に重要な作家だと思います。たとえば彼が『日本沈没』（一九七三年）を書いたのは、大阪万博でテーマ館のサブ・プロデューサーを務めていた時期と重なっています。つまり、小松は、戦後日本の明るい面のイデオローグであったと同時に、その裏面を抉る作品を書きつづけた作家でもあった。そのダイナミズムをすこしでも多くのひとが知ってくれたらと『小松左京セレクション』を刊行したのですが、反響が少なく、じつは三巻本の予定が二巻で止まっています。今日高橋さんに読んでいただいたのを知って、うれしいです。

お盆の時間と記憶の空間

東　高橋さんは今年『ゆっくりおやすみ、樹の下で』も刊行されました。あとがきで「最初の『児童文学』」と銘打たれるとおり、子ども向けの小説です。高橋さんのことだから最後に語り手の「タカハシさん」が登場したりするのかと思いきや、そんなことはまったく起きない（笑）。この小説もまた記憶の継承を主題にしていますね。

高橋　この作品は『朝日小学生新聞』に七月一日から九月三〇日まで、つまり夏休みにあたる期間に、しかも夏休みの話を書くというコンセプトで連載したものです。あとがきにも書いたとおり、日本にとって夏休み、とくにお盆は特別な意味を持っています。明治に帰省という習慣ができて以降、近代の日本人は、田舎に戻ると、そこには先祖が祀られていると刷り込まれています。息子や娘が孫を連れて田舎に戻る時期に、先祖の魂も家に帰ってくるわけです。

だから日本には、お盆に帰省した孫が先祖の霊に出会う物語がいくつもあります。登場するのはだいたいおばあちゃんで、おじいちゃんは亡くなっているパターンが多いですね。そこに禍々しいもの、ふしぎなものが現れる。宮崎駿監督の『となりのトトロ』（一九八八年）もまさにその構図で、いわばトトロは祖先の霊です。

その特別な時期に、ある時代から新しいイベントがつけ加えられるようになりました。それが終戦記念日です。わが家の私的な慰霊を行なっていた時期に、国家規模での公的な慰霊の行事が加わった。

お盆の時期にたまたま原爆が落ち、終戦を迎えたことで、日本の夏休みはネーションにとっても慰霊の季節になったのです。

東　なるほど！　それは気づいていませんでした。終戦とお盆が重なったのは偶然にすぎませんが、それは結果的に戦後日本の慰霊をめぐる想像力を深く規定している。

高橋　そうです。その二重の慰霊が暗示されるから、日本人は夏休みの物語に敏感で、子どもたちが田舎に戻る話に胸がしめつけられるのだと思います。ふるさとが切り捨てられようとしている現代でも、その構図は変わりません。いつか自分もそういう話を書きたいと思っていて、今回ようやく実現したのです。鎌倉にある田舎の館を舞台に、小学校五年生の女の子「ミレイちゃん」が、館の過去の記憶を体験するお話です。典型的な児童文学の枠組みですが、じつは、登場人物のほとんどにモデルが実在します。

東　やはりそうなんですね。ミレイちゃんの家族には、高橋さんご自身を思わせるところもありました。「ヨシダ」という人物が印象的でしたが、彼にもモデルがいるんですか。

高橋　あれは吉田健一がモデルです。ミレイちゃんが迷い込む二階堂の家は、ぼくが実際に鎌倉で住んでいた家をモデルにしているのですが、そこは昔、神西清が住んでいた家で、「鉢の木会」という文学者の集いが定期的に行われていました。だからあそこで出会うひとたちの描写は、「ヨシダ」以外も、三島由紀夫や大岡昇平などがもとになっています。

東　なるほど。その家に住んだのは偶然だったんですか。

高橋　はい、知らずに借りたので、あとでその歴史を知って驚きました。家には、そのような場所自体の記憶が宿っていることがあります。ミレイちゃんが出会うのも、そういう記憶です。
　じつはぼくがあの小説を書こうとしたきっかけのひとつに、片渕須直監督の『この世界の片隅に』（二〇一六年）がありました。あの映画では、主人公のすずさんが呉に嫁に行き、戦争を体験します。じつは当時はうちの母も呉にいたはずで、しかも生まれ年もすずさんと同じという偶然の一致がありました。いわば、すずさんはうちの母親の分身なんです。
　しかも、母は八月六日の朝、広島に行く列車に乗るはずだったのに、目のまえで切符が売り切れてたまたま乗れなかった。その列車は原爆投下の一四分まえに広島駅に着くものでした。結局、広島駅は壊滅しています。つまり、その偶然がなければ母親は死んでいたかもしれない。その話は母から直接聞いて知っていましたが、片渕さんの映画を見てようやくその意味が実感として迫ってきました。
東　たいへんな話ですね。
高橋　じつは母親は、亡くなるまえに原稿用紙二六〇枚の自伝をぼくに送ってきたことがありました。でもぼくは無視していた。彼女の自伝は棚の片隅に放置され、埃をかぶっていました。「記憶の継承」が大事だと言いながら、ひどい話です。けれど、『この世界の片隅に』を見たのをきっかけに開いてみた。するといろいろ思い込みとちがうこともありました。たとえば母は呉ではなくて、広島の陸軍兵器廠に勤めていたことがわかりました。
　ひとはなかなか過去を知ろうとは思わない。「記憶の継承」はほんとうに困難だと思います。ただ、

『この世界の片隅に』を見て、時間をさかのぼるためには空間が必要なのだと気づかされました。あの映画のすばらしいところは、すずさんのとなりにぼくの母がいたんだと感じさせてくれる、時代と場所の空気感の表現です。片渕監督は一九四五年前後の広島に観客を連れていき、自由に考えてもらうための空間を提供している。この場合、空間とは作品のことでもあるのです。

だからぼくも、小説家として、たんにメッセージを伝えるのではなく、そこで読者に自由に考えてもらうための空間をつくりたいと思ったのです。それが二階堂の家ということなんですね。

東　創作が「記憶のための空間」をつくる作業だというのは、ぼくの仕事にも示唆を与えてくれるお話です。

文壇という「家」

東　続いて『日本文学盛衰史』の話に入りたいと思います。これはひとことで言えば、森鷗外や夏目漱石、二葉亭四迷といった明治の作家たちが日本近代文学を立ち上げる物語……となるでしょうが、実際にはとてもへんな作品で、田山花袋がＡＶ監督になってしまったりする（笑）。この作品を書かれた動機はなんだったのでしょう。

高橋　日本文学の歴史を、壮大なスケールではなく、ミニマルなものとして書きたいと思ったのが出発点です。だから最初期の文壇を取り上げました。

当時の文壇を表現するには「家」というイメージがしっくりきます。ある作家が実験的な試みをすれば、SNSがなくても即座に伝わり、ほかの作家たちもまねをした。島崎藤村が詩をやめて小説を書いたときが代表的な例です。いまならたいして話題にならないでしょうが、当時の文壇は驚愕した。「文学」という家の優秀な次男が急にグレて、詩を捨てて小説を始めると言いだし、家中が大騒ぎになるイメージですね（笑）。もちろん、結果的に『破戒』（一九〇六年）は文学的に評価されましたが。「家」としての文壇は、平田オリザさんによる舞台版『日本文学盛衰史』（二〇一八年）でも見事に表現されていました。舞台化のお話をいただいたときは、原作がポストモダン的な小説ですから、どうやって劇にするのか心配していました。それがいざ舞台を見てみると、全四場すべてが葬式の場面にアレンジされていた。これはうまいなと思いました。

東　北村透谷、正岡子規、二葉亭四迷、夏目漱石の葬式が行われて、島崎藤村と田山花袋が狂言回しとしてすべてに参加しているという構成ですね。ぼくも感嘆しました。ベケットの『ゴドーを待ちながら』（一九五二年）が下敷きのひとつになっていて、藤村と花袋がいつまでもすがたを現さないゴドー＝坪内逍遥を待っているというのもいいですね。日本文学の神＝起源は戯曲の言葉＝逍遥だという思いが、平田さんにはあるのかなと思いました。ただし、坪内は最後には登場してしまうのですが。

高橋　平田さんの設定はほんとうにうまくて、というのも近代の作家には葬式に関する文章が多いんですね。ぼくもそれを以前からふしぎに思っていたのですが、理由は簡単で、当時の作家たちは実際によく葬式に参列していたからです。それは作家が親戚どうしのような感覚を持っていて、文壇が家族的な共同体だったことを意味しています。逆に言えば、その家こそがやがて文壇になった。文壇が成立すると次第に家のイメージから遠のきますが、あの舞台ではまだ文壇が家だった時期が、葬式というかたちで切り取られています。

東　なるほど。デリダに「テクストの外部はない」という有名な言葉があります。「テクストに集中して読めばいい」という意味に誤解されることも多いですが、本来の意味は「テクストの外にあるのもすべてテクストである」ということです。これはポストモダン小説の前提でもある。つまり、文壇のゴシップもすべてテクストだという発想です。高橋さんの『日本文学盛衰史』は、まさにテクストの内部も外部もすべてテクストだという思想で、文学史を再構成しようとしたものだと思います。

高橋　そのとおりだと思います。

東　そのとき、この「テクスト外のテクスト」の部分の演出が、日本の文学者はじつに巧妙だった。だからいまでも全国各地に文学者の記念館が立っている。「文壇は家だった」という視点は、その演出の巧みさを説明する理由になるような気がします。初期の文壇では、ひとつの家のイメージのなかで、それぞれの作家が補完的な役割を果たし、文学という「家」全体を魅力的に見せていた。だからこそ商業的に成功を収めることができた。ところが、時代を経るごとにその前提が共有できなくなり、作品＝テクストだけで競争するべきだということになった。そして文壇は権威的になり、最終的に崩壊してしまった。結果として、いまや文学という商品全体の競争力が低下してしまった。

高橋　そういうことですね。テクスト論以降、作品は作者から自立しているという常識ができますが、これは転倒したアイデアです。素朴に作者を考えたほうがいい場合も多い。

東　むしろ文学者や哲学者の文章は、単独で取り出したら退屈で理解がむずかしいものも多いですよね。あるテクストを読むには、それをとりまくメタテクストもひっくるめて読まなければいけない。そこが文学や哲学とエンタメが異なるところでしょう。ところがいまはそのことが忘れられ、読者はむしろ、作品は作品だけで自立するべきで、メタテクストを読むのはマニアックな読みだと思い込んでいる。けれども、文学や哲学の起源ではテクストとメタテクストの境界はあいまいだったはずです。

高橋　まったく同感です。日本近代文学の起源にはいろいろな人間が関わっていました。その多様性が確保できたのは、テクストの外にも連帯があったからです。たとえば二葉亭四迷はロシア語の翻訳をもとに日本語文学をつくろうとした。彼がその試みを進められたのは、文壇という家族的共同体が支えてくれたからです。ロシア文学を日本でまねようとしても、実際には材料がないし、当時の言文一致体も人工的で不自然な言語でした。日本近代文学はこの、しっくりこない、気持ち悪い、異常なものへの違和感からスタートし、新しい言葉をつくり出す「俗語革命」を進めていった。

東　家族的共同体があったからこそ、違和感を排除せずに保つことができた。

高橋　そのとおりです。

東　おもしろいです。日本近代文学史で大きな存在感があったのが座談会ですが、その役割について考えさせられます。座談会はいまでは「内輪向け」のコミュニケーションとして批判されがちなものですが、まさに、親戚どうしの会話のような空間でもあった。そのような「家としての文壇」こそが、違和感を保ちつつ、新しい言語＝言文一致を生み出すことができた。小林秀雄が西田幾多郎の文体を「奇怪なシステム」として批判していますが［★1］、そう考えると、なぜ日本で文学だけが自然な「新しい日本語」を生み出すことができ、哲学＝学問はそれができなかったのか、理由がわかるような気がします。

高橋　同じことは戦後文学についても言えると思います。冒頭の三人に加えて、大江健三郎の文章にも戦後への違和感が見て取れます。大江さんは一〇歳で終戦を迎えました。だから戦争に関しては当事者ではない。にもかかわらず放り出されるような経験をした。彼はその違和感について、フランス語から影響を受けた人工的な言葉で書き始める。この試みは二葉亭と類比できると思います。最初に大江健三郎の小説を読んだとき、人工的なかんじがしてふしぎに思ったのを覚えています。

もういちど家をつくるには

東　現代の文学には、そういう違和感を受け取る場がなくなりつつありますね。違和感を表明しても、純粋にテクストの実験でしかなくなってしまっている。

高橋　いま大江さんは孤独だと思います。だからこそ、ぼくは文壇という家族的共同体を描きなおそうと『日本文学盛衰史』を書きました。これは東さんの哲学にも関係しています。東さんは『ゲンロン0　観光客の哲学』（二〇一七年）で、「家族」を新しい共同体のかたちとして提案されていますよね。

東　はい。

高橋　東さんは「家族」の本質を偶有性に置いています。男女が出会うのはもちろん、子どもが生まれることも偶然にすぎない。養子やLGBTのような同性カップルも含めれば、偶然性はさらに広がる。ところが東さんは同時に、家族はそうした偶然なものでありながら、愛というエモーションで結ばれ、持続性を持っているとも語っています。そしてその持続性を、群衆の一期一会の出会いをもとにした政治的運動体である「否定神学的マルチチュード」と対置しています。つまり東さんは家族を「新しい組織論」として提出しているのだと思います。ただ、その具体的なあり方がいまいち見えないのですが、どんなものを想像しているのでしょう。

東　むずかしい質問です。ぼく自身考えがまだ成熟していません。そのうえで答えれば、いまなら是枝裕和監督の『万引き家族』(二〇一八年)を思い浮かべるとわかりやすいと思います。『万引き家族』の六人について、観客は彼らを感覚的に「家族」と呼びたくなります。けれどもこの六人を結びつける根拠は、じつは偶然いっしょにいたということ以外にない。こうした偶然の共同体に可能性があると思っています。

★1　「學者と官僚」、『新訂　小林秀雄全集第七巻　歴史と文學』、新潮社、一九七八年。

そこで鍵になるのは「類似性」です。『万引き家族』の六人が家族に見えるのは、ひとことで言えば彼らがどこか「たがいに似ている」からです。そのような類似性について、『観光客の哲学』では、ウィトゲンシュタインの「家族的類似性」という言葉で説明しています。この表現で重要なのは、家族が類似性にもとづいているというよりも、むしろわれわれが、類似そのものを家族の比喩でしか捉えられないということのほうです。「なにかとなにかが似ている」というのは、とてもふしぎな直感的な判断です。それはときに論理を超えることがある。そしてそういうとき、人間はそれを「家族」と捉える。ぼくはそこに注目しています。「似ている」という基準はあいまいで、いくらでも柔軟に拡張でき、ひとはどんどんそれに対応していくことができる。だからその性質を利用して共同体をつくれればいい。文壇も一例かもしれません。

高橋　なるほど。ぼくがいま家の問題を扱っているのは、自分自身がそれだけは自信を持って言える、という文学的な足場をつくるためです。いろいろ考えた結果、それは家族だということになった。そしてそのためには祖霊たちを召喚するというのが、いちばん意味のあることだった。ぼくは父母について懐古的に書いているのではなくて、むしろいまあらたに家族になるために書いているような気がします。

東　小説を通して家族になる。

高橋　そう。いままでは高橋家なんて「自分が死んじゃえばおしまい」と合理的に考えていた。それがいまは、死者を招魂し、なくなった家を再興することをやっている。その点でも『観光客の哲学』

のなかには気になる言及があって、それは柳田國男の『先祖の話』（一九四六年）です。

東　敗戦直後に慰霊について書いたテクストですね。

高橋　海外で死んだ戦死者の魂は日本に戻ってくる。けれど日本でも家族は死んでいる。どうするか。柳田は驚くべき発想で、残されたわたしたちが死者の養子になればいいと答えたんです。死者を養子にするのでも相当へんですが、死者の養子になると、そんなこと想像もできませんね。これはなにかというと「家」をつくる提案です。当時は批判されましたが、考えてみればとてもラジカルで、すばらしい提案だと思います。ぼくは『日本文学盛衰史』でも『ゆっくりおやすみ』でも、じつは同じことをやっているような気がします。死者たちをあらたに家族にしている。これは東さんの本を読んで気づかされたことです。

東　ありがとうございます。『日本文学盛衰史』は、まさに文壇という「家」の再興の試みだと思います。そのとき、家とは家族（ファミリー）であるだけでなく、ホームであり、ハイデガーの言うところの「ハイマート」（故郷）でもある。柳田が「家に帰る」というときの「家」は、関係だけではなく場所でもあるでしょう。いま話を聞いていて、それは重要なことなのではと思いました。

それと関連して、文壇や論壇のメタファーによく使われるのは「村」という語ですね。けれども家と村はちがう。それがどうちがうかを最近考えています。たとえば、文壇はかつては家だったんだけど、ある時点から村社会になってしまって、それが問題だったと言えないか。

高橋　どういうことですか。

東　「家」はいわば「ブランド」です。実際にファッションブランドなどは一家で経営されていることが多い。人名がそのままブランド名で、後継者はその名を継ぐ。日本なら商家の屋号のイメージです。柳田も家とはまず商売の単位だと言っています。そしてほんとうに強いブランドというのは、現実の血縁とはあまり関係なく、商売の内容も変遷していたりする。たとえば、高橋家はもともとポストモダン文学をやっていたのに、息子はエンタメ小説を書き、孫は映画監督になり、いつのまにか高橋家は政治家一家になっていた、なんてこともありうる。けれど、それでも「とりあえず高橋家だけは信頼できる」みたいに信頼が蓄積されていくというのが、成功したブランドですよね。文壇はまさにそういう家＝ブランドだった。それは閉鎖的な村社会とは似て非なるものです。

高橋　あ、それは天皇家の話ですね。天皇家は日本最大の「家」にして、最高の「ブランド」でしょう。

東　言わずにおこうと思ったのですが（笑）、まさにそのとおりです。だから、家族について考えるというのは、天皇制の機能について考えるということでもある。ぼくはその点で、自分はむずかしい問題に足を踏み入れつつあるという自覚もあります。そしてそれもまた文学史と関係している。三島由紀夫が『文化防衛論』（一九六九年）で掲げたのは、まさに「ブランド」としての天皇をどう守るかという問題提起でした。

小説家の孤独

東　『今夜はひとりぼっちかい？』は『日本文学盛衰史』の第二部にあたり、「戦後文学篇」という副題もついています。こちらの執筆動機もいまの話の延長線上にあるのでしょうか。

高橋　いえ、第一部が日本近代文学の起源に自分のルーツを探るという明確な動機によって書かれたのに対して、第二部を書き始めたのは偶然です。二〇〇九年に企画の依頼があり、翌月からなんの計画もなく書きだしました。もちろん続篇はいつか書こうと思っていたし、書ける予感があって引き受けたのですが、いざ書いてみると次第に雲行きが怪しくなっていきました。遠い過去になっている明治の作家を扱うのは簡単でも、身近な戦後文学作家について書くことはむずかしい。そもそも文学ってまだ存在しているのか、存在したとしてそれがなんの役に立つのかという疑問にぶつかってしまった。どうするべきか悩んでいたところに、震災が起きました。

被災地の光景を見ていると、まさに敗戦後の日本を見るような思いがありました。ぼく自身、敗戦直後に坂口安吾が書いた文章に共鳴してもいました。結果として第二部は、文学そのものに対するぼくのとまどいやためらいがそのまま表明される作品になりました。完成度やリーダビリティとはかけ離れて、混乱のまま始まり、混乱のまま終わってしまいました。とはいえ、時代の変化に呼吸を合わせられた気はしていて、じつは満足もしています。

東　読者としても、たしかに第一部のほうが安心感がありました。けれども、そのぶん第二部は、現代日本における「文学の無力」に正面から向かいあったきわめて批評的なテクストになっている。そこがすばらしい。震災が起きてからのテクスト、具体的には「タカハシさん、『戦災』に遭う」と題された章以降は、高橋さん自身が経験した失語症的な状態をリアルに記録したものになっている。こういう文章が批評家から出てこなかったことを、逆に批評家として危機的に思いました。

高橋　『今夜はひとりぼっちかい？』は、自分でも批評的要素が強い作品だと思います。しかもまさに「ひとりぼっち」で書いていました。平田さんの舞台を見て思ったのですが、日本には詩や小説と批評がペアになり、俗語革命を進めてきた歴史があります。明治では樋口一葉と森鷗外、正岡子規と夏目漱石。大正では中原中也と小林秀雄。時代がくだると、大江健三郎と江藤淳、中上健次と柄谷行人などがいる。村上春樹と柴田元幸が最後のペアでしょう。

作家が新しい日本語をつくり出し、批評家がそれをチェックする。そのかたわらに翻訳、つまり外国語の問題があり、それゆえ自分たちの言語に批評的にならざるをえない。ペアとは相互監視でもあるので緊張も強いられた。けれども八〇年代に俗語革命が終わり、それ以降は小説と批評がたがいを放置し始めた。だからいまの小説は孤独です。『ゲンロン9』の座談会で、東さんは「日本では文芸批評が思想の機能を担ってきた」と言っていますね［★2］。でもそういう時代は終わりつつある。だからこそ『文藝』（二〇一八年冬季号）の書評で東さんに『今夜はひとりぼっちかい？』を褒めていただいたのは、たいへんうれしかったですね。

東　ありがとうございます。ぼくはそこであえて「小説好きの若者だけでなく、多くの批評好きの若者にも読んでもらいたい」と書きました[★3]。高橋さんはもともとは詩人であり、批評も書いている。ジャンルを区別しない作家です。とはいえ、小説家がここまであからさまに批評的なテクストを書かねばならなくなっている事態は、文学をめぐる環境の変化を端的に表しています。そしてその変化には、批評家のほうがむしろ鈍感です。それはたとえば、最近の話題であれば、杉田水脈を小川榮太郎が擁護した一連の『新潮45』騒動に、最も文学的かつ批評的な対応をしたのが高橋さんだったことからもあきらかです。批評家は、むしろ市民運動家のような応答しかできなかった。まさに高橋さんが「ひとりぼっち」で戦わなければいけない状況になっている。

書評にも書きましたが、その環境の変化は、『今夜はひとりぼっちかい？』にある「というひと」という表現に表れていますよね。高橋さんはそこで、いまは武田泰淳について話すときは「武田泰淳というひとがいて」と始めなければ通じないのだと記されている。まったく同感です。ぼくも批評家として、「武田泰淳は」とあたりまえのように書きだす文章を見ると違和感を覚えます。けれど、そういう文章こそ批評だと思っているひとがいまでも多いんですね。

高橋　ぼくの文学的なルーツには現代詩があります。現代詩は詩と批評が複合した運動なので、当時

★2　苅部直、大澤聡、先崎彰容、東浩紀「日本思想の一五〇年──知識人、文学、天皇」、『ゲンロン9』、二〇一八年。
★3　東浩紀「この小説こそが批評である」、『テーマパーク化する地球』、ゲンロン、二〇一九年、三六一頁。

は詩だけでなく、解説として批評も読んでいました。いきなり詩だけ読んでもわけがわからない。だからぼくは、批評家は難解な表現を大衆に解説する媒介になるべきだと思っています。詩と批評は対立しているのではなく、ペアになって読者への回路を開こうとしていたのです。したがって批評家が読者にわからない言葉を使うのは矛盾です。いまならば「武田泰淳というひと」と書かなければいけない。

小川榮太郎の話とつなげれば、小川さんには小林秀雄についての著作がありますが、けっして「小林秀雄というひと」のような書き方はしません。小林を知っている人間を前提にクローズドな文章を書いていて、媒介するという態度がありません。昭和三〇年代ならそれでもよかったのかもしれませんが、いまではどんな文学的対象も「というひと」や「というもの」にならざるをえない。その認識を欠いているかぎり、小川さんは批評家のパロディをやっているとしか言えない。

東　同感です。とはいえ今回あきらかになったのは、小川さんを批判する側もまた文学的言語をほとんど操れないという現実でしょう。今回は文学者からも『新潮45』批判が相次ぎましたが、その多くは「正しい態度が存在するので、わたしはそちら側につく」というきわめて平板な政治的表明にすぎなかった。そのなかで高橋さんは批評家・小川榮太郎を読み解くという実践を行なったわけだけれど、それすら利敵行為だと批判する人々がいた。文学者でさえ、敵か味方かのシンプルな表明しか理解できない時代になっている。

高橋　ぼくでさえ知らず知らずのうちに自主規制していますから。

東　人々はアイロニーやシャレをますます理解できなくなっている。たとえば、「嫌いと言っているけどほんとうは好きなのかもしれない」といった解釈は、いまや単純にハラスメントを肯定するものとして受け取られる。むろんハラスメントとは戦わねばいけませんが、言葉を必ずしもつねに文字どおりに捉える必要はない、ときには言葉の裏を読むことこそが文学の基本だというあたりまえの条件を、文学者自身が忘れ始めているように見えます。

高橋　現代詩はまさに多様性・多義性の言葉です。なにを言っているのかわからない作品も多いのですが、読者がそこから意味を拾い上げ、多様な解釈の世界をつくることが許されてもいた。かつては、言葉の意味とは一義的に存在するものではなく、読者が主体的につくり上げないと存在しないものだという合意が、広く共有されていたように思います。その共有が壊れてしまうと、文学の存在意義そのものがなくなってしまう。

東　悲観的かもしれませんが、その傾向はもはや変わらないのかもしれません。言葉の意味とは受け手が解釈を通してつくり上げるものであり、だから言葉はつねに多義的なのだという「言語観」「文学観」そのものが、近代のヨーロッパで勃興し広まったものにすぎず、必ずしも普遍的ではないという見方もできるからです。実際、日常生活では言語を道具として使うことのほうが圧倒的に多く、そこでは多義性はむしろ邪魔です。たとえば、「これいくら?」「三〇〇円」という会話のなかで、受け手に解釈の自由があっては困るわけです。そういう言葉の道具的な使用のなかの、きわめてかぎられた余白に文学的な言葉はある。近代はその余白こそが言葉や文化の本体で、だからこそ文学的使用を制度的にも経済的にも守らなければならないというパラダイムをつくり上げたわけですが、そのような主張はいま急速に旗色が悪くなりつつある。文学はこれからも生きつづけるでしょうが、それはふたたび「例外」に押し込められることになるのではないか。

それは大きい言い方をすれば、近代の終わりです。解釈の多様性に根ざした言語観そのものが力を失い、多様な解釈はむしろハラスメントの擁護として退けられる。それこそが文学が直面している危機の本質ですね。

二〇〇五年の変動

高橋　『今夜はひとりぼっちかい?』はまさにそうした危機に向きあって書いたものです。作家の実感としても、小説はどんどん書きにくくなっている。『日本文学盛衰史』を書いたころには、それなりに自分の言葉が読者に届き読まれている実感がありました。事実、平田さんは読んで舞台にしたいと思ってくれたわけです。けれどもいまや、日本文学をめぐる文化的共同体は完全に消滅し、閑散とした空間だけが広がっている。個人的には、その変化は二〇〇五年くらいが頂点だったと思っています。だいたい平成文学の代表作は二〇〇五年前後に出揃ってしまっているんです。
東　具体的にはどういった作品ですか。
高橋　川上弘美『センセイの鞄』(二〇〇一年)や阿部和重『シンセミア』(二〇〇三年)、町田康『告白』（二〇〇五年）などがそうですね。金原ひとみと綿矢りさの芥川賞同時受賞が二〇〇四年で、あのころまでは社会的な話題になる作品が一定数ありました。ベストセラーという社会的な話題だろうと、作品への反響が存在しました。むろん最近でも、たとえば町田康『ホサナ』（二〇一七年）や奥泉光『雪の階』（二〇一八年）などのすぐれた小説はあるんです。でも作品の質に見あう待遇が得られていない。

東　いい小説はあるのに読まれてない。

高橋　読まれているかどうかというより、反響の差ですね。二〇〇五年までは、多くのひとに読まれなくても、作品をゆるく受け止める共同体があり、そこからの反響があった。それがこの十数年で激変しました。売り上げとはべつに、作品が届くべき層に届かなくなっている。その層がまだ存在するかも怪しい。

東　二〇〇五年前後に底が抜けたという感覚はわかります。それは人々から歴史への関心が失われた時期なのかもしれません。批評で言えば、二〇〇七年に宇野常寛さんが登場し、文芸評論の中心が同時代のサブカルチャー評論に切り替わる。よくも悪くも、同時代における価値やライフスタイルを語るのが評論家の仕事になってしまった。いまも純文学を読む若いひとはいると思いますが、彼らも文学史には興味がないかもしれない。ぼく自身を振り返っても、二〇〇五年ごろあたりで批評を書くことに疲れ、小説を書いたり組織をつくり始めたり、ほかの仕事を始めたという記憶があります。のちそれが『クォンタム・ファミリーズ』（二〇〇九年）やゲンロンの起業（二〇一〇年）につながります。

高橋　ぼくは二〇〇五年に大学に勤め始めました。着任当時はまだ大学の自治や文学部の価値が信じられていましたが、いまやあとかたもありません。ある時代までは「象牙の塔」という言葉があり、大学はよくも悪くも外の風が入ってこない場所でした。それがいまやすっかり外からの風にさらされてしまっていて、弊害も出てきている。たとえばぼくは毎年、すぐれたインタビュー集としての永沢光雄の『AV女優』（一九九六年）を授業で紹介してきました。長いあいだ問題がなかったんですが、数年前に学生からセクハラだとクレームが出てしまいました。

東　出るだろうと思います。高橋さんではなく若い講師だったら、もっと大きな問題になったかもしれません。大学制度のなかで文学を教えたり研究したりすることは、いまはどんどんむずかしくなっている。文学はその本性上、性や暴力といった反社会的主題を含みますが、そのような主題を教えることそのものが、ハラスメントと捉えられるようになっている。

高橋　「ハラスメントはいけない」というお題目が過度な抑圧として働いた結果、トラブルの種はすべて回避されるようになった。その現象は文学的言語が失われる過程と並行しています。東さんの言葉で言えば「動物化」ですね。

東　そうですね。ぼくは最近、動物化とはスケールの問題なのではないかと考えています。人間はだれでも個人としては人間です。でも集団で見ると、個々人の主体性など関係なく統計に従う動物の群れのように見える。これは昔からそうでしたが、情報化が進み、ビッグデータなどの解析が進んだことで、だれの目にも見えるようになってしまった。つまり、どんな人間的なふるまいも大規模なスケールでは動物的に処理されてしまうということを、一人ひとりが自覚してしまうようになった。現代思想っぽく言えば、動物化が再帰的に意識されるようになったわけです。その結果、本来ならば人間的にふるまえるはずの人々も、みずから動物的に、シンプルにふるまう時代になってしまった。

いまの話にあてはめればこういうことです。かつては文学的＝人間的な言葉が通じる閉鎖的な空間があった。ところがその空間はもはや維持できなくなった。そうなってくると、みなが、自分の言葉が非文学的＝動物的に受け取られる可能性を考えて、発言しなければいけなくなる。ひらたく言えば、大学の授業でも、それがSNSに投稿される可能性を考えて発言しなければいけなくなる。結果として「危険」な授業はいっさいできなくなる。

高橋　近代の文学者は俗語革命を目指して、だれもが持てる言葉をつくり出した。その延長線上に現代の情報革命があります。言語の民主化は悪いことではないし、そもそも止めることができないものです。けれども、言葉の独占がなくなったときにこんな動物化が起きるとは、だれも想像しなかった。

東　言葉が民主化して知識が集まれば全体の知性も高まると思われていたのに、実際はそうならなかった。一人ひとりの知性は下がっていないのに、全体の知性は下がってしまったわけです。

メニッペアと内田裕也

高橋　東さんはそのような時代に、文学者あるいは批評家にどういう役割があると思いますか。

東　むずかしい問題です。人類がインターネットを捨ててくれればけっこうな話ですが、それは無理です。かといって、既存の文芸誌や大学に閉じこもり古い批評のスタイルを貫くというのも、結局は機能しないと思います。ぼくとしては、現在の情報社会の開放性を前提としたうえで、解釈の多様性が許容されるような「半閉鎖的」な空間をどのようにつくり、どのように維持するかが鍵だと考えています。

ゲンロンの経営はその実践ですが、『観光客の哲学』での「家族の哲学」は理論編にあたります。ぼくがそこで考えたかったのは、ひとことで言えば、ひととひととが、あるていど守られながらも安心して傷つけあえる空間をどうつくるかという課題です。傷つけるというとまた誤解もありそうですが、ぼくは、傷つけあう可能性なしにはコミュニケーションはありえないと考えています。とくに批評的な知や芸術的な表現は、攻撃と紙一重の相互批判を通してしか鍛えられません。しかしいまオープンな場所でそれを行えば、単純にハラスメントとして処理されてしまいます。大学も壁にはなりません。二一世紀の公共性からは排除されてしまうそのような暴力性が肯定的で生産的な機能を果たす可能性、その可能性を許容する空間をなんとか再設計できないか。

高橋　大事な課題ですね。文学の歴史もまた、複数の小さなコミュニティのなかでの葛藤、傷つけあいから成立したものです。それは攻撃的に他者を罵るだけのいまのネットとはちがう空間です。それを家父長的と批判することもできますが、そのような「内なる権威」が持っていた能産性までも否定されている。

その空間をどうやってもういちどつくるか。文学者もまた、東さんがゲンロンをつくったように、みずからのプラットフォームを持つべきなのかもしれません。とはいえ、東さんが会社を立ち上げるという話を聞いたときは、外野から見ていてたいへん心配で……。相当な冒険だったと思いますが、勝算はあったんですか。

東 あるわけがないです！（笑）いまでも勝算なんてありません。ただ、ゲンロンの事業のなかでもカフェと放送は有望ではないかと考えています。というのも、そこでぼくが継承している座談会文化は、日本が独自に積み上げてきた世界でもめずらしい存在で、かつ普遍的な商品価値を持つように思うんですね。

そもそも本来は座談会こそが批評や哲学の基礎だったはずです。バフチンが『ドストエフスキーの詩学』（一九二九年）でおもしろい指摘をしています。バフチンはドストエフスキーの小説を「ポリフォニー」だと評価しますが、その起源は古代の文学ジャンルでいう「メニッペア」にあり、プラトンの対話篇もそのひとつだと言うんです。つまりバフチンは、ドストエフスキーの小説とソクラテスの哲学を、フィクション＝小説かノンフィクション＝哲学かという区分とは関係なく、メニッペアという同じジャンルで捉えているんですね。

この両者に共通する本質をぼくなりに言えば、どちらも座談会ということになります。ドストエフスキーの小説は登場人物が長々と哲学的な会話をすることで有名です。ソクラテスの哲学は、プラトンが書いた対話のかたちで残っていて、そこにはいろいろな人物が登場します。ソクラテスもドストエフスキーも、座談会だからおもしろい。ぼくはそういう点では、いま哲学の原点に戻っているつもりです。

高橋　日本近代文学の最初期にも、「三人冗語」（『めさまし草』、一八九六年）という座談会があります。森鷗外・幸田露伴・斎藤緑雨という三人の文学者が、樋口一葉などの若手を取り上げつつ、小気味よくキャッチボールしていく。それは友愛に満ちた、ひとつの小さな社会でした。

東　いまの情報環境を前提にして、そうした人間関係の空間をいかに再構築するか。それが文学や哲学、芸術を守ることにつながる。現代思想の言葉で言えば、交換の空間とは異なる「贈与の空間」をどう再構築するかです。リスク回避という数値化の原理に対して、家族の空間、愛の空間をどうつくるのかと言ってもいい。

高橋　同感です。近代文学がそういう空間から発生したという歴史を忘れてはいけませんね。『日本文学盛衰史』は家を描いた作品だと言いましたが、じつは座談会について考えながら書いた作品でもあったのです。

東　それは読んでいて感じました。家族的共同体とは、言い換えれば座談会ができる共同体ということでもある。それはけっして閉鎖的な村社会と同じではないんです。ドストエフスキーの小説にしてもプラトンの対話篇にしても、じつに多様な人々が登場するじゃないですか。

高橋　家族的空間こそが、言葉の多様性を許容するんですね。ところで多様な言葉といえば、ぼくは『今夜はひとりぼっちかい？』の中心に、ロックンローラーの内田裕也の言葉を据えました。そもそも、この作品のタイトル自体が彼の言葉にもとづいています。内田は一九九一年に都知事選に立候補していたんです。そこで彼はなんと、政見放送をぜんぶ英語で行なっています。それがテレビで、しかも政治的な文脈で流れている。二重三重に意味不明で、とても衝撃的でした。見ていていたたまれなくなり、逃げ出そうかと思ったくらいです。

ところが見ているうちに惹きつけられていった。「おれのことを簡単にわかっちゃいけない」というメッセージを受け取ったからです。ぼくたちは流れのなかで生き、なにかを考えているつもりでいるけれど、理解できないものに直面すると凍りついてしまう。そうやって立ち止まって考えさせることもまた、言葉の機能だと思います。それが違和感です。二葉亭が突きあたったのもこのような違和感だったはずです。

東　そのような違和感を持つ言葉が発話され、そこで人々が立ち止まることができるような空間がつくられねばなりませんね。

高橋　彼のその言葉を翻訳してみると、ひとりの日本人が世界を放浪し、ロックンロールという他者と出会い、その他者を引き連れて東京に戻って政治の世界に参入するという物語が語られていました。とても由緒正しい小説だと思いませんか。逆に言えば、これほどの大きな違和感を読者にぶつけた小説が現実にあるかどうか。ぼくは内田裕也のこの演説こそが、文学だと感じました。

いまこそ歴史小説を

東　最後に、『日本文学盛衰史』の第三部にあたる「ヒロヒト」についてもうかがえたらと思います。これは『日本文学盛衰史』と同じやり方で、昭和史、あるいは昭和天皇＝ヒロヒト史をたどりなおす小説です。一種の歴史小説でもある。まずは、平成が終わろうとしているいま、なぜ昭和天皇なのかということから教えてください。

高橋　第一部と第二部を通じて「明治」と「戦後」についてはどうにか書き終えられたので、残るは「昭和」だという気持ちで書きだしました。父や母、祖父母など、ぼくのルーツは昭和にあります。平成の終わりはあまり意識しませんでした。むしろ昭和こそが、現在に深く関わりながらも忘れられている問題だと考えています。

昭和を主題とするとなると、当然天皇というテーマは避けがたいものになってきます。天皇はいまでも、きわめて独特のしかたで社会に影響を与えています。それは彼らが政治的にふるまっているからではなく、彼らがまずは文化的な存在、つまり言葉に関わる存在だからです。作家として、それを無視したままなにかを書いたり、考えたりはできない。だから「ヒロヒト」では天皇について語りながら、文学や言葉のより大きな歴史に接続したいと思っています。

東　「ヒロヒト」の初回は、ifの歴史が書かれたＳＦ的な作品になっていますね。そのなかで主人公ヒロヒトは、パリで行われた一九〇一年生まれの偉人たちが集うパーティーに参加し、ハイゼンベルクやディートリッヒ、ウォルト・ディズニーといった同年代の煌びやかな人々と交流し、記念写真を撮っていたことになっている。

これはとてもおもしろいはじまりだなと思いました。歴史とはこのような固有名の集積です。さきほども言いましたが、人文科学や文学の世界では作品は作家名から切り離せない。テクストは必ずだれかのものだという発想があります。しかし自然科学では命題は固有名に属していません。たとえば、不確定性原理の正しさは、ハイゼンベルクという発見者の名前とまったく関係がない。だからこそ反証可能性もある。つまり人文科学と自然科学では、固有名の処理がまったくちがうのですね。ところが現代では、人文科学のコーパスをあたかも自然科学的に処理可能かのようにみなす傾向が強くなっています。

高橋　そのとおりです。すべてがフラットなデータベースに還元されている。友人のミュージシャンが、自分の娘が一九八〇年代のロックと二〇一〇年代のラップをなんの区別もなく聴いていて驚いたと話していました。音楽にかぎらず、いまやどのような作品も、歴史と関係なくクラウドから自由に取り出せるようになっています。しかしそれはほんとうに「自由」なのか。少なくともぼくはそう思わない。かわりに文学の言語が失われている。

東　高橋さんがいま歴史小説に挑戦することには、そのような状況への危機意識があるのでしょうか。

高橋　むろんです。いまの自然科学化した世界を変えるのはなかなかむずかしい。だからへたな希望を語ると詐欺になりますが、それでもぼくは小説家や批評家が言葉を使ってできることがあるのではないかと思っています。文学は等価交換ではなく贈与の原理から成り立っている。だからこそ最後の砦たりうるのです。

それはこう言い換えることもできると思います。文学作品は、等価交換の原理で生きているぼくたちに、違和感を突きつけるものです。その違和感は基本とする原理が異なるから生まれる。文学は交換の原理に向けて、贈与の原理によるカウンターをくらわせる。「なぜぼくにこんな言葉を無償で贈与してくれるのか」という不安を与える。いまは飲み会で奢るのすらハラスメントと捉えられる世の中ですが、だとしたら文学者はむしろ奢りつづけなければいけない。

東　そして読者に負債を負わせつづけなければいけない。

高橋　そうです。歴史も芸術も、ただ黙っているだけで存在するわけではありません。鷗外が晩年に歴史小説を書いたことを想起するとよいかもしれません。なぜ鷗外は歴史小説を書いたのか。もちろん第一には過度な近代化を憂慮していたからです。でもだからと言って、たんに「近代化には反対です」という平板な表明をしてもしかたない。そうではなく、言葉によって過去を再構築し、もういちど「家」をつくり、贈与の空間をつくらなければならない。たとえば、いままで見えなかったヒロト像を浮かび上がらせる、というように。歴史=家をつくりなおし、可視化する。歴史が言葉で編まれる以上、小説はその作業に向いているジャンルだと思います。だから、みんながんばって歴史を書かないといけないんですよ。

東　あえて状況論に話を引きつけると、いまのお話はリベラル批判のように響きました。保守派は歴史書の執筆を好み、百田尚樹さんの『日本国紀』(二〇一八年)をはじめ、多くの本が出版されている。それに対してリベラルは彼らを批判するばかりで、あまり歴史を語らない。リベラルももっと自由に歴史をつくりなおせばいい。

高橋 そのとおりだと思います。今日はぼく自身歴史感覚があるように話しましたが、ほんとうはそんなものはないんです。かといって攻撃を受けないように受け身になっているばかりでは、足場は弱っていく。だからいちど、歴史を自分で書き留めて、まえに出ようと思いました。

数年前に高橋家の墓に行ったら、周りの墓が墓じまいされていたという経験があります。人間は墓に入って終わりかと思っていたら、その墓にも終わりがあった。心配になって、寺の住職に「墓じまいされるとどうなるんですか」と聞いてみたら、継承者がいないと遺骨もなにもかもぜんぶ捨てられるそうです。それを聞いたときに、ようやく自分の浅はかさに気がつきました。ぼくは自分の過去がテーマとして必然性を持つまで、作家になって三七年、年齢でいうと六〇年くらいかかりました。いまはようやく機が熟して、自分のなかにわからないことがたくさんあることに気づき、過去について調べたいと思えるようになった。「ヒロヒト」はその結晶です。昭和史を語りなおすなかに、ぼくのルーツである家族=祖霊も出てきます。

東 さきほど高橋さんがおっしゃったように、天皇制は日本最大の家でもある。そう考えると、文壇という家の再興を目指した『日本文学盛衰史』が「ヒロヒト」にたどり着いたのは必然なのかもしれません。新元号を迎えるいま、国民の歴史=家への関心はふたたび高まりつつあります。その関心をできるだけ自由で多様なすがたへと開いていくように、ぼくも微力ながら、高橋さんとともに努力していければと思いました。今日は長いあいだありがとうございました。

国体の変化とジェンダー

原 武史

2019年4月5日

原武史
はら・たけし

1962年生まれ。政治学者。日本経済新聞社会部記者として、昭和末期に宮内庁詰めとなる。放送大学教授。明治学院大学名誉教授。著書に『「民都」大阪対「帝都」東京』（1998年、サントリー学芸賞）『大正天皇』（2000年、毎日出版文化賞）『滝山コミューン一九七四』（2007年、講談社ノンフィクション賞）『昭和天皇』（2008年、司馬遼太郎賞）、『レッドアローとスターハウス』（2012年）『皇后考』（2015年）ほか多数。

東浩紀　平成が終わり、令和が始まる春（二〇一九年）を迎えました。そこで今日は政治学者の原武史さんをお招きし、来たる新元号の時代に天皇や皇室にどのように接すればいいのか、お話をうかがいたいと思います。

原さんは、『大正天皇』（二〇〇〇年）、『皇后考』（二〇一五年）をはじめ、天皇と皇室をめぐるユニークな研究を数多く発表されています。この春には『平成の終焉』（二〇一九年）を出され、『天皇は宗教とどう向き合ってきたか』（二〇一九年）も刊行予定になっています。原さんにはじつは昨年一二月末にも天皇制に関してお話をうかがっており［★1］、そこでは最後、皇后美智子（現上皇后）の話題で議論が盛り上がりました。今日も、天皇とともに皇后にも焦点をあてて、議論ができればと思いま

★1　原武史、津田大介、東浩紀「日本思想の黄昏——平成において天皇とはなんだったのか」、二〇一八年一二月二二日。イベント詳細はURL=https://genron-cafe.jp/event/20181222b/を参照。

す。

新元号をどう評価するか

東　本題に入るまえに時事的な話題に触れておきましょう。つい五日まえの四月一日に、新元号が「令和」に決まりました。原さんはどう評価されますか。

原武史　まず「和」が入っているのに驚きました。元号は漢字二文字ですが、上の字にはローマ字表記の関係でどうしても縛りがある。明治のM、大正のT、昭和のS、平成のHと重なる漢字は使えないということです。けれども下の字の選定には縛りがないはずです。そこをあえて昭和とかぶせてきた。くわえてひらがな三文字で考えた場合、二文字目に「い」があるのは「明治」と同じでもある。つまり、令和には明治と昭和が蘇ってくるような語感があります。そこで明治と昭和の天皇を考えてみると、どちらもカリスマ的で権威的な天皇です。

東　なるほど。「令和」には、天皇が強い時代が戻ってほしいとの期待が込められている。対照的に大正と平成は皇后の存在感が大きい時代でしたね。

原　政権が「強い天皇」というイメージを欲したのだと受け止めました。ついでに言うと、出典が『万葉集』というのは正確ではないですね。まるで和歌の箇所に由来するように見えてしまいますから。

東　『万葉集』の該当箇所そのものに、張衡や王羲之などさらに元ネタの漢籍がある。

原　そうです。そしてその漢籍もこれまでの出典とは連続性がない。これまでの元号の出典は儒教の経典が多かった。儒教の経典には政治理念がありますから、天皇の統治にふさわしい。しかし、令和に込められた意味はたんに「初春の佳き月で、気は清く澄みわたり風はやわらかにそよいでいる」「梅は佳人の鏡前の白粉のように咲いている」という風景描写だけです[★2]。今回の候補のひとつに「広至」がありました。出典は『日本書紀』と『続日本紀』ですが、「行きとどいた徳を天下に広める」という意味です。これならばまだ連続性があったはずです。

東　倫理的な意味がなく、「梅がきれいでいいよね」「そういう時代になるといいよね」といった感性でつくられていると。同感です。実際、安倍首相は記者会見で「一人一人の日本人が明日への希望とともに、それぞれの花を大きく咲かせることができる」時代になってほしいと、じつにふわっとしたことを言っていた[★3]。ぼくも令和という響きには最初違和感を覚えました。直感的に、歴史改変もののSFに出てきそうな、現実味のない元号だなと。「令」という字は今回はじめて元号に使われたそうです。

★2　伊藤博訳注『新版　万葉集一　現代語訳付き』、角川ソフィア文庫、二〇〇九年、三八六頁。ルビを削除。

★3　「平成31年4月1日安倍内閣総理大臣記者会見」、首相官邸ウェブサイト。URL=https://www.kantei.go.jp/jp/98_abe/statement/2019/0401singengou.html

ただ、ぼくは『万葉集』という選択は悪くないと考えます。『万葉集』には皇族から下級官吏、防人までさまざまな階層が参加していて、女性の歌も多い。さらに言えば「多様性」に配慮した歌集になっている。また『万葉集』は万葉仮名で書かれていますが、この万葉仮名そのものが、漢字というグローバルスタンダードを受け入れつつ、ローカルなものを表現しようとしてつくられた文字でした。その意味で、グローバリズムとナショナル・アイデンティティの関係が問われているいま、元号の出典として『万葉集』を採用することはいいのではないか。

原　しかし歴代天皇の名前には「仁」という字が入っているでしょう。平成の天皇は明仁、そのまえは裕仁、つぎは徳仁です。「仁」は儒教でとりわけ重要な概念で、そこには「君主は民に愛情を注ぐべし」という思想が込められている。この命名と元号の出典には深い関係があった。ところが今回その関係を崩してしまった。だとすれば、もうこれからの天皇は「○仁」という名前である必要はない。言ってみれば、ヒロキでもタケシでもかまわない。これはそういう話だと思いますよ。

東　なるほど。たしかに令和はキラキラネーム的と言えるかもしれません。意味や歴史が剝奪され、なんとなく見た目のいい漢字が並んでいる。でもそれこそそもそも日本人が万葉仮名で始めたことでもある。その点でも、『万葉集』に戻るのはいかにも現代日本的なのかもしれません。

平成のミクロな国体

東　元号の話はこのくらいにして、本題に入りたいと思います。これからの天皇あるいは皇室を考えるにあたって、今日は、国体、ジェンダー、ポスト平成の三つの論点を用意しました。

ひとつめは「国体」です。平成の天皇は一般に、昭和天皇とはちがったリベラルで親しみの持てる天皇像を打ち出したと言われます。けれどもほんとうにそうか。原さんは『平成の終焉』で、天皇明仁（現上皇）のふるまいにはじつは昭和天皇と深い連続性があり、国体を別のかたちで再強化したと言えると論じています。

原さんが注目するのは二〇一六年八月八日に放送された「象徴としてのお務めについての天皇陛下のおことば」（以下「おことば」）です。天皇明仁の生前退位を望む国民の声は、じつはそれまでほとんど存在しなかった。ところが「おことば」が発表されると、世の中の雰囲気が変わり、突然あたかも以前から国民が生前退位を望んでいたかのように語られるようになった。民意が「おことば」によってつくられたわけです。それは昭和期と連続している。そもそも天皇が国民に直接語りかけるという「おことば」のスタイルそのものが、終戦の玉音放送と同じ構造になっている。くわえて原さんが指摘されるのが、天皇明仁の行幸の多さです。とにかく天皇はあちこちに行く。そして一人ひとりと同じ目の高さで対話する。そうすることで天皇明仁は国体を「ミクロ化」して再強化したのではないか、と原さんは指摘されています。昭和期の国体は、大きな広場に集まる群衆が、一段高いところに立つ天皇に向かって万歳を叫んだり、君が代を斉唱したりすることでつくられるマクロなものだった。それに対して、平成の天皇は、天皇みずから国民一人ひとりのなかに分け入り、ときにひざまずくことで、ミクロな国体をつくり上げたのだと。

天皇みずから国民のなかに分け入り、祈ることで国家の一体感をつくる。この傾向は、とくに二〇一一年三月一一日の東日本大震災以降強まっています。原さんの著書でも引用されていますが、NHKの「日本人の意識」調査によると天皇に関する肯定的な感情は震災以降とみに高まっている［図1］。まずは、この平成における国体の強化についてご意見をお聞かせください。

原　東さんのまとめにつけ加えるとすれば、皇后の役割が昭和と平成でちがっていることが重要です。昭和は天皇が前面に出ていた時代で、戦前は

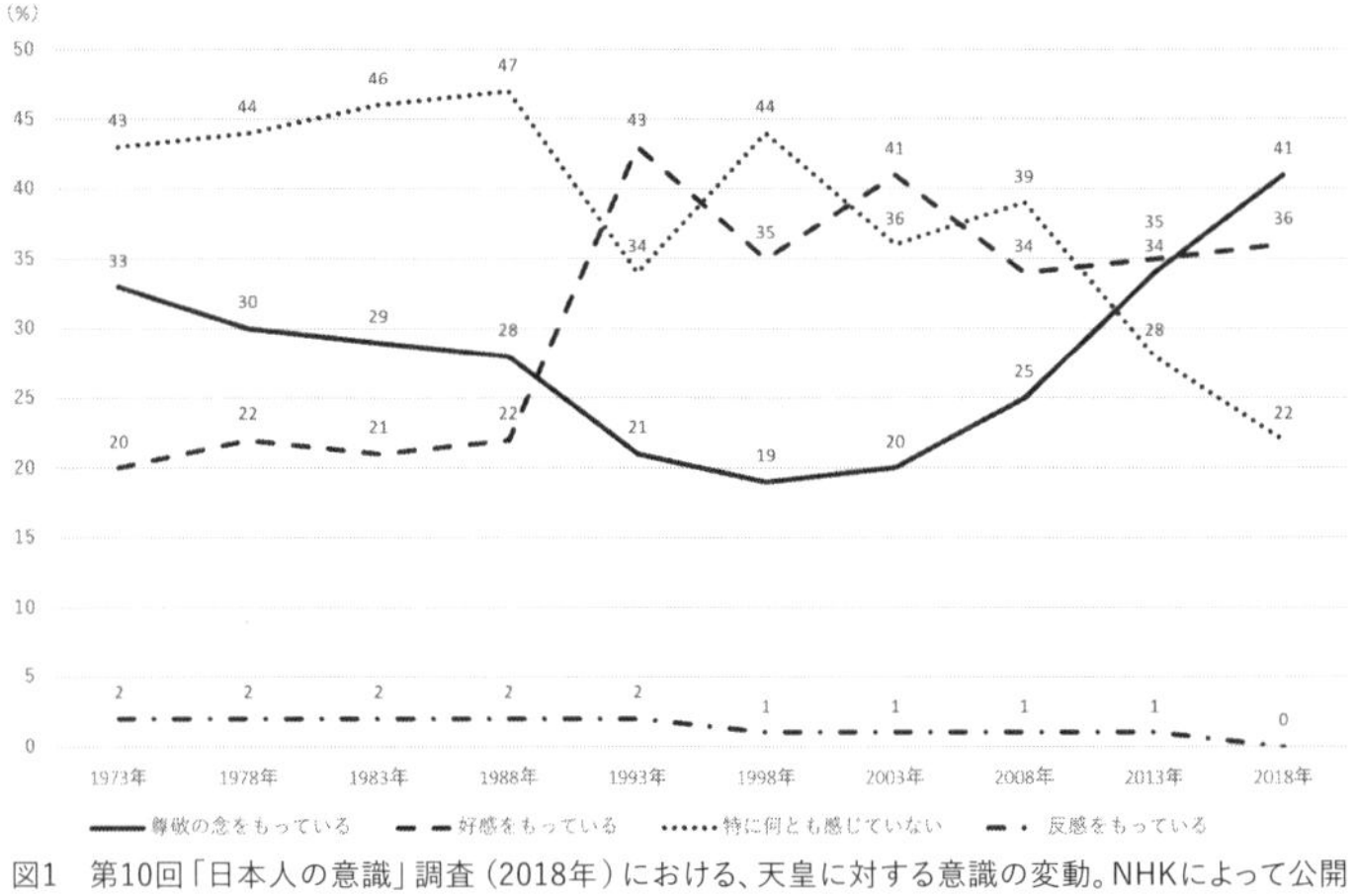

図1　第10回「日本人の意識」調査（2018年）における、天皇に対する意識の変動。NHKによって公開されている調査結果（https://www.nhk.or.jp/bunken/research/yoron/pdf/20190107_1.pdf）をもとに制作

もちろん、一九四六年から五四年にかけての戦後巡幸もほとんど天皇が単独で行っていました。むろん国民体育大会や全国植樹祭などに際して皇后といっしょに行く場合もありますが、そのときでも天皇はあくまでもカリスマ的存在で、戦前からのイメージを引きずっている。ときに何万という人々が広場を埋め尽くして、台座に乗った天皇に対してみなで一斉に万歳する光景が、戦後もしばらくは見られたわけです。

ところが平成はちがいます。明仁は皇太子時代の一九五九年四月に正田美智子と結婚し、六一年から本格的に全国をまわり始めますが、ほぼ必ず美智子妃とふたりでまわっています。結婚後最初の地方視察先である六一年三月の長野県から、すでにふたりでいっしょに行っている。しかも長野県では養護老人ホームを訪問するのです。そこで美智子妃はひざまずき、一人ひとりの老人に声をかけた。

東　当時は驚かれたんじゃないですか。

原　衝撃的でした。昭和天皇と香淳皇后ではありえない。

東　のち江藤淳は、阪神大震災のあと、天皇は国民のまえでひざまずくような存在じゃないと苦言を呈しますね。六一年の時点では保守派から批判はなかったのでしょうか。

原　この時点ではありません。というのも、そのような美智子妃のふるまいは、信濃毎日新聞だけが報道していて、全国的には報道されていないからです。まだ彼らは皇太子夫妻にすぎないので、行啓がいちいち全国紙で詳しく報道されるようなことはありません。他方、訪問先の地方紙は非常に細かく、かつ大々的に報道する。ふたりは結婚してまもないですし、ミッチーブームは長く続いている。

皇太子夫妻が自分の地方に来たとなれば大ニュースです。全国紙と地方紙ではそういう温度差がある。

東　原さんは『平成の終焉』で、東京ではミッチーブームはすぐ収束したように見えるけれど、じつは地方ではかなり長く続いていて、いままでブームの終焉といわれてきたものはむしろ美智子妃への関心が地方に拡散していく過程だと捉えるべきだと書かれていますね。たいへん重要な指摘だと思います。美智子妃のそのスタイルはどこから来たのでしょう。

原　おそらくカトリックの影響でしょう。皇太子明仁も結婚してしばらくはひざまずきません。昭和天皇のスタイルを踏襲してあくまでも立っている。けれども、福祉施設を訪れるたびに美智子妃はひざまずきつづける。そうすると六〇年代後半あたりから、美智子妃に合わせてひざまずくようになるんです。この時期に「平成流」の原型ができたといえます。つまり「平成流」はけっして平成元年から始まるのではなく、その二〇年まえにはもうできていた。ただ昭和の時代はまだ昭和天皇と香淳皇后の陰に隠れるかたちになっていたため、広く知られていなかっただけです。

東　その変化を保守派はどう受け入れたんですか。

原　むろん歓迎していませんでした。七七年に香淳皇后が腰を骨折して外出できなくなり、昭和天皇も衰えが目立つようになっていきます。つまり、昭和はもう長くないことがあきらかになってくる。そこで保守派は次代の天皇にも昭和天皇のような権威を引き継がせようと、いろいろ動き始める。八一年には日本会議の前身にあたる「日本を守る国民会議」が結成され、提灯奉迎が復活する。国民が天皇を提灯を掲げ歓迎し、天皇もまた応えて手を振ったり提灯を掲げたりするという、あれです。

東　提灯奉迎はいちど消えていたんですか。

原　六〇年あたりまでは戦前の名残りで残っていましたが、いちどなくなっていました。復活したのは、一九八七年の五月、昭和天皇が全国植樹祭のため佐賀県を訪れたときのことです。ところがこの年に昭和天皇にがんが見つかり、その後は行幸ができなくなる。翌年の植樹祭には、天皇の名代として皇太子夫妻が香川県に行きます。このときは彼らに対して提灯奉迎が行われる。ふたりが泊まっているホテルに提灯を持った人々が集まってきて、泊まっている部屋に向かって一斉に提灯を振り上げ、万歳三唱をする。皇太子夫妻も提灯を持って応えました。

東　だとすると、提灯奉迎はけっして市民団体が勝手に行なったものではないんですね。宮内庁との協議のうえで実施されている。

原　宮内庁が提灯奉迎を公認していることは、行幸啓で天皇と皇后が提灯奉迎に応えると、その事実をホームページで公表していることからもわかります。

東　とはいえ、それはあまり平成流にそぐわないように見える。皇太子夫妻が抵抗感を示した記録などはないのですか。

原　表面上はありません。後世に資料が出てくれれば、本音がわかるかもしれません。提灯奉迎の復活は、のちに「平成流」と呼ばれるスタイルに対する右派の危機感の表明だと思います。自分からひざまずく明仁、美智子夫妻に対して、仰ぎ見る対象としての天皇を復活させたいという思いがある。そもそも「日本を守る国民会議」が成立した背景には、七〇年代の元号法制化運動があります。元号法が成立したのは一九七九年です。
東　六〇年代後半から八〇年代前半、つまり昭和の四〇年代から五〇年代にかけて、一方では皇太子夫妻による平成流の確立があり、他方では保守派による戦前的な天皇像復活の動きがあって、それがせめぎあっている状況があったということですね。

カトリック化する天皇

東　ただ、それを単純にリベラルな平成流対保守という図式で理解することもできない。原さんは、天皇明仁が宮中祭祀に非常に熱心であることに着目されていますね。
原　はい。明仁は「おことば」を通して、宮中祭祀ができなくなれば退位するしかないという意志をにじませたわけですが、なぜ彼が八五歳になってもまったく代拝をさせないのかというのは、わたしにとって最大の謎です。昭和天皇は侍従長の入江相政《すけまさ》の判断で、年齢に応じてすこしずつ代拝を増やして宮中祭祀の負担を減らしていきました。晩年にはほぼ新嘗祭しか行なっていません。
東　一般に天皇明仁は、カトリックの家に育った民間人の皇后美智子と軽井沢のテニスコートで出会って結婚というエピソードが象徴するように、欧米風の「開かれた皇室」像を導入した人物だと考えられています。ところが原さんの本を読むと、宮中祭祀にきわめて熱心な、むしろ保守的で伝統的な天皇像が浮かび上がってくる。両者は一見矛盾しているように見えますが、どうつながっているのでしょう。

原　明仁は「おことば」のなかで、象徴としての天皇の務めにはふたつの柱があると語っている。ひとつめは「国民の安寧と幸せを祈ること」。つまり「祈り」です。もうひとつは「時として人々の傍らに立ち、その声に耳を傾け、思いに寄り添うこと」[★4]。これは「行幸」のことだと解釈できます。

東　つまり天皇は、あの「おことば」で象徴天皇制をあらためて定義している。象徴天皇制の核心は「祈り」と「旅」であると。これができなければ象徴の資格がない。

原　明仁はそう考えている。だからこそいくら高齢でも自分で宮中祭祀を行い、それができなくなったら退位する。わたしの考えでは、この熱心さの背景には皇后美智子からの影響がある。万世一系を守るために宮中祭祀が重要といった自覚は昭和天皇も持っていたと思いますが、明仁の異様なまでの熱心さは神道だけでは説明がつかない。別の「信仰」が導入されたと考えるほうが自然でしょう。

東　それはたいへん興味深い視点です。美智子妃の信仰はカトリックですよね。

原　そこを明確にするのはタブーです。正田家がカトリックと非常に近いのは事実です。けれども彼女自身は受洗していないことになっている。結婚時に皇室会議で確認されている。けれども彼女がカトリックの強い影響下で育ったことはまちがいない。そうでなければ自然にひざまずくようなことは

★4　「象徴としてのお務めについての天皇陛下のおことば」、宮内庁ウェブサイト。URL=http://www.kunaicho.go.jp/page/okotoba/detail/12

できない。

東　とはいえ、天皇がカトリックに影響を受けるということがありえますか。

原　天皇家の長い歴史を見ると、仏教の影響は受けていますよね。奈良時代から江戸時代にかけて、出家した天皇はたくさんいます。天皇家は神道以外の宗教と巧みに融合して生き延びてきた。「おことば」でも「我が国の長い天皇の歴史」という言及がありますし、明仁はこうした歴史を当然認識していると思います。明治以降に話をかぎったとしても、国家神道の確立後、天皇家は神道一本になったと思われていますが、じつはそうでもありません。ここで鍵を握るのも皇后です。皇后は皇室に外から入ってくる。それはちがう宗教を持ってくることを意味します。これは美智子だけではなく、明治天皇の皇后美子《はるこ》（昭憲皇太后）も、大正天皇の皇后節子《さだこ》（貞明皇后）もそうです。

東　彼女たちはなにをもたらしたんですか。

原　昭憲皇太后と貞明皇后、どちらも非常に熱心な日蓮宗の信者でした。千葉県鴨川市の日蓮宗大本山・誕生寺には、昭憲皇太后が使っていた「御内佛」、すなわち仏壇まで展示されています。

東　ああ、なるほど！　原さんは『皇后考』で、好戦的で国家主義的な貞明皇后と夫である大正天皇の確執、さらには息子の昭和天皇への影響について書かれていますが、背景には日蓮宗の影響があったんですね。日蓮宗はたしかに、日本の仏教にしてはめずらしくきわめて政治的で、ときに戦闘的でもある宗派です。

原　鋭い。たしかに貞明皇后の性格の根っこには、幼少期から慣れ親しんでいた法華経があるのかもしれない。貞明皇后は、大正天皇が亡くなったときに棺に南無妙法蓮華経と書かれた紙をたくさん入れたといわれています。もちろん公式には残っていない話です。明治・大正はこうした観点からも見る必要があります。

東　となると、このように整理できますか。戦前の天皇制は、国家神道でありつつも日蓮宗との葛藤を抱えていた。それが戦後になると、日蓮宗が後景に退いたかわりに、こんどは美智子妃を通じてカトリックが入ってきた。

原　多少きれいすぎますかね。というのも、そもそも皇室は美智子妃以前からカトリックに近づいていたからです。そのあたりは『「昭和天皇実録」を読む』（二〇一五年）で詳述しました。たとえば昭和天皇は皇太子時代の一九二一年にヨーロッパを外遊していますが、このときバチカンを訪れ、当時のローマ法王ベネディクト一五世と一対一で会談しています。『昭和天皇実録』によれば、裕仁はそこでローマ法王じきじきに猛烈なカトリックの売り込みを受けたらしい。ローマ法王は、カトリックはその国の国体・政体を変えることはない、だから天皇制も変えることはない、むしろ将来日本とわがバチカンが相携えて進むときが必ず訪れると予言めいたことを言ったようです。これは裕仁に深い印象を与えたはずです。

東　うーむ。

原　香淳皇后も関心を示しています。戦中から戦後にかけて、彼女は野口幽香を極秘に宮中に招いて、なんども聖書の講義を受けている。また占領期には植村環もまた天皇と皇后に聖書を講義しています。

野口と植村はプロテスタントです。さらに占領期には、聖園《みその》テレジアという人物が頻繁に宮中に招かれている。彼女は日本に帰化したドイツ人で、「聖心愛子会」（のちの「聖心《みこころ》の布教姉妹会」）というカトリック修道女会の創始者です。昭和天皇は一九四七年に秋田を訪れた際に、わざわざその支部に立ち寄ったりもしています。同行した当時の宮内次官白根松介は、のちにその聖心愛子会がつくった聖園女学院の初代校長になったりもしている。昭和天皇の側近はかなりカトリックとつながっている。

東 カトリックと貞明皇后の関係はどうなっていたんでしょう。

原 直接の関係はわかりませんが、こうは言えるかもしれません。昭和天皇の母親にあたる貞明皇后は日蓮宗を信仰していましたが、法学者で神道思想家の筧克彦《かけい》と出会ってからのちは「神ながらの道」にのめり込んでいく。古神道にもとづく天皇中心の国家主義ですね。母親の信仰に天皇自身も引きずられたことが、結果的には終戦の決断を遅らせることにもつながった。昭和天皇はそれに対して深刻に反省をしたはずです。だから戦後、カトリックのようなきちんと教義や経典のある世界宗教に接近したということはあると思います。

東 たいへんおもしろい関係ですね。

原 おもしろいでしょう！　でも、そう言ってくれるひとは少ないんです。こんなことに関心を持つ皇室研究者もわたしくらいで、孤独なんですよ。今日は東さんが反応してくださってうれしいですね（笑）。

東 そうなんですか。ぼくには今日のお話は、むしろ明治以降の天皇制の歴史にすごくクリアな見通しを与えてくれるように聞こえます。まずは日蓮宗の影響を受けた貞明皇后が、「神ながらの道」に入り込んでしまった。それはほとんどカルトみたいなもので、実際に政治にも影響が出た。昭和天皇はそのことへの反省から、グローバルスタンダードであるカトリックを導入し、天皇制を信仰面でも近代化しようと企てた。

原　おおまかにはそういうことです。ただ、占領期はその点でより注目に値します。占領期の昭和天皇の動きは単純ではない。一方でマッカーサーと直接会談してさまざまな取引をするわけですが、他方でバチカンにも接近している。一九四八年一月には、聖園テレジアと並んで宮中にしばしば招かれたフランス人神父ヨゼフ・フロジャックが、天皇から託された親書を携えてバチカンに行っています。内容はわかりませんが、当時天皇は改宗するのではないかという報道があった。わたしはその可能性はあったと考えています。

東　改宗し、退位するということですか。

原　退位はGHQによって封じられていました。だから別の責任の取り方として、神道を捨てる可能性が浮上した。

東　それもまた占領軍が阻んだ？

原　考えられます。彼らは天皇制を日米同盟のなかで管理したかったでしょうから。

東　裏返せば、昭和天皇は、天皇制が占領軍に完全に支配されることを避けるためにカトリックに接近したとも考えられる。

原　当然考えられます。けれども結局は、サンフランシスコ講和条約と日米安保条約が結ばれることで、昭和天皇は日米同盟に組み込まれる。ここで深読みすれば、天皇裕仁にとってそれに代わるものとしてあったのが、皇太子明仁と美智子の結婚ではなかったかと思います。というのも、一九五八年にふたりの婚約が発表されたときには、皇后も含め、旧女性皇族の強い反発があったんですね。けれども昭和天皇だけは一貫して結婚を支持している。美智子妃に大いに期待していると入江相政に言っている。そこには大きな意味があるはずです。

東　つまり、貞明皇后の重力から脱出し、日米体制からも離れ、カトリックを導入しようと企てていた昭和天皇にとって、美智子妃はたいへんよいカードだった。美智子妃がカトリックを天皇家に持ち込んだわけじゃなくて、そもそものまえに昭和天皇が持ち込んでいて、だからこそ美智子妃は選ばれた。

原　そういうことです。

東　そして天皇明仁の平成流はそれを受け継いでいる。整理すると、まず第一に天皇明仁の宮中祭祀へのこだわりはたんに国家神道への回帰とは言えず、美智子皇后の影響が強い。けれども第二に、だからといってそれが昭和的な国体への抵抗というわけではなく、それそのものもまた先代の企ての継承だということですね。なんとも複雑な構図ですが、こう見てくると平成流をリベラルとだけ評価し、保守と対置するのがあまりに浅薄な議論であることはあきらかです。そんな単純な話ではない。

原　そのとおりです。昭和天皇にしても天皇明仁にしても、相当な策士というか政治家だと思います。

皇后美智子の保守性

東　ここでふたつめの論点、ジェンダーの問題に移りたいと思います。正確には、皇室が日本社会のジェンダー観に与える影響の問題です。さきほどから平成流のリベラルなイメージは皇后美智子によるところが大きいと議論されていますが、一方で美智子妃はきわめて保守的な女性でもある。良妻賢母の鏡のようなひとで、大学を出てすぐ結婚している。外務省のキャリアウーマンだった令和の皇后雅子とは対照的です。さらにくわえて言えば、ミッチーブームに熱狂したのは、まさに美智子妃と同世代の団地の専業主婦たちだった。

ここで原さんの別の研究が関係してきます。原さんは天皇研究のかたわら公団住宅、すなわち団地の研究でも知られ、『滝山コミューン一九七四』（二〇〇七年）、『レッドアローとスターハウス』（二〇一二年）、『団地の空間政治学』（二〇一二年）といった著作を出版されている。そこで原さんが注目してきたのが、一見見過ごされがちな、昭和三〇年代から四〇年代の団地に住んでいた「主婦」たちの政治性だったと思います。美智子妃と彼ら同世代の「団地妻」たちは、どのような関係を切り結んでいたのでしょう。

原　そこで注目したいのが、一九六〇年九月に皇太子夫妻がひばりが丘団地を訪れたことです。なぜ訪れたのか。手がかりとなるのはそれが訪米直前だということです。当時の団地は輝かしいあらたなライフスタイルのシンボルでした。要するに団地がいちばんアメリカに近い場所だと考えられていた。

上下水道完備、シリンダー錠、水洗トイレ、ステンレス流し台と、当時の最先端の生活が団地で実現されていた。そして、そこで暮らしていたのが皇太子夫妻とほぼ同世代の若い夫婦たちだった。もっとも現実には、日本の団地はアメリカというよりソ連型の集団住宅建築だったんですけどね。

東　その構造が団地住民の独特の左翼性を育んだというのが、原さんの分析ですね。

原　そうです。いずれにせよ、ここでおもしろいのは、このひばりが丘団地の主婦たちがけっこう偉そうなんですよ。当時の新聞を見ると、「今日の美智子妃のファッションは何点ね」とか、上から目線で発言していたりする。

東　なんと。いまならばSNSで即座に炎上ですね（笑）。

原　つまり、当時の団地住民には、美智子妃と張りあえるくらいのステータス意識があった。コンクリートの団地は周囲の雑木林や農村とはまったく異なる近代的な空間だし、そもそも公団の団地は都営の団地とちがって、一定以上の月収じゃないと入れなかった。

東　「以下」ではなくて「以上」ですか。

原　そうです。団地に入居し先進的なライフスタイルを維持するには、それなりの収入が必要だと考えられていた。基準はけっこう高いです。最初の入居者には医者や高級官僚、大学教授がいました。いまで言えばアッパーミドル層です。

東　つまりは、昭和中期のアッパーミドル層が新しいライフスタイルのロールモデルとして受け取ったのが、皇太子夫妻だったと。他方で、良妻賢母型の美智子妃がのち平成に入っても強いロールモデルでありつづけたことに対しては、いまとなっては否定的な効果も指摘できると思いますが、いかがですか。

原　そこは雅子妃と比較ができるところです。美智子妃は聖心女子大学を出て、就職することなくそのまま宮中に入り、翌年に早くも男子の徳仁を産んでいます。最終的に三人の子どもを産みますが、乳母を廃止して三人とも母乳で育てたり、東宮御所にキッチンを設けて自分で料理をしたりする。つまり彼女は宮中に「マイホーム」をつくったわけです。そこが同時代の団地の専業主婦と共通している。夫が外に働きに出て、妻は家のなかで家庭を守るというモデルですね。皇太子夫妻の家庭はまさにそのような「昭和的なマイホーム」の理想として受け取られる。むろん美智子妃は地方巡啓に同伴しますが、ただ彼女はそのようなときは、新聞に向けてつねに子どもを心配する発言をしています。そして家族旅行を「徳仁がいまひとりでお留守番していること」をけっしていいとは思っていない。そして家族旅行を始める。

東　家族旅行もはじめてだったのですか。

原　そうです。昭和天皇ではありえないことでした。そもそも昭和天皇と香淳皇后は子どもとほとんど同居していない。長女の照宮（東久邇成子《ひがしくにしげこ》）は小学校入学まで自分たちで育てたのですが、これが貞明皇后や弟の高松宮から強い批判を浴びる。甘やかしている、第三者に預けて厳しく育てるべきだと。だから明仁も結局は別居して育てられています。

東　マイホームをつくるという点でも、天皇明仁は昭和天皇が実現できなかったことをかわりに実現している。

原　彼らの最初の本格的な家族旅行は一九六四年、四歳の徳仁といっしょに南房総に行っています。両国から準急「内房2号」に乗って館山に向かいました。これはあくまでも私的な旅行でしたが、地元ではあらかじめ知られていたらしく、千葉駅のホームにひとが殺到した。その様子が千葉日報で大々的に報道されています。そのあとになると、奥浜名湖の小さな岬にある一般企業の保養所を貸し切り、毎年夏を過ごすようになります。保養所といっても、せいぜい一〇〇平米あまりしかない小さな平屋建ての家で、ほんとうに家族水入らずで泊まるわけです。明仁一家がここでなにをやるかというと、近所の子どもたちといっしょに水泳したり、花火をしたり、野球の試合をしたりする。

東　それは報道されないんですか。

原　全国紙はほとんどしていません。静岡新聞はしています。

東　なるほど……。それにしても、原さん、詳しすぎませんか（笑）。

原　『平成の終焉』を書くためにどれだけ苦労したかということですよ！　毎日毎日国会図書館新館四階の新聞資料室に通い、北海道から沖縄県までの地方紙をひたすら閲覧しつづけ、ついに職員から、毎度ありがとうございますとまで言われるようになった（笑）。この本の最後には行幸啓のリストがありますが、それでも家族旅行に関してはすべてを拾いきれていない。先日、天皇や皇族がよく泊まっている千葉県鴨川市のホテルに行ってみたら、皇室コーナーがあって、見落としていた皇太子夫妻の旅行が年表に載っていた、なんていうこともあります。悔しいですね。

宮中祭祀のゆくえ

東　ジェンダーの話に戻ります。令和では皇后は雅子妃になります。彼女はいまは国民のまえにほとんど出てこない。実際に皇后になったときにどういう行動を起こすのか。それが皇室を、また日本社会の女性観を変える可能性はあるのでしょうか。

原　雅子妃は外交官として第一線で活躍していた女性です。そういう女性が仕事をやめて宮中に入ったというのは、美智子妃との決定的なちがいです。くわえて、雅子妃にはなかなか子どもが生まれず、やっと生まれたのが女子だった。美智子妃が結婚翌年に男子を産んだのとは対照的です。雅子妃は最後まで、男子を産むというプレッシャーから解放されることがなかった。

雅子妃の今後を考えるうえでは、宮中のしきたりへの不適応が重要です。美智子妃も不合理なしきたりには多少苦しんだようですが、結果的には受け入れている。ところが雅子妃はそうではない。美智子妃は宮中祭祀に熱心であるのに対して、雅子妃は逆です。二〇〇三年一〇月以降、天皇皇后（現上皇上皇后）が出た宮中祭祀への出席はいちどもない。

東　その点は『平成の終焉』を読んで驚きました。天皇明仁は雅子妃のそのような姿勢をどう考えているんでしょう。

原　いいとは思っていないでしょう。雅子妃は天皇皇后が不在のときにかぎって宮中祭祀に出ている。全身全霊で祈っているあのふたりがいると、プレッシャーを感じてしまうのかもしれない。

東　天皇皇后夫妻との関係で言えば、天皇明仁の「おことば」は当然次代の天皇に対するメッセージでもありますね。彼はそこで「祈り」を強調した。徳仁・雅子夫妻はそのメッセージをどう受け取るだろうとお考えですか。

原　そこで重要なのが、徳仁が二〇〇六年二月二三日の誕生日に行なった会見です。彼はそこで「宮中で行われている祭祀については、私たちは大切なものと考えていますが、雅子が携わるのは、通常の公務が行えるようになってからということになると思います」と言っている[★5]。つまり、当面雅子は祭祀に関わらないと明言している。

東　天皇明仁への一種の反論になっている。

原　徳仁は存在感が薄いと思われていますが、言うときは言うひとです。いちばん有名なのは、二〇〇四年五月一〇日のいわゆる「人格否定発言」ですね。「それまでの雅子のキャリアや、そのことに基づいた雅子の人格を否定するような動きがあったことも事実です」という発言です[★6]。あの発言には天皇も秋篠宮も困惑してしまった。徳仁としては相当腹に据えかねたことがあったんでしょう。二〇〇六年の会見でも、それぞれの代にはそれぞれのやり方があると言っている。

東　天皇明仁は新しい皇室像をつくったように見えて、じつは昭和天皇の理想をかわりに実現したところがある。裕仁と明仁には連続性がある。徳仁が、息子として父・明仁の理想を引き継ぐところはないのですか。

原　そこはよくわかりません。とにかく美智子妃と雅子妃が決定的にちがう。そもそも宗教的な資質がないと宮中祭祀を熱心にやるのはむずかしい。美智子妃にはあらかじめその資質があった。雅子妃にはそれはないかもしれない。

東　雅子妃は和歌もあまりうまくないといわれています。歌と祈りは天皇制の歴史のなかで密接に結びついていますが、彼女はそういうものが全般的に苦手なのかもしれない。そうすると令和の時代の皇室はどうなるのか。

原　わたしは、雅子妃がかなり思い切った改革をやる可能性があると考えています。宮中祭祀はあくまでも天皇家の私的な行事です。徳仁が天皇になり雅子が皇后になれば、彼らふたりの意志で宮中祭祀を簡略化しようと思えばできる。そもそも宮中祭祀のほとんどは明治につくられたもので、明治天皇はそれがにせの伝統だとよくわかっていた。そのせいか、日清戦争以降はほとんど代拝です。戦争に勝ったら、ばかばかしくて祭祀なんてできなくなったのではないか。大正天皇もだいたいそうです。だから令和になって宮中祭祀の形態が変わるのも、ありえないことではない。

東　裏返せば、天皇明仁は、そんなにせの伝統を本物にしようとした天皇だった。

原　そう言えますね。

★5　「皇太子殿下お誕生日に際し（平成18年）」、同前。URL=http://www.kunaicho.go.jp/okotoba/02/kaiken/kaiken-h18az.html

★6　「デンマーク・ポルトガル・スペインご訪問に際し（平成16年）」、同前。URL=http://www.kunaicho.go.jp/okotoba/02/gaikoku/gaikoku-h16az-europe.html

東　うーん！　これもまたじつにおもしろい。天皇明仁は、明治期に人工的につくられた宮中祭祀をはじめて真に受け、それを天皇制の中心に据えた天皇だった。つまり、彼が「おことば」で提起したように、祈りを中心とする象徴天皇制のすがたこそが、じつは明治以降の近代天皇制＝国体の完成としてあった。これは、世間一般に言われているものとはかなり異なる天皇明仁像であり、平成像であると思います。そのうえで、令和のあらたな天皇徳仁には、そのにせの伝統を引き継ぐのか、あるいは解体するのかという選択肢が与えられている。

原　そう。そしてそこでは雅子妃こそが決定的な役割を果たすはずです［★7］。

東　そこから皇后美智子とは異なった新しい皇后＝女性像が生まれるのであれば、日本社会も大きく変わるかもしれません。

あらたな天皇像は生まれるか

東　議論はすでに、三つめの論点である「ポスト平成」に入っています。いままで議論してきたように、令和と名づけられたポスト平成時代には、新天皇徳仁と新皇后雅子の選択によって天皇と皇室のあり方が大きく変化する可能性がある。ぼくたちはそれをどう捉え、どう評価するべきなのか。たとえば、明治以前からあった新嘗祭と四方拝あたりを残して、宮中祭祀が一気になくなったとしたらどうなるでしょう。

原　天皇家の歴史から言えば、江戸時代のすがたに戻るだけです。しかし、二〇一六年に天皇明仁が宮中祭祀こそが象徴天皇の務めの二大柱のひとつだと言ったわけですから、その点ではたいへんなことになる。

東　逆に平成を引き継ぐ選択をした場合は、雅子妃の存在が問題になってくる。皇后雅子が宮中祭祀を受け入れるのか、受け入れないのか。受け入れなかった場合、彼女は改革に乗り出すのか、それともたんに引きこもるのか。

原　そしてもうひとつ、天皇明仁が象徴天皇制のふたつめの柱とした行幸啓がどうなるのか。この点でまず注目すべきは、この六月はじめに予定されている、ふたりが即位してはじめての行幸啓となる愛知県の全国植樹祭です［★8］。

東　そこに皇后雅子が出席するかどうかが鍵になる。

原　まずはそうです。そして出席したとしても、どのような日程が組まれるのかが大事です。行幸啓

★7　本対談ののち、新皇后となった雅子妃は、最初の定例の宮中祭祀となった二〇一九年六月一六日の香淳皇后例祭をはじめ、定例の祭祀にはいちども出席していない（二〇二〇年二月現在）。

★8　原はのち二〇一九年六月一日から一泊二日で行われた天皇徳仁、皇后雅子初の行幸啓について、地方訪問の際に福祉施設を訪れる点では平成皇室のやり方が受け継がれているが、これまでの行幸啓よりは日程が短いと指摘している。原武史「新天皇と雅子皇后、初の地方訪問が示す『皇室大変革の予感』」、『現代ビジネス』、二〇一九年六月一日。URL=https://gendai.ismedia.jp/articles/-/64834

には全国植樹祭や国民体育大会など定例のものがあります。けれど平成の天皇皇后夫妻は、定例行事に出席するという名目で、じつは各県にある福祉施設を重点的にまわっていた。むしろそちらに力点が置かれていたと言っていい。もしも令和になって、新天皇皇后夫妻が杓子定規に開会式にだけ出席してすぐに帰るようになれば、行幸啓の意味はがらりと変わります。行幸啓についても、あくまでも最低限の公務しかやらないというスタイルが出てくる可能性がある。

東　言い換えれば、天皇の公務をふたたび憲法で規定された範囲内に戻す可能性がある。原さんが『平成の終焉』で指摘されていることですが、「おことば」における象徴天皇制の定義は、じつは憲法を逸脱しているとも言える。天皇明仁は、あそこで象徴天皇制について、現憲法には書かれていない定義を示しているのだから。

原　そうです。憲法には象徴という言葉は出てきますが、象徴とはなにかについての定義は存在しない。

東　天皇明仁は、象徴天皇制について、憲法で定義されていないところまで踏み込んであらたな定義を提示した。それを天皇徳仁が引き継ぐのか。あるいは引き継がず、宮中祭祀も行幸啓も最低限の公務にまで戻すのか。原さんはどちらがいいと考えていますか。

原　どちらがいいか悪いかというよりも、これはパートナーの問題ですね。いまの天皇制は天皇単独では成り立たなくなっている。皇后の考えに大きく左右される。

東　では質問を変えますが、いわゆる平成流を継承するのかそれとも変えるのか、どちらが今後の日本にとってよりよい皇室のすがただと思いますか。震災以降、天皇の存在は非常に大きなものになっている。その状態のまま、「祈り」と「旅」のあらたな国体を徳仁が引き継ぎ、秋篠宮に渡す未来が好ましいのか、それとも宮中祭祀と行幸啓を簡略化し天皇そのものの影響力も縮小していくほうが好ましいのか。

原　うーん。なかなか答えにくい問題ですが……。そもそもなぜ平成において天皇と皇后の存在が大きくなったのかというと、それは地震や津波、台風、水害、火山の噴火などの大災害が頻発したからです。つぎの令和という時代には、なるべく大災害が起こらないほうがいい。そうすれば天皇皇后が外に出ずに済みますし、存在感も大きくならないはずです。

東　なるほど。災害の有無に依存する。

原　そうです。完全に依存しています。むろん災害はないほうがいい。天皇も皇后もそれを祈っている。ところが実際にはつぎからつぎへと災害が起こって、そのたびに天皇と皇后が出てきて祈るので、結果的に存在感がどんどん大きくなっていった。それが平成期の天皇制です。本人たちがこのことについてどう考えているのか、聞いてみたいですね。

東　そう考えると、天皇とは皮肉な存在ですね。

原　関東大震災のとき、貞明皇后はこれは神のいさめだと和歌に詠みました。皇室が神にちゃんと祈らないから震災が起こったのだと考えたんです。実際に関東大震災の前年、のちの昭和天皇である皇太子裕仁は摂政になってはじめての新嘗祭を行わず、松山でビリヤードに興じていた。貞明皇后はそれが許せなかった。それで祈りの重要性をますます強調するようになるんです。

東　興味深い歴史です。天皇明仁の宮中祭祀重視は、起源をたどると関東大震災につながる。関東大震災後と東日本大震災後、ともに祈りがまえに出てきて、天皇の存在感が大きくなる。貞明皇后と皇后美智子はまったく対照的な人物ですが、そこは重なっている。

そこでもうひとつうかがいたいのですが、令和において皇室の家庭観やジェンダー観はどうなるとお考えですか。昭和後期から平成にかけて、天皇明仁と皇后美智子の夫妻は、同世代の国民の理想の夫婦像や家庭像を担ってきた。そこはどうなっていくのか。

原　美智子妃と雅子妃では、メディアでの自己演出がまったくちがいます。天皇明仁と皇后美智子の夫妻は、外に出るときは必ず天皇がまえで、皇后はそのすこし後ろを歩くようにしています。会見でも皇后は天皇を立てる。徳仁と雅子の夫妻はそういうことをやりません。むしろ、内親王愛子と三人で、完全に家族横並びの場面をわざとテレビに撮らせたりしています。徳仁は登山が趣味で、雅子が体調を崩すまではよくふたりで山に登っていました。そこでもふたりは並んでいます。どちらかがまえでどちらかが後ろというわけではない。

そうするとむしろ雅子妃がもっとまえに出てくる可能性もある。そこでは彼女の外交官としてのキャリアが鍵になると思います。そしてそれこそが「平成流」を変えるかもしれない。というのも、平成の天皇皇后夫妻は、第二次大戦で戦地となった国外の場所を訪れる慰霊の旅を積極的に行なっている。この旅はふたりの意向が反映されたものです。ところが、訪問した地域を見ると、南の島に集中していて大きく偏っている。つまり、日本兵が犠牲者になった場所には行っているのだけれど、日本兵が加害者になった場所には行っていないんです。令和の時代に徳仁と雅子がもしこの旅を引き継ぐとすれば、ちがう場所に行く可能性があるのではないか。

東　そこで中国東北部や朝鮮半島など、「北」に行くようになったら興味深いですね。最近ぼくは満洲の問題に関心を持っているのですが、どうも戦後知識人にとって「北」は鬼門になっているような気がします。吉本隆明の南島論に代表されるように、みんな南についてばかり考えている。そこには無意識の回避があったのかもしれません。

考えてみれば、そもそも天皇制はシャーマニズムの一種であり、北東アジアとこそ深く結びついている。実際、戦前には満洲や朝鮮にこそ天皇制の起源があるという議論があったし、溥儀は建国神廟をつくって国家神道を満洲国に移植しようとした。平成期の慰霊の旅が南に偏っているという指摘は、そういう歴史を考えるととても重要だと思います。もし、令和の新しい天皇が、かつて日本人が加害者になった地域にまで行き慰霊を担うようになったとしたら、それはたいへん画期的なことです。

原　右派はなによりそれをいやがるでしょう。さまざまな可能性を考えると、彼らが望むのはおそらく、皇后雅子がこのまま療養中で、天皇徳仁だけが国民のまえに出てくるような状況です。明治期や昭和期のように、皇后の存在感が薄い皇室像ですね。

東　けれども、徳仁はそれを望まないでしょう。彼が、かたわらに雅子妃がいない状態で、ひとり強い天皇として提灯奉迎に応えるのかというと、とてもそうは思えない。

原　同感です。徳仁はその点で大正天皇と似たところがあります。大正天皇は、軍事的な行幸などよりも、日光や葉山で乗馬やヨットに興じているのが好きな人間味溢れるひとでした。徳仁も性格的に非常に気さくなことで知られています。登山でも、あまり警備をつけずに単独で山に登って、周りの登山客に親しく声をかけてくるらしい。徳仁が右派に黙って持ち上げられるような人物であるとは、あまり考えられないですね。

令和以後に天皇を語ること

東　ここまで平成から令和への変化をどう見るか、議論をしてきました。けれども天皇制は令和のさきも続きます。徳仁は六〇に近い年齢での即位となります。そう考えると令和はそう長くは続きえない。後継者としてはまずは皇嗣の秋篠宮文仁がいて、さらにその子の悠仁親王ということになりますが、その継承もはたしてこれまでどおりにいくのか。たとえば、徳仁が生前退位をし、令和が短く終わる可能性についてはどうお考えになりますか。

原　その可能性はかなりあると思います。天皇明仁の生前退位は一代かぎりの特例法によるものということになっていますが、有識者会議の座長代理だった御厨貴《みくりやたかし》さんが言うようにこれは前例になりえるんです。今後はあきらかに譲位をしやすくなる。

東　皇嗣文仁が即位したとき、皇室はどうなるのでしょう。皇嗣妃紀子は宮中祭祀に熱心なようです。

原　秋篠宮は次男で、本来は天皇になるはずがなかったひとです。そのようなひとは天皇とはなにかを強烈に意識する傾向があります。江戸時代の光格天皇がそうでした。彼は前代の天皇と七親等も離れていて、本来は天皇になれない存在だった。それゆえに光格天皇は強い天皇としての意識を持った。秋篠宮もそうした意識を持つかもしれません。その場合にはやはり平成がモデルになると思います。皇嗣妃紀子も平成の皇后を強く意識していますから、宮中祭祀に熱心になるかもしれない。

東　つまり、天皇徳仁と皇后雅子が「平成流」を変えたとしても、ポスト令和に揺り戻しが起こるかもしれないということですね。天皇明仁は表面的にはリベラルに見えながらも、じつは昭和天皇の理想を引き継ぎ、あらたな国体をつくり上げた強い天皇だったというのが今日のお話でした。つぎの令和が「弱い天皇」の時代になるとしたら、そのさらにつぎのポスト令和は「強い天皇」の時代に戻り、平成流をもういちど強化する可能性がある。

原　まさに昭和がそうでした。昭和はたんなる明治の回帰ではなく、むしろ明治的なものをより強めていく時代だった。同じことが起こるかもしれません。

東　祈りと旅を核とする象徴天皇制は、そこでついに完成するのかもしれない。とはいえ、そのあとは継承者の問題が本格的に出てきます。ここで最後、あらためて原さんに、天皇制そのものについての評価をうかがいたいと思います。ひとことで言えば、この国は天皇制を継続するべきかどうか。継続するために、どこまで無理をするべきなのか。

原　たいへんむずかしい問題です。わたしの立場からは、廃止したほうがいいとも維持したほうがいいとも言えません。ただひとつだけ言えるのは、天皇制がなくなる可能性を排除してはいけないということです。天皇明仁の「おことば」に教訓があるとすれば、それは、象徴天皇制とはなにかということをこれからは国民自身が議論すべきだということです。象徴天皇の務めを天皇が定義するというのは、本来はおかしい。それは国民一人ひとりが考えるべきことだからです。ところが今回は、国民が「おことば」を無批判に追認することで、われわれがいままで天皇とはなにかについてまともに考えてこなかったという事実が明るみに出てしまった。

東　ふだんからは議論せず、上からきた「おことば」を無自覚に追認してしまうというのは、いわゆる「空気」の問題でもある。この国はその点では戦前から変わっていない。今日は令和時代に天皇徳仁が宮中祭祀の改革をすることを期待したいといった話をしましたが、そちらにしても、天皇がそれを発表したらまた国民は「そうそう、おれたちも宮中祭祀は無駄だと思っていた」とか言いだすのかもしれない。でもそれではいけない。天皇がリベラルか保守かといった問題以前に、ほんとうは、天皇に勝手に自分たちの思いを仮託する、その構造をこそ変えなければいけない。

原　同じように、天皇制を続けるかどうかも、本来は国民が決めるべきです。たとえ女性天皇や女系天皇を認めたとしても、女性が子どもを産むことを強制されるシステムであること自体に変わりはありません。そう考えると、女系天皇を認めるかどうかといった問題に話を限定せず、そもそも天皇制を廃止する可能性や、もし廃止したらこの国はどうなるかについても考え、議論しておく必要がある。その点で、二〇一六年の「おことば」は重要なきっかけになるものだった。象徴天皇制にさまざまな無理があるということについて、これからはわれわれ自身が率直に議論していかなければならない。皇后雅子は、いまの皇室の環境に不適合を起こしてきたがゆえに、そのような議論のきっかけになる可能性があります。

東 原さんのお仕事は、抽象的で大仰な天皇論が多いなかで、天皇が一人ひとり個性を持った「人間」で、それぞれが意志や欲望を持って行動しているというあたりまえのことを教えてくれる、じつに貴重なものです。原さんは天皇や皇室を徹底して脱神秘化して語ってくれる。今日はそのような視点から、来たるべき令和の皇室をどう見ればよいのか、示唆に富むお話を聞くことができたと思います。天皇徳仁はひとりの人間であり、皇后雅子もひとりの人間であり、われわれもまたひとりの人間である。令和の時代は、そういう距離感を持って天皇について議論する必要があるのでしょう。本日はありがとうございました。

生きることとつくること

飴屋法水＋
柳　美里

2020年1月31日

飴屋法水
あめや・のりみず

1961年生まれ。演出家・劇作家。1978年、唐十郎の「状況劇場」に参加。1983年「東京グランギニョル」結成、演出家として独立。その後、発表をレントゲン藝術研究所など美術の場に移す。1995年にアニマルストア「動物堂」を開業、動物の飼育と販売に従事しながら、「日本ゼロ年」展（1999年）などに参加。2007年、平田オリザ作「転校生」の演出で演劇に復帰。2014年、『ブルーシート』で岸田國士戯曲賞受賞。著書に『彼の娘』（2017年）など。

柳 美里
ゆう・みり

1968年生まれ。高校中退後、劇団「東京キッドブラザース」に入団。1987年に演劇ユニット「青春五月党」旗揚げ。1993年、『魚の祭』で岸田國士戯曲賞を最年少受賞。著書に『フルハウス』（1996年、野間文芸新人賞、泉鏡花文学賞）『家族シネマ』（1997年、芥川賞）『命』4部作（2000－02年）『8月の果て』（2004年）ほか多数。2018年、福島県南相馬市小高区に本屋「フルハウス」、演劇アトリエ「LaMaMa ODAKA」をオープン。同年「青春五月党」の復活公演で劇作家・演出家としての活動再開。

災害と演劇

東浩紀　この鼎談はぼくの対談集の最後に置かれます。同書では、いくどか芸術の使命が話題になりました。ぼくの専門の哲学も芸術に深く関わっています。

けれども、現代では芸術と政治の関係ばかりが話題になり、より本質的な「そもそもなぜ人間は芸術作品をつくるのか」という議論がなされる機会は少ない。そこでこの対談集を締めくくるにあたり、「生きること」と「作品をつくること」の関係について、両者をたいへんストレートに結びつけて活動されているように見える柳美里さんと飴屋法水さんにお越しいただきたいと考えました。今日はよろしくお願いします。

柳さんは平田オリザさんとともに、「浜通り舞台芸術祭２０２０」を企画されています。二〇二〇年の夏に福島県いわき市で開催されるこの芸術祭では、柳さんの新作戯曲を飴屋さんが演出する公演があるとのことで、いまから楽しみです。まずはこの新作のお話からうかがえますでしょうか。

柳美里　正直に言うと、制作資金集めに難航しています（新型コロナウイルス感染拡大の問題も深刻です）［★1］。当初予定していた浜通り全域での開催はむずかしいので、規模を縮小して行い、二〇二〇年をゼロ回、東日本大震災と東京電力福島第一原子力発電所での事故から一〇年目の二〇二一年を第一回にする方向で調整しています。

飴屋さんに演出をお願いした『境界の城』は、今年は、戯曲のリーディングなのか、鉛筆で下絵を描くようなイメージでとりあえず演ってみるのか、それは飴屋さんと相談しながら進めたいと思いますが、二年かけて完成させる、その過程をオープンにするという試みもおもしろいのではないか、とわたしは考えています。

『境界の城』は、福島と宮城の県境にある宮城県丸森町が舞台なんです。丸森町は、福島県外でありながら、福島第一原発の事故によって、除染基準を上回る放射性物質汚染が問題となった場所です。

そして、二〇一九年一〇月一二日に上陸した台風一九号では、阿武隈川の下流域に位置する丸森町は、大規模な河川氾濫と土砂災害に遭い、一一人の犠牲者を出すことになりました。被災した道路や河川や堤防や橋、農地や溜池や水路、店舗や工場や家屋などは、まだ復旧していません。何年かまえから丸森出身の歴史・宗教学者、佐藤弘夫教授の案内で丸森の史跡を歩いているんですが、台風一九号と豪雨被害以降はなかなか足を向けることができません。わたしの自宅も南相馬市の河川氾濫ハザードマップでは浸水域に入っていたんですが、ぎりぎり大丈夫だったんです。でも、自宅から徒歩五分の場所で二五歳の市職員の男性が車ごと水没して亡くなって……その道は毎日行き来するので、毎日、悲しいし、つらいです。それで、なかなか丸森に行けない……。

『境界の城』の上演場所は、丸森ではなく南相馬市内の馬事公苑なので、上演が難しくなったというわけではないんですが、精神的に……。

東　原町の雲雀ヶ原にある相馬野馬追の会場とはちがうのですか。

柳　雲雀ヶ原祭場地と馬事公苑はちがう場所です。南相馬市は三つの区で構成されていて、北から鹿島区、原町区、小高区です。わたしが暮らしている小高区は福島第一原発から半径二〇キロ圏内で、全域が原発事故によって「警戒区域」に指定された地域なんですが、馬事公苑は原町区と小高区のあいだに位置します。このあいだ、飴屋さんと、飴屋さんの娘のくるみさんと三人で行ってきました。くるみさんにも出演をしてもらいたいんです。くるみさんは黒目が美しい少女で、目を見ていると、秒針の音に耳を澄ましている気がするというか、時の波紋が広がるんです、自分のなかに。だから、時を行き来する時間の役を書きます、くんちゃんに。

東　楽しみですね。馬が出てくる話になるとも聞きました。上演場所がさきに決まっていたのでしょうか。

柳　丸森が舞台となる物語を書きたいというのが最初にあったんです。時代劇の範疇に入るのかどうかは書いてみないとわからないんですけど、時を経ても消えずに残る傷、土地が抱えるトラウマにつ

★1　鼎談収録後、新型コロナウイルスの感染拡大が世界的に問題となり、二〇二〇年三月現在、演劇やスポーツイベントなどの自粛が続いている。こうした状況を踏まえ、鼎談後、『境界の城』の上演についての情報を一部修正・加筆した。

いての物語になりそうな予感がしています。

歴史をさかのぼると、丸森は相馬中村藩と伊達藩の国境にあり、戦国時代には戦の最前線になっていた土地なんです。安土桃山時代に、相馬中村の佐藤為信という武将が城ごと伊達に寝返り、援軍に来た相馬中村の二〇〇人ぐらいを切り殺してしまう、という事件が起こります。もしそのとき為信が寝返らなければ、丸森は宮城県の南限地ではなく福島県の北限地になっていたかもしれない。

史実を土台にして、史実としては残されていない細部を想像で埋めていく時代劇ではなく、時間に落とし穴をつくって、蓋を踏み抜くと、時間の底に落ちる。あるいは、その穴から過去の出来事が痛みとともに噴き出してくる。穴に手を突っ込んで、くるんと裏表にひっくり返したり……まだ、イメージにすぎないんですけどね。そこでくんちゃんの存在が鍵になるわけです。『不思議の国のアリス』の冒頭で、懐中時計を見ながら、遅刻する、たいへんだ、と穴に飛び込む白ウサギみたいに、別世界に観客を誘う役です。

東　飴屋さんはどういう経緯で参加されることになったんでしょう。

飴屋法水　いきなり言ってくださったんですよ、宣言のように（笑）。昨年、柳さんが南相馬の小高でやっているLaMaMa ODAKAに、新作を見に行ったんです。五反田団の前田司郎さんが演出する『ある晴れた日に』（二〇一九年）です。一〇月の終わりでした。初日の直前にふたたび豪雨に見舞われ、南相馬市全体に避難指示も出た。小高は浸水していた。柳さんの劇場も浸水してしまうかもしれない。心配になって「初日は開くの？」とメッセージを送ったんです。そしたらいきなり「開きます。

来たらトークしてね」と言われ、引き受けたらこんどは「次回は演出してくださいね、来年のオリンピックの時期に、馬といっしょにね」と。しかも「時代劇です」と言われたのはそのトークの壇上です。

東 そりゃいきなりだ（笑）。オリンピックにあてるんですね［★2］。

柳 東京オリンピックにぶつけるというよりは、七月最終週の土曜、日曜、月曜に行われる相馬野馬追との連なりのほうが重要でした。野馬追の最終日に行われる野馬懸です。野馬懸は、相馬氏が最初に築いた小高城跡地の小高神社で行われるんですが、わが家から徒歩一〇分の場所です。最も神事の意味あいが強い儀式で、白装束に身を包み、白鉢巻をしめた御小人《おこびと》たち十数人が素手で裸馬を捕まえて神前に奉納し、相馬地方とそこで暮らす人々の安寧を祈ります。その祈念をもって野馬追のすべての行事が終わるんですが、午前中までなんです。午後から「浜通り舞台芸術祭」を始めたい。最終日は、盆入りの前日です。今年でいうと、七月二七日月曜日から八月一二日水曜日までの一七日間ですね。「浜通り舞台芸術祭」は、安寧の祈念で始まり、死者の追悼で終わります。

東 それが結果的にオリンピックに重なっている。

★2　二〇二〇年の東京オリンピックは七月二四日から八月九日までの開催を予定していたが、同年三月二四日、先述のコロナウィルスの影響から、一年の開催延期が決定した。

飴屋　ぼくはいま建設中の国立競技場のすぐわきに住んでいるんです。古い競技場の解体から、工事の過程もずっと見てた。オリンピックが決まって以来、周囲がすさまじい速度で変わっていった。駅も改修され、古い家屋がどんどん壊され、つぎつぎと新しいマンションが建てられていく。そもそもぼくが住んでる古いマンションはぼくが生まれた一九六一年に竣工していて、おそらく六四年の東京オリンピックに向けて建てられたものでしょう。そんな反復のどまんなかで暮らしてるから、オリンピック開催中はたいへんなことになりそうだと思っていた。けれど、どうやらその時期には南相馬にいることになりそうです。

東　運命的ですね。そもそもおふたりはいつから知りあいなんですか。

飴屋　はじめてお会いしたのはチェルフィッチュの舞台『フリータイム』（二〇〇八年）を観に行ったときです。じつはその日のトークゲストが東さんだったんですよ。東さんが、トーク相手の岡田利規さんがすごくゆっくりしゃべることに「それは演技なんですか？」と、そう、すこし苛立ちながら問いかけていたのを覚えています。その客席に柳さんもいて、出るときにばったり会ったんです。

東　え、あの会場にふたりともいらしていたんですか！　アフタートークは得意ではないので、恥ずかしい……。

柳　わたしは、飴屋さんがやっていた東京グランギニョル（一九八三－八六年）の作品はぜんぶ観ているんですよ。ある劇団の作品を、一作も逃さずに観るなんてことは、グランギニョルが最初で最後です。チケットが取れない場合は、外に立って、漏れてくる音を聴いていました。

飴屋　ぼくはそのことはぜんぜん知らず、おお柳美里さんだ！というかんじでした。でもその日はあいさつをしただけで、やりとりするようになったのはその一〇年後、『町の形見』（二〇一八年）の、東京での映像上映会がきっかけです。南相馬の被災地の方々が出演したすばらしい作品で、初日に映像を見て衝撃を受けました。ただそれはカメラで定点撮影しただけの記録映像で、俳優ではない方たちの、声が、セリフが非常に聞き取りづらかった。これはもったいないと思い、その日からの上映会にはなるべく全回足を運び、おせっかいにも音声の調整をしてました。

柳　飴屋さんがね、白っぽい灰色のダウンジャケットを着たまま、木箱？　段ボールですか？　なんかミカン箱みたいなのの上に音響卓を置いて、正座でフェーダーを操作してるんですよ。そんなことまでしていただいて、いいんだろうか？と恐縮すると同時に、唐十郎率いる状況劇場に飛び込んで、赤テントで音響を担当していた一七歳の飴屋法水の姿を見た気がして、ファン心理がピークに達しました。いやぁ、痺れましたね。

飴屋　あの作品のためにはできるだけのことをしたかったんです。そのときにもアフタートークをして、そこで「いつかわたしの戯曲を飴屋さんに演出してほしいですね」と、たしかに言われはしましたが、でもほら、社交辞令かもしれないし。

柳　わたし、社交辞令なんて言いませんよ（笑）。東京グランギニョルの追っかけをやってた一〇代のときから、いつか飴屋法水に演出をお願いしたい、と思いつづけていたんです。でもそのあと、わたし自身が四半世紀ものあいだ演劇から遠ざかってしまった。

東　飴屋さんも一時期は演劇から遠ざかっていましたよね。そのふたりが今回タッグを組む、それも二〇二〇年の「復興五輪」の時期に福島で、というのはひとつの必然を感じます。震災後、柳さんは『町の形見』、飴屋さんは『ブルーシート』（二〇一三年）という、ともに被災者の現実と虚構を混ぜ合わせる舞台をつくっています。これもおふたりの共通点です。飴屋さんが被災地の高校生たちとともに『ブルーシート』をつくったきっかけはなんだったのでしょう。

飴屋　いや、それも突然だったんです。ばったり会った平田オリザさんに「来年の一月空いてる？」と聞かれた。空いていると答えたら「いわきの高校生と芝居をつくりなよ」と、その場でもう決められていました。ぼくは劇作家と名乗ったこともないし、以前（二〇〇七年）、平田さんの『転校生』という戯曲を静岡の高校生が演じる舞台の演出をしたので、それを受けての演出の依頼と思ってたんです。それが実際にいわき総合高等学校に行ってみたら、先生から「え？　戯曲は飴屋さんが書くんですよね」と言われ、あわてて。

東　（笑）。

飴屋　そこから上演までの三週間、学校に滞在し、生徒と過ごして話を聞きながら、どうにかすこしずつ書いていきました。ラストシーンを書き上げたのは、初日の午前中だったと思います。ぼくはいつもそんなかんじですが、柳さんは最初にちゃんと全体図を描かれるんですよね？

柳　戯曲の全体図かぁ……。四半世紀のブランクがあるから、一〇代後半から二〇代半ばまでの自分がどんなふうに戯曲を書いていたのか、もはや思い出せないんですけど、さぁ、書くぞ、と執筆態勢に入ると、まず最初に模造紙四枚をセロハンテープでつなぎあわせるんです。で、上演時間の目盛りを入れて、登場人物の入退場や、劇中起こる出来事を点や線で書き込んでいくんです、製図用の一〇〇センチの定規を使って。そこから、劇を立ち上げていたので、全体図というよりかは、建築の設計図をつくるみたいなかんじでした。

小説は、ぜんぜんちがいます。プロットも決めず、いきなり一行目から書き出す。

『町の形見』の場合は前月に『静物画』（二〇一八年）という作品を上演していたので、まったく時間がありませんでした。でも、最初に地元出演者の話を聴きましたね。作品づくりのための聞き取りというよりは、話されているその時間と場所にわたし自身が取り込まれるようなかんじでした。

二作ともわたしが書いて演出したんですが、『町の形見』の出演者は、地元の七〇代の男女八人が中心です。そのうちふたりは視覚障害者です。わずか二週間の稽古期間しか取れなかったんですが、とにかくたいへんで、ほんとうに初日を開けられるんだろうか、となんども天を仰ぎました。そもそも最初の本読みがアクシデント続きで、大工の渡部英夫さんが――相馬地方の「国歌」である民謡「相馬流れ山」の当代随一の歌い手でもあります――出演したくないと言い出し、翌日から稽古に来なくなりました。

わたしは、人生初の便箋ひと束分の手紙を書きました。郵便局のポストに投函して届くのを待っている猶予はないわけです。どうしても出ていただけないのであれば、戯曲を書きなおさなければならないし、納得して出演してくださる場合でも、稽古時間が足りなくなる。手紙を午前二時くらいに書き上げて、住所を頼りに原町の渡部さんちに向かいました。渡部さんが新聞を取りに行くときに手紙があったほうがいい、と思ったから。ところが、渡部さんちの一帯は田畑ばかりで真っ暗なんですよ。街灯はないし、家の灯りもついていない。不審者として通報されるかも、と思いながら、懐中電灯で渡部さんちのポストを探しました。

東　便箋ひと束！　たいへんなエピソードですね。どんな内容だったのでしょう。

柳　渡部さんのご実家は、南相馬で最も津波被害の大きかった地域のひとつである原町区の萱浜《かいばま》です。渡部さんは、原発事故直後、国から屋内退避指示が出されるなかで、萱浜で行方不明者の捜索をたったひとりで行なっていました。ご遺体を見つけたら、瓦礫のなかから引き出して、ペットボトルの水で顔についた泥を流し、ブルーシートに寝かせて、またつぎのご遺体を引き出す。そうしているうちに、ご遺体がカラスにたかられて目をつつかれてしまう、と――。

ある日、日が暮れて家に帰ると、渡部さんの奥さんがお茶を数人分出したそうなんです。ふしぎに思って尋ねると、「だってお客さまがお見えでしょう」と。お茶の数はその日見つけたご遺体の数と一致していたそうです。

渡部さんへの手紙に書いたのは――『町の形見』の観客は生者だけではありません。わたしは、客席に津波で亡くなった死者を招きたい、と考えています。渡部さん、萱浜で見つけた死者に向かってお話ししていただけないでしょうか？

渡部さんは翌日の稽古に、いつもの作業着で現れ、ひと言、「ラブレターをありがとう」と言いました。

渡部さんの物語は、幼年時代に親友とふたりで「海で死にぱぐった（死に損ねた）」話から始まります。その親友は三月一一日の津波に呑まれて亡くなり、渡部さんが萱浜で彼のご遺体を見つけてしまう話につながっていくんですが、渡部さんはなんど試みても幼年時代の話しかできないんです。泣いてしまう。だから、わたしは渡部さんに「泣いてしまったら、そこで席を立って退場してください。話さないでも観客には伝わります」と言いました。ところが、記録した映像ではその「海で死にぱぐった話」の部分だけ、なぜか音声が悪くて、よく聞こえない。渡部さん、だれにも話さないでおこう、と彼と約束し、彼とふたりきりで呑んでいるときでもその話はしなかったそうなんです。だからかな、と……。

飴屋　たしかに。あそこだけ、どんなに調整しても聞こえなかった……。

柳　小高での上演のときも、満席でLaMaMa ODAKAに入場できなかった当日券のお客さまのために、自宅表の本屋フルハウス内にモニターを設置して観ていただいたんですが、そのときもなぜか渡部さんの場面だけ真っ黒になってしまった。

東　それは心霊的な……。

柳　どうなんでしょうか？　でも千秋楽のあとに、渡部さんが、震災からずっと両肩と背中がずっしりと重くてつらかったんだけど、いま、すこし軽い、この劇に出てよかった、とおっしゃいました。

飴屋　地元の方の舞台上での芝居がものすごくしっかりしてるんです。驚きました。しかし短期間にあれだけの方々を集め、上演までもっていくのはたいへんな力技で、その実現力に驚嘆するしかありません。

柳　わたしは臨時災害放送局「南相馬ひばりFM」で、「ふたりとひとり」（二〇一二－一八年）というラジオ番組をやっていたんです。毎週、地元住民ふたりをゲストに招き、「二〇一一年三月一一日、どこでなにをしていましたか？」という質問をしていました。約六〇〇人のゲストのなかから、舞台に立てそうなひとに出演を依頼しました。ですから、『町の形見』は、実際に出演した八人の物語のみならず、六〇〇人分の「時間の層」から生まれた演劇だと思っています。

飴屋　この舞台には地元の被災者の方のほかに、東京から出向いた、いわゆる俳優も出演している。それが構造としてすごくおもしろいと思いました。

舞台の後半、震災当日に避難する場面になると、被災者本人ではなく、俳優が語り手になるんです。被災者の方々は沈黙してそれを見て、聞いているだけになる。ふつう、ドキュメンタリー演劇として当事者を舞台に上げたなら、その日の出来事こそ当事者に語らせたいはずです。けれども柳さんの舞台では、当事者たちが語るのは、あくまでも震災以前の、「記憶の話」だけなんです。

それも被災者のおじいさんやおばあさんが、昔演劇部で演劇をやっていた記憶だったりする。それで当時実際にやってた演劇を再現し始めたり。全盲の女性は、まだ目が見えていたころの自分が、はじめて目が悪いのかもしれないと気づいた日の話をする。すばらしかった。それから戦争体験を語った女性。彼女が自分の記憶として語るのは、なんども夫から聞かされた、彼の戦争体験なんですね。

そして自分自身が体験した震災当日の話になると、こんどは俳優が彼女の体験を語りだし、彼女はじっと聞いている。被災者当人が舞台の上にいるのにもかかわらず、そこで発動されてたのは複雑な虚構というか、徹底的に演劇の原理だったんです。いったいどうやってこんな構造を思いついたんですか。

柳　当事者本人が語ると、広島や長崎の被爆者による「語り部」のようになってしまいます。そうはしたくなかったんです。かといって、プロの俳優だけを使った「再現ドラマ」にもしたくない。『町の形見』は、話者から演者へと記憶のバトンを手渡すような、話者の記憶のなかから場面が漂い出すような劇構造にしました。最後は三月一一日の場面で、俳優たちが演じるんですが、死者のように身体に花——地元に生えている草花——を飾られた当事者たちが客席に対座するかたちで、黙って動かないで座っています。

東　興味深いですね。当事者性の限界というのは、ぼくがゲンロンでこの数年考えていることでもあります。

現実と舞台の関係という点では、飴屋さん自身も似た試みをされています。たとえば『コルバトントリ、』（二〇一五年）では、途中にいちどアフタートークのようなシーンが挟まれていますね。芝居が終わったときのように飴屋さんと山下澄人さんが舞台に上がり、飴屋さんが「原作小説を書かれた山下さんです」と紹介して、山下さんの作品を分析してみせる。その分析も絶妙で、トークショーとしてよくできているんです。けれど、あれは演技ですよね。

飴屋　そうです。演技ですね。というか、演劇ですね。

東　ぼくはあの演出は、アフタートークの限界を示しているように感じました。アフタートークは演劇の外側のように見えても、どうしても内側なんですよね。ぼくがアフタートークが苦手なのはその理由からです。ほんとうは、批評家は舞台に上がってはいけない。どうせ褒めることしかできないということではなく、そうすると観客の体験が捻れてしまうからです。批評家が舞台に上がってしまうと、演劇の内側と外側の境界がおかしくなる。『コルバトントリ、』は逆にその境界をあらかじめ壊すことで、アフタートークを不可能にする作品だと思いました。同じことは『を待ちながら』（二〇一七年）を見たときにも感じました。

飴屋　ぼくには、劇の内側／外側の区別がつかないんだと思います。小劇場に行くと最初に制作の方とかが出てきて、「携帯をお切りください」みたいなことを言う。あれは劇の外側なのか。そもそも劇場自体、客席の壁、舞台上の照明機材やスピーカー、あれらは劇の内側なのか外側なのか。

映画だとぼくはそこまで思わないんです。上映の場所と作品を、もっと切り離して受け止めています。ということは、この「切り離せない」ってことが、たぶん自分の演劇観になるんでしょうね。映画は本質的に「像」というか、「死者という虚構」に会いに行くものです。つまりは「霊」に会うことなので、虚構としてはさほどパラドクスではないんです。ところが演劇は本質的に、「生者という虚構」に会いに行くので、死んだり病気になったりしたら終わってしまう。だから作品とひと、あるいは場所や時間、その境界はどうしてもあいまいなものになる。では小説という虚構はどうなんだろう。柳さんのなかでは演劇と小説の比重は拮抗してるはずなので。

コーヒーとナメクジ

東　今日の収録にあたり、柳さんの『8月の果て』（二〇〇四年）を読んできました。恥ずかしながら未読だったのですが、これはたいへんな傑作ですね。一五年前の小説ですが、日本文学史に残る作品だと思います。韓国の植民地時代から戦後日本までの歴史をある兄弟の人生を通して語りなおした大作ですが、作家のルーツをたどる私小説的な要素もある。日本語と韓国語を往還する文体で、虚構と現実が混ざるポストモダン的な実験もある。残念ながらいまは品切れのようですが、ぜったい再版したほうがいい。

柳　東さんが、再版したほうがいい、と言いつづけてくだされば、再版できる、と思う。『8月の果て』の命運は、東さんにかかっている！（笑）

東　ではこの鼎談で褒め倒しましょう（笑）。実際、オリンピックが扱われているという点でタイムリーな作品でもあります。主人公の李雨哲《イウチョル》は、柳さんの祖父がモデルになっている。彼はアスリートで、一九四〇年の東京オリンピックでマラソン種目への出場を目指していた。小説には、彼を中心に、彼の一族、妻、民族運動と左翼運動に巻き込まれる弟、さらにはその弟に憧れていた女性で、のち中国で従軍慰安婦にされてしまう少女など、さまざまな個性的な人物が出てきます。現実とフィクションが巧みに混ぜ合わされていると感じたのですが、実際にはどうなのでしょうか。

柳　まず、その場所に行く。当時、その場所にいたひとの話を聴く。そして、資料をあたる。朝日新聞と東亜日報の同時連載だったので、人探しや資料集めは、かなり新聞社の力に頼りました。両新聞社にはたいへん感謝しています。

『8月の果て』は、場面が変わるごとにめまぐるしく視点が変化します。視点を持つ人物だけで三〇〇人以上いると思うんですが、日本と韓国と中国でインタビューしたひとは、おそらく三〇〇人以上になるんじゃないかな。当時は、無名の死者を揺すり起こしたい、という思いが強くて、それは執念と言ってもいいくらいのものだった。たとえば、祖父の弟。一〇〇人ほどいる運動場で脚を撃たれ、警察署に連行されて拷問を受け、ほかの活動家とともに幌つきトラックに乗せられて、どこかの山で生き埋めにされた、と。必ず目撃者は存在します。いまはもうほとんどが故人になっていますが、取材当時は、祖父の弟は生きていれば七〇代後半です。目撃者も生きていたわけです。

だから、同級生たちを探し出し、話を聴いていきました。でも、みんな、自分は見ていない、見たひとの話によると、こうだったらしい、と伝聞のようにしか話さない。その話があまりにもリアルで、見てきたように詳しいから、あなた、ほんとうはその場にいたでしょう?と言いたいのを我慢して、表情や身振り手振りを読んでいた。同じ町に、目撃者はいるし、殺人者もいる。埋められた場所もそう遠くないところにあるはずなんですが、結局、突き止めることはできませんでした。そうなると、想像するしかないわけですよね。もちろん、資料は膨大に読み込みました。行き止まりは行き止まりなんです。祖父の弟の遺体にたどりつくことができなかったわけですから。行き止まりから、フィクションが始まる、というかんじでしたね。

東　小説の舞台は韓国南部の慶尚南道にある密陽《ミリャン》という街です。これは実際に柳さんの先祖の土地なんですね。

柳　そうです。密陽は独立運動史でも重要な土地で、共産主義者が多く、かつて「朝鮮のモスクワ」と呼ばれていました。密陽出身で従軍慰安婦になった少女も実在します。

東　美里／密陽という音の重なりも運命的ですよね。柳さんはのち平壌に行かれたときも、平壌がかつて「柳京」と呼ばれていたことに運命を感じていますが、それにつながるものがある。

そしてなにより、オリンピックが効いていると感じました。主人公が東京オリンピックの「日本代表」を目指していて、そしてそのオリンピックそのものが幻になってしまったという設定──史実なのですが──は、二〇二〇年のいま読むとじつに考えさせられるものになっています。本作が書かれたときにはまだ、オリンピックがもういちど東京に来るとはだれも想像もしていなかった。その点では予見的でもある。李雨哲は戦後日本に渡り、アスリートの過去を捨ててパチンコ店の経営に乗り出すのだけど、ある時期を境にまた大会に出場し始める。それがたまたま日韓関係の転換点と時を同じくしていて、個人史と大きな歴史が見事に重なっている。『8月の果て』にはなんどか「すっすっはっはっ」と呼吸の音が混じる独特の語りが入ってくるのですが、この息切れしながらも走りつづける描写自体が、近代朝鮮・日本史のメタファーになっているのですよね。

柳　わたしは本になった自分の作品はいちども読んだことがないので、いまや『8月の果て』については東さんのほうが語れると思うんですが（笑）いま、東さんのお話を聞いていて、『8月の果て』において使った空間のなかの時間を見る視力みたいなものは、『境界の城』でもういちど使える気がします。

東　新作とのつながりということで質問しますが、柳さんは震災前までは、基本的に自分の血縁やルーツをもとに小説を書かれていましたよね。『8月の果て』はその集大成です。震災後は福島の南相馬に盛んに通われていますが、そこにもルーツがあるんですか。

柳　じつは、原町に祖父のパチンコ屋があったんですよ。「大学」という変わった名前で、地元では「おめ、どこの大学さ卒業したんだ？　パチンコ大学だべ」みたいな冗談が言い交わされてたみたいです。そのまえは福島県と新潟県の県境にある南会津郡只見町で、ダムの建設労働者相手にパチンコ屋をやっていたようです。

飴屋　ああ、水力発電のダムなのか。

柳　当時、東洋一の発電量と謳われた田子倉ダムの建設も終わり、こんどは浜通りに原発ができるから、原発労働者相手に商売しようと、家族で原町に移動してきた。

東　そうだったんですか。そこでおじいさんの人生は原発とも絡むんですね。つまり、『8月の果て』から原発への関心、そしてこんどの新作まで、柳さんにとってはぜんぶひとつながりのお話になっている。

柳　わたしが家族で南相馬に引っ越したときはそのことは頭から飛んでいました。最初に暮らした原町の借家から歩いて三分の場所に、浄土真宗の原町別院というお寺があったんです。原町別院の九〇歳近い院代が祖父を知っていて、寺周辺が朝鮮人部落だったというんですね。南相馬における朝鮮人コミュニティの話をいろいろ聴くなかで、毎日原町を走っていたという祖父が出てきたから、驚きました。

東　おじいさんは日本に来てからも走っていた。

柳　祖父は、ときどき、当時わたしたち家族が暮らしていた横浜の借家にも泊まりにきたんですけど、毎朝暗いうちに走りに出て、朝飯前に帰ってくる。卓袱台の上で、祖父だけコーヒーを飲むんですよ。どこかに書いたかな？　祖父はブラックコーヒーにナメクジを入れて飲んでいた！

東　その話は覚えています。『水辺のゆりかご』（一九九七年）に書かれていた。あれはなんですか。健康にいいんですか。

柳　いいと思わなきゃ飲まないでしょうね（笑）。ナメクジを、生きたままね、湯気の立つコーヒーに沈めて、飲むんですよ、つるっと、いや、ほろっと、かな？

東　おお……。そういえばナメクジといえば、飴屋さんもかつて家に一〇〇匹ほど飼っていたと『彼の娘』（二〇一七年）に書かれていましたが……。

飴屋　飼っていました。ヤマナメクジというすごく大きい、二〇センチくらいのナメクジがキノコを食べているところに山で遭遇し、「ナメクジってこんなにかわいいんだ」と。そのまま家に連れて帰って放し飼いを始めました。ナメクジは湿度の高いところが好きだから、そこが快適ならずっとそこにいるんです。それから近所のナメクジを集め始め……。

東　放し飼いで一〇〇匹いたんですか?!

飴屋　放し飼いはヤマナメクジ一匹だけです。残りはちゃんとケースのなかで。

東　よかった……。

飴屋　さすがに壁に一〇〇匹とかいたら、屋内か屋外かわからなくなるし。あ、でも、柳さんも毎シーズン、すごい数の芋虫を自分の部屋で羽化させてるんですよね。

柳　わたしも家のなかで放し飼いにしているので、食卓は芋虫だらけですよ。

東　えええ。

柳　空き瓶とかの一輪挿しをテーブルにいっぱい並べて食草を生けて、彼らを飼育しているんですが、彼らは自由だから、椅子や床に下りてしまったりするんですよ。踏まないように、潰さないように細心の注意を払いながら生活しています。

　子どものころは、虫かごや捕虫網なんて買ってもらえなかったし、レジ袋なんかもなかったですよね。だから、芋虫毛虫を家に連れ帰るときは腕に張りつけていたんですよ。で、その子が食べてる草を摘んで、覚える。日本に棲息してる蝶や蛾の幼虫って約五〇〇〇種いるんですけど、毛深いのが毛虫、毛の薄いのが芋虫って呼ばれてるでしょう。毛虫は、二〇パーセントくらい。そのなかで、触ったら刺されたりかぶれたりするのは二パーセント。つまり、ほとんどの芋虫毛虫は触っても安全なんですよ。子どものころは、どの幼虫がヤバいのか知らなかったから、いつも、全身かぶれてましたね。南相馬はツマグロヒョウモンがたくさんいます。ツマグロヒョウモンの幼虫はスミレ科の植物を食べるので、二〇鉢以上用意して、春になるのを待っています。幼虫を見かけたら鉢ごと家のなかに取り込んでいっしょに暮らし、羽化したら外には放すんですけど、メスが卵を産みに帰ってくるんですよ。里帰り出産です。

飴屋　柳さんが生き物をたくさん飼うひとだと最近知って、びっくりしました。いまはナメクジではないんですが、ぼくもなんやかやと一〇〇匹くらいは常時、家のなかにいますね。人間以外の生き物が。

東　すこし話を戻しましょう（笑）。『8月の果て』をきっかけにうかがいたかったのは、現実と虚構、なにかを調べて事実を書くことと、物語を創作することとの関係です。おふたりは方法論のちがいはありますが、ともに現実と虚構を混ぜ合わせて作品をつくるタイプの作家だと感じます。おふたりのルーツにある演劇というジャンル自体が、そもそもそうした側面を持っているからかもしれません。

飴屋　そのとおりだと思います。それがずっと自分のテーマだとも思います。ナメクジの話をしながら、子どものころのことを思い出していました。

小学校でよくやる夏休みの自由研究で、毎年、カブトムシやモンシロチョウの観察などの発表をしてたんです。理科や生物が好きだったんですね。それがふと、五年生の夏休み、カッパや人魚の観察、あるいはキリンビールのラベルに描かれた麒麟の観察に変わったんです。それらは「架空の」とか「幻想の」とか言われている。でも台所に行けば、瓶の上に麒麟は「現実に」いる。だから「生息地・うちの冷蔵庫」と書き込んだりして……。父親の本棚の百科事典を開いてみても人魚の絵はちゃんと載っている。発表のためにそれを模造紙にスケッチする。胸のあたりを描いていると、子どもながらにちょっとエッチなかんじがして恥ずかしくなってくる。絵に対してそういう感情というか、生理みたいなものまで含めて反応してしまう自分について考えだした。

柳　現実と虚構の境界線の問題は、非常にむずかしいですよね。わたしの場合は、はじめて書いた小説（「石に泳ぐ魚」、一九九四年）が、登場人物のモデルとなった女性から、プライバシー権と名誉権を毀損しているとして訴えられてしまった。

東　オリジナル版はいまでは読めないんですよね。

柳　初出誌は国会図書館でもマスキングされています。裁判は、地裁、高裁、最高裁で八年間続きました。『命』（二〇〇〇年）までの小説はすべて、裁判をしながら書いたわけです。事実と虚構の線を意識せずに書くことはできなかった。原告側の準備書面や、判決文の書面には「ここまでが事実で、ここからが虚構だ」とはっきりと線が引かれ、侵害箇所が列挙されているわけですからね。

東　その経験があったからでしょうか、柳さんはドキュメンタリー作家では入りきれないところまで、事実と虚構をブレンドした方法で入れ込んで書こうとしているように思います。たとえば近作では『JR上野駅公園口』（二〇一四年）などがそうですね。この作品は文庫版の解説を原武史さんが書いているけど、天皇制とホームレスと福島の歴史をこのように重ねるのは小説でないとできない。でも記録としての価値も高い。

あるいは『命』から始まる初期の四部作。『命』『魂』『生』(ともに二〇〇一年)ではドキュメンタリー調だった語りが、最後の『声』(二〇〇二年)ではいっきに、虚構と現実、現在と過去が入り交じったものへと変化していきます。宗教的になっていくと言っていいかもしれませんが、ぼくはあそこは私小説作家・柳美里の真骨頂が現れていると思います。

飴屋　『声』、すばらしいですよね。ひとの記憶にいちばん残るのは声かもしれないし、人形でもアニメーションでも、声さえあれば、人格が立ち上がる。虚構と現実は、声を触媒にすることで境目を失ってしまう。降霊は声に導かれる。

声といえば、先日の小高の『ある晴れた日に』で、ちがう歌手によって歌われた、同じ唄の何バージョンかが流される印象的なシーンがありましたね。しかも、主人公のひとりが、自分がいちばん好きだった歌手の声を聞きまちがえるという、空恐ろしいシーンがサラッと挿入されていた。あそこなど東さんが近年よく言う、「ちょっと似てる」問題にもつながってた。つまり声が、ちょっと似てた、だから彼はまちがえるし、まちがえることができてしまうのでしょう。

東　まさにそうですね。ぼくは私小説の本質は、現実と虚構の区別がつかない、つけられないことにあると思うんです。作者と主人公、記憶と創作の区別がつかない。そういうふうに書かれた文章が私小説的と呼ばれ、その書き手が私小説作家と呼ばれる。

その点で柳さんの作品はじつに私小説的なのですが、それは裏返せば、なにを書いても柳美里という人間の現実だと思われるということでもあります。一〇〇パーセントのフィクションを書いても、柳さんの実体験にもとづいていると思われてしまう。ふつうのエンターテインメント作家が犯罪のシーンを書いても作家自身とは無関係ですが、柳さんが書くと「絶対これやっているでしょ」と受け取られてしまう。実際、それでいろいろ苦労もされてきた。それこそが柳さんの魅力であり、磁場でもあるわけですが。

柳　その磁場は、どこから生じるんでしょうか。わたし自身は、その磁場から自由にもなりたいというか、磁力の外に出たいと、いつも思ってるんですよ。いつか別の名前で書いてみたい。

東　いちどペンネームで小説を書き始めたけれど、すぐ自分自身で正体をバラしてしまったと聞きました。

柳　『週刊現代』に連載した『オンエア』（単行本化二〇〇九年）ですね。あれは、三回目まで覆面作家でいく、という加藤晴之編集長の企画だったんですよ。わたしは、素直に従ったまでのことです（笑）。加藤さんは百田尚樹をベストセラー作家に押し上げた立役者で、有無を言わせない圧があるんです。

『8月の果て』の話に戻ると、さっきちょっと話しましたが、あのときは話を聴かなきゃならない方々がご存命だったんですよ。たとえば、一九三六年のベルリンオリンピックのマラソンで、日本選手として金メダルを獲った孫基禎《ソンギジョン》さん。孫さんと祖父は、日本統治下の朝鮮で生まれ育った長距離ランナーなんですが、ライバルであり、友人だったんです。長生きしたから、友人の孫娘と話ができる、と祖父の思い出を話してくれました。

東　その点でも、二〇〇〇年代の頭に『8月の果て』が書かれたことはとても重要だったと思います。ぼくは『ゲンロン10』に「悪の愚かさについて」（二〇一九年）という長い文章を寄せています。そこで七三一部隊について調べ、一九八〇年代、九〇年代が日本の歴史認識にとって大きな曲がり角だったと感じました。当時はまだ戦争の被害者だけでなく、加害者側も生きている。彼らはたくさん証言を残していて、それが出版されたり、テレビのドキュメンタリーとして流されたりしている。ところが二〇〇〇年代になると、端的に証言者たちが亡くなっていくんですね。その結果、加害者側が忘却することが可能になる。二〇〇〇年代の頭は、戦前について多様な証言を聞けるほんとうにぎりぎりのタイミングだったのだと思います。

柳　でもわたしは、当事者の証言とわたしの想像を「混ぜ合わせる」ようには書いていない気がします。さっき、行き止まりから想像を始める、と言いましたが、その行き止まりの位置の座標は、自分では明確に意識しています。どう言えばいいんだろう？　コーヒーにコーヒーフレッシュを入れて掻き混ぜるんじゃなくて、あえて攪拌しないで渦巻き模様を残すみたいな？　うん？　その場合、当事者の証言がコーヒーで、わたしの想像がコーヒーフレッシュ？　うーん、あんまり、うまくないたとえですね。そもそも、当事者の証言、記憶にもとづいた思い出に、想像や虚構が混入することはよくあることで、ある一日や、ある出来事をそっくりそのまま記憶するなんてことはできないし、記憶って、あちこちに散らばった断片ですよね。

それをつなぎ合わせるためには、物語として再構築する必要があるわけです。虚構の器と想像の水に記憶の断片を入れてみる。

東　まさにコーヒーにナメクジを入れるように。

飴屋　ここでナメクジに戻るんだ（笑）。

社会から切り離されること

東　続けて飴屋さんにもお話をうかがいたいのですが、飴屋さんの場合はこんどは、さきほどからいくどか名前の出ているお嬢さん、「くるみちゃん」が鍵のように感じています。くるみちゃんはむろん現実の人間で、ぼくもなんどもお会いしたことがありますが、『彼の娘』を読むと、飴屋さんは彼女の存在を丸ごと虚構化しようとしているようにも見える。くるみちゃんがいるのかいないのか、現実の存在なのか飴屋さんが想像する架空のキャラクターなのか、どちらともつかないようなテクストとして書かれている。

いささか不躾な質問になってしまうのですが、それは飴屋さんが、彼女をふつうの意味で「人間」と捉えていないからかもしれない、とも思うんです。彼女が飴屋さんの文章に最初に登場するのは、『キミは珍獣《ケダモノ》と暮らせるか？』の文庫版（二〇〇七年）のあとがきではないかと思います。つまり、動物についての本の最後に、「いまいちばん近くにいる動物」として彼女は登場する。

むろん常識的には、動物を飼うことと子どもを育てることは連続しては捉えられません。けれども、飴屋さんにおいては動物と子どもが地続きで捉えられているのではないか。それは、自分の子どもですら動物と同じふうにしか見られないということかもしれないし、逆に、動物ですら自分の子どものように思うということなのかもしれない。いずれにせよ、飴屋さんはその感覚について、ときおり書かれている。ぼくはそれにとても共感するとともに、創作や虚構の問題とも深く関係するように思っています。

柳　飴屋さんはくんちゃんを「子ども」と名づけようとしたんですよね。わたしも自分の息子を名前で呼べず、かなり長いこと「子ども」という総称で呼び掛けていたんです。赤ん坊に名前をつけて呼ぶことが嘘くさく感じられてしまい、呼ぼうとすると無性に恥ずかしくて、呼ぶことができなかった。

東　おふたりに共通する動物への感覚の裏返しかもしれません。

飴屋　ぼくは虚構というものを考えるとき、新幹線で東京から大阪に行くような感覚のことを考えるんです。もしも身体性を現実と呼ぶなら、ぼくは動いてない。座席に座って寝てたりする。しかしまったく同時に、ぼくの身体は大阪に移動している。あきらかに止まっているし、あきらかに移動してもいる。このふたつは体の上では溶けて混ざらないんです。まったく逆のことなのに、それは対立概念ではない。どちらもがほんとうで、でも別々のままに、両方がある。人間以外の動物の体には起こらない現象でしょう。

ぼくは虚構を「嘘」とは捉えてなくて、むしろ「信じていること」と捉えています。逆にぼくにとっての現実は、あえて信じる必要がないものです。夢から覚めるみたいに、つねったら痛いとか。死んだら死んだ、みたいな。

ぼくはくるみに対し、血縁という言葉に値するような感覚、あえて信じる必要がないほどの現実感は持ってないです。信じてるので信じてる、みたいな虚構性だけがある。新幹線で大阪に着くこと、みたいに、信じてるんですよね。

東　わかる気がします。ぼくも似た感覚を持つことがあります。ぼくだったらそれを「ゲーム的」と呼びます。ゲームをプレイするというのは、ゲームがほんとうの世界だと思うということではなく、ゲームのシステムを「信じる」ということです。そのように人生を信じている。

飴屋　そうですね。自分でつくったわけでもない新幹線を信じてるのはなぜかというと、これは人間という集団に対する信用としか言いようがない。ぼくは人間がつくった新幹線や飛行機に乗るし、橋やビルも信じるけれど、同じく人間がつくった結婚制度とか、家父長制にもとづく戸籍や家族というものには、うまく乗ることができなかったんです。だから九〇年代には、別のやり方で家族をつくることを考えて、《パブリックザーメン／公衆精子計画》や《夫婦交換計画》（ともに一九九五年）のようなプロジェクトを行なっていました。

人生や生活においてパートナーができるというのは、要するに特定のだれかを交換不可能と感じるということだろうけど、たいていは手の届く範囲で、偶然出会った相手にすぎない。偶然を縁と言い換えている。そのていどの根拠しかないものが、いつのまにか交換不可能な「価値」になっていく、そのことの意味がわからなかった。出会いだけではなく、「家族計画」や「人生設計」の名のもとに避妊や中絶を繰り返している人間が、しかしあるとき、子どもを産むことにする。そこで決定的な関係が生まれてしまう。ひとが偶然というもの以上に必要とする、必然というか、交換不可能性について、どうしても実感できなかったんです。たぶん動物の交配や繁殖を見すぎてたんだと思います。

だから精子を五〇〇円で売ったり、くじ引きで決まったひとと、何歳だろうが、どんな容姿だろうが、絶対にいっしょに暮らすというようなプロジェクトを試してみたり。化学的な粉末の栄養素だけで生きてみようとしたり。人間には、なにが無理で、なにが可能なのかと探っていたんです。動物との生活もその延長にありました。「動物は家族の一員」と言われたりするけれど、本気でやれば、ほんとうに家族になれるのか。動物の子どもが社会化するまえに種の刷り込みをかけてしまえば、動物もぼくを自分と同種だとまちがえます。性指向の刷り込みがかかれば、ぼくに向かって発情もします。もちろん、身体的な限界があるので子どもは生まれませんが、精神的にはペアにもなれる。それを家族の一形態としようと思った。そんなつもりでアニマルストア「動物堂」をやっていた。人間の子どもを育てるなんてまったく考えていませんでした。

東　その感覚が変わったのはなぜですか。

飴屋　二〇〇五年にやった《バ　ング　ント》展です。ギャラリーのなかにたしか一辺一八〇センチほどの立方体の箱をつくって、そのなかに閉じこもり、二四日間生活するという。真っ暗ななかで最低限の生命維持だけを自分に課したわけですが、その箱から出るときです。ここから出たら子どもを産むぞと――男で「産む」と言うのはへんなのかもしれないけれど、ぼくは「子どもをつくる」という言葉はピンとこないのであえてこう言います――突然思ったんです。

入るまでは、そんな気はまったくなかったんです。くるみの母親はコロスケといいますが、彼女とも子どもを産むことはないと思っていた。それが突然、変わった。危機に陥った生命が「子孫を残さなくては」と思うというのは、動物にはよく起こることらしいです。それが自分にも起きただけかもしれませんが。

東　あの伝説のプロジェクトが転機だったんですね。ところで、これは前々からお聞きしたかったのですが、食べ物や飲み物、あと排泄物の処理などはどうしていたんですか。

飴屋　食べものと水は最初に持ち込んでいました。排泄も介護用おむつで吸収し、なかのポリバケツに溜めていました。なのでいちど入ったあと、箱はほんとうにいっさい開けてないんです。

東　そうなんですか！　でも二四日分となると、排泄物も相当な量になると思いますが……。

飴屋　それが、食べ物といっても固形ではなく、寝たきりのお年寄りや胃を切除したひととかが腸から直接吸収する経腸栄養剤を持ち込んでいたんですね。たしか二日で一缶だったのかな、一日一二五キロカロリーだけは飲んでた。ぼくはこれでも意外と慎重で、箱に入るまえに医者にも相談したんですよ。水も一日二リットルぐらい飲むように医者から言われて持ち込んでありましたが、箱の蓋が閉まってパテで埋められ、真っ暗になった瞬間に、代謝がいきなり落ちたんだと思います。だから一日に缶コーヒー一杯分くらい、二五〇ccていどの水で充分で、それ以上喉も渇かなかった。熊のような哺乳類でも冬眠できるじゃないですか。人間にもそういう機能があるのかもしれません。それで尿は少量していたけれど、便は二四日間で一回だけしか出なかったんです。

東 一回ですか。

飴屋 はい。それもふしぎなことに、プロジェクトが終わりに近づいて、明日ぐらいには箱から出られるぞとなったとき、箱のなかではじめての便が出たんですよ。それから、手がひとりでに拍子を打ち始めた。あとで気づいたのですが、その手は寿司を握るかたちになっていた。どうも回転寿司が食べたかったらしい（笑）。

柳・東 （爆笑）

飴屋 寿司と、便意と、子ども。二四日かけて到達したのがその三つという。箱のなかは純粋な闇だったから、出たときはまったく目を開けられなかった。箱のなかの闇は黒ではなく、すべてが闇になれば、黒と白の意味は同じなんだと知った。出てしばらくは、光ではなく、闇のほうをまぶしいと感じるようになった。闇自体が発光しているように感じられた。だから寝るときに家の電気を消されるのがすごくいやでした。

東 時間感覚はどうなっていたんですか。

飴屋 最初はまったく摑めなくて、いったん寝て起きると、二時間しか経っていないのか一日経ってしまったのかがわかりませんでした。でも、夜間、自販機が切れる音とか、夏だったのでセミの声が聞こえるかとか、次第にリズムができてくる。それにプロジェクトには「外からノックをされたらノックし返す」というルールがあって、それによって観客とコミュニケーションはとっていた。そのせいで開廊時間は把握できていました。だれかわからないままノックの返事をするのが最初はすごくいやでしたけど、観客との唯一のコミュニケーションではあるので、最後のほうはけっこううれしくなりました。

柳　箱のなかで危険な状態になることはなかったんですか。幻覚が見えたり、幻聴が聞こえたり。

飴屋　なかったです。視覚が奪われても聴覚はあって、完全に他人とのコミュニケーションを絶っていたわけではないですしね。ただ、一週間目ぐらいに危ないと感じることはあったんです。というのも、じつはあの展示は父親が死んだ直後に行なったんです。目のまえでひとが死ぬのを見たのは、父の死がはじめてでした。棺桶や骨壺や墓、それらとあの箱は関係していたとは思いますし、展示とは直接には関係がないつもりでしたが、形見のメガネを持って入っていた。手探りでこっそり掛けたりして。

東　なんと。それは知りませんでした。

飴屋　そうしているうちに、自分が父親につながるイメージにとりつかれた。それで、「このまま死んでもいいかな」という誘惑のようなものがありました。そこから列車のレールがガシャンって切り替わるみたいに、ぐるっと反転したんです。あ、親になろうと。
　ぼくはあのひとの子どもだった、のまま死ぬんじゃなくて、ここから出よう、子どもを産もうと。

それはどう言えばいいか……、このまま死んだら、なんかこの遺伝子のままピンで固定されちゃうようなかんじがしたんです。
　偶然に混じったにすぎない自分の遺伝子みたいなものを、固定してしまうのではなく、もういちど、交換可能性のほうに、偶然のほうに放り出すというか。自分にとっての自分という、この濃くなりすぎたかけがえのなさみたいなものを、半分に減らしていくというか。だれかのパートナーになったり、親になるってこういうことかと、たぶん、やっと気づけたんです。

東　パフォーマンスの発案自体、お父さまの死がきっかけだったんでしょうか。

飴屋　……わからないです。よく言うたとえですが、夜、夢を見るときって、どういう夢を見たいかによらず、事故に遭うみたいに見ちゃいますよね。《バ　ング　ント》も、もとはまったく別の内容で展示をやろうとしていた。でもそれがいまいちおもしろくなくて、オープンの一週間くらいまえの朝、起きて、いまからキュレーターに展示やめますと言おうと。それでキッチンで顔を洗っていたら、突然自分が箱に入っているビジョンが見えたんです。見ちゃったら、それはもうやるしかないんです。

東　つまり、一週間前に突然決めた。慎重ではない気もしますが……（笑）。

飴屋　いやいやいや（笑）。
　じつは、子どもに関してはもうひとつ伏線があります。《バ　ング　ント》では大友良英さんに音楽をお願いしてたのですが、九五年の《パブリックザーメン》のとき、大友さんにも精液を提供してもらってたんです。彼の当時のアパートで、まさに大友さんの精液を液体窒素で凍結していたその日の朝、阪神淡路大震災が起こった。凍結されてる精子のわきで、大友さんがテレビの画面をしきりに見てた。画面のなかでは、神戸の街が崩壊し、燃えていた。人工授精というテクノロジーで遺伝子を凍結させてる自分と、テレビのなかで崩壊していく、人間の街の映像を見ている自分。なんかそこには、言いようのない乖離のような感覚があったんです。それからちょうど一〇年経って、もういちど大友さんと展示で組むことになって、あのとき感じた感覚に対してようやく返事を返すというか。だから一週間前に決めたとも言えるし、一〇年かかったのかもしれないです。

ちなみに、ぼくはあの箱は、どこか火星みたいなものだと思っているんです。東さんは火星に興味がおありですよね。

東　SFが好きなので、ロマンチックな火星への憧れがあります。ブラッドベリやP・K・ディックの傑作には親しみました。

飴屋　東さんが二〇一〇年に火星を舞台に『クリュセの魚』を書き始めた。そのすぐあとに、東日本大震災が起きた。勝手なことを言うと、ぼくはこの流れ自体が、東さんのなかで大きかったと思ってるんです。

ぼくは昔、東さんにある種の距離を感じていた。自分とまったくちがうひとだと思っていた。おそらく東さんもそう思っていたのではないか。でもあるとき、ぼくの関心事の中心になっていることを、東さんが哲学者としてやっているのだと思いなおしました。『動物化するポストモダン』（二〇〇一年）

でも、東さんの興味はサブカルとしてのオタクカルチャーというよりはむしろ、オタクのひとがすごく脱社会的だというところにあったんだと気づいたんです。それは東さんのなかの火星や砂漠に対する興味にも似ている。

東　飴屋さんがぼくの小説を読んでくれていたとは、驚きです。『クリュセの魚』は、第二部を書いていたときに震災が起きたのではないかと思います。震災がなければ、ぼくはあのまま小説家を志していたかもしれません。

飴屋さんが火星に関心を向けるのもよくわかります。実際NASAは火星に行くため、飴屋さんのパフォーマンスのような、閉鎖空間でどれだけ人間が耐えられるかの実験をしていますね。ぼくはさきほどの話を聞きながら、アリゾナで見たトレーラーハウスに住むひとたちのことを思い出していました。

アメリカでは昔、西海岸から東海岸までルート66という幹線が走っていました。かつてはメインロードとして使われていましたが、いまは別のハイウェイが開通してしまったので寂れています。町と町のあいだが何十キロという単位で空いていて、アリゾナあたりだと、あいだはほんとうになにもない。その荒地の国道沿いにトレーラーで暮らすひとたちがいて、ぼくは義父の取材についていって話を聞いたことがあるんですね。

ぼくが話を聞いたのは、核戦争で世界が滅びたあとも生き残るという思想の「サバイバリスト」と呼ばれる人々でした。いかなる政府にも頼る気がなく、個人主義を徹底している。トレーラーハウスに住むのはその思想の表れです。ガソリンも備蓄していて、太陽電池で発電もできる。トレーラーハウスのまわりは鉄条網で囲い、銃と番犬で守り、もう二〇年近くまえですが衛星回線でインターネットもできるのだと豪語していました。ただこの話にはオチがあり、そんな砂漠で水をどうするのか尋ねると、「ウォルマートで買うんだ」という（笑）。世界が滅びたらウォルマートもなくなるはずなので、だいぶ話が怪しくなってきますが、ぼくはあのトレーラーハウスの光景が忘れられないんです。

最近はすっかり忘れられていますが、コンピューターの文化はもともと彼らのような個人主義、技術中心主義、ＤＩＹ主義と深いつながりがある。それがアメリカ西海岸の「思想」です。

柳　テクノロジーによって武装し、社会とつながりを断って孤立する生き方ですね。

東　そうです。それはもちろん、文学的な理想でしかない。現実には人間はそんなふうに生きることはできない。けれど、一時期そういう「脱社会的」な生き方を夢見たひとがいろんな国に存在した。火星や砂漠は、そういう夢を語るときによく現れるイメージです。日本は土地が狭いので、サバイバリストではなくオタクが誕生したと言えるのかもしれない。

飴屋　ぼくが箱に入ったのも、引きこもりのフリみたいなもんですね。たったの二四日間ですが、それは脱社会的な時間だったんだと思います。もちろん、社会と切断して生きていくことはできない。それでもいっときその場所に行くことには意味がある。これはまさしく東さんの言う「観光客」だとも思うんです。ぼくはあのとき、真っ暗な箱のなかに観光してたんです。

その場所に実際に行ってみて、そこから、自分が暮らしてる社会を眺めてみたかった。この社会のなかで生きていくうえで、自分が信じたい虚構はどれか、信じることができない虚構、つまりは嘘はなにか、たしかめたかったんだと思います。

演じる、というのは本質的にチープな、インスタントなものです。ジュリエットの一生など決して生きられないからです。しかしいっときでも、この体をその場所に運んだ、いわば「身投げ」であるんですね、演じるという行為は。そういう方法で、ぼくは九五年に見たあの光景の記憶を再生し、再解釈したかったのかもしれません。

話をいまに戻せば、そういうわけで、くるみの身体はもちろん現実でしょうが、彼女とぼくが家族だというのは、信じてるから信じてる虚構です。そういえばぼくがこんなふうだからでしょうが、このないだ彼女が、「ウチの家族ってなんかすごく『万引き家族』っぽいね」としみじみ言うので笑ってしまいました。

東　たしかに、それはちょっと返答に困る(笑)。

柳　飴屋さんがさっきおっしゃった、しょせんたまたま出会っただけなんだから、偶然性を尊重したほうが家族関係もしっくりくるという話はよくわかります。最近、ふと自分のへその緒が入った桐箱を裏返してみて、そこに書かれている父親の名が、自分が父親だと思っているひとの名前とちがうことに気づいたという体験をしたんです。「柳」とはちがう名字が、いったん母親の筆跡で書かれていて、二重線で消されている。調べてみたら、日本のある地域にだけある珍しい名字でした。

飴屋　ああ、へその緒も箱に入っていますね。

東　そのこと、お母さんには尋ねたのですか。

柳　まだ尋ねられていません。というか、尋ねられないと思います。母親とは、ふたりきりでは怖くて会えないんです。顔を合わせたら、母親の顔が変わって、とんでもないことを言い出されそうな気がして……。母親とは一〇代半ばまでいっしょに暮らしていたんですが、中二のときだったかな？　ある夜更けに編み物をしながら突然、「わたしには墓場まで持っていく秘密がある」と言い出したんです。あのとき、母親は、わたしが「なに？　どんな秘密？」と尋ねるのを待っていたような気がします。わたしはしばらく沈黙して自分の部屋に逃げたんですけど、いまでも毎年冬になると、母親から手編みのセーターが送られてくる。なにを考えて編んでたんだろうと思うと、セーターのひと目ひと目が、怖くてたまらない……。

桐箱に入っているへその緒は、わたしと母親、母親と父親、父親とわたしのつながりの証であるはずだったんだけど、桐箱の裏に書かれた名前ひとつでその証が断ち切られてしまった。そして、謎の人物とのつながりが差し出される。ホラーですよ。

東　まさに。それにしても、飴屋さんのパフォーマンスを許したギャラリーは勇気がありますね。飴屋さんが箱のなかで死んでしまう可能性もあった。

柳　二〇〇五年だから、いまから一五年前。わたしが『8月の果て』を書いたのと同じころですね。

東　おおらかな時代だったんですね。いまならツイッターで即炎上して、「通報」されてしまうのではないか。

飴屋　展示来場者が持ち込む菌を混ぜ合わせて可視化した《CONTAMINATED》（一九九二年）、HIV感染者の血液を展示した《COMING OUT》（一九九三年）、菌に国境を越えさせる《丸いジャングル》（一九九六年）など、それこそできないでしょうね。

東　《パブリックザーメン》も無理でしょう。ぼくはあの展示は学生時代に見ています。いまだったら、「実際に妊娠したひとが出たらどう責任を取るんだ」「これは潜在的なレイプなのではないか」と、さまざまな意見が出てくるでしょうね。

飴屋　その問いこそ、実人生や実生活に跳ね返るべきものに思えますけどね。

「時間の第一印象」を掴む

東　最後にもういちど「生きること」と「つくること」の関係に戻って、鼎談を終われればと思います。

いま、一五年前はおおらかな時代だったという話がありましたが、二〇〇〇年代の最初の二〇年間は、いわゆる「マイノリティ」の活動が注目された二〇年間だという見方もできます。そういう観点でいえば、柳さんは女性で、在日韓国人で、しかもいまは被災地に住んでいるわけで、マイノリティの「資格」を三つも持っているわけです。けれども、柳さんを見ていると、どうもこの時代とうまくつきあえているようには見えない。

柳　（笑）。むしろ、フェミニスト方面からは嫌われています。

東　マイノリティ作家として優等生的な作品を書き、文壇で高く評価されるという道もありえたと思いますが、それは選ばなかった。その選択は、たとえば『8月の果て』で言えば、従軍慰安婦の場面での克明かつ過激な性描写のような「政治的に正しくない」部分に現れているように思います。この場面は、発表当時、かなり物議を醸したようですね。

柳　日本でも韓国でもたいへんな批判を受けました。

東　でもあの描写はたいへんな迫力を持っている。あえて言えば、エロティックだからこそ、逆に慰安婦の悲惨さが伝わってくるような構造になっている。ぼくは感銘を受けました。

柳　従軍慰安婦と性は切り離せない。性を描かなければなにも書いたことにならないと思ったんです。

東　そのとおりです。にもかかわらず、それについては被害者を傷つけるかもしれないから書かないということが、ぼくたちの時代の約束事になっている。けれどもほんとうは、作家はそういう約束の外側にいなければいけません。

約束の外側とは想像力の外側ということでもあります。別の話題になりますが、ぼくは原発事故以降、チェルノブイリを訪問するツアーを一年にいちど開催しています。なぜそんなことをわざわざやっているかというと、チェルノブイリにはじめに取材で行ったとき、想像力には限界があると思ったからなんです。日本でチェルノブイリについて書かれたものを読んでも、だいたいは無人の土地や廃墟を想像してしまいます。それは必ずしもまちがいではありません。けれども、現地に行くと、たとえばいまも廃炉作業が続いているので、実際にはじつにたくさんのひとが働いているのですね。そして、現地に行って帰ってきてあらためて本を読むと、おもしろいことに、その事実についてもしっかり書いてあるのです。つまり、ひとはなにかを想像することで、あらかじめそれに合致しない情報を弾いてしまう。ぼくは想像力を信じているからこそ文学や哲学を学んでいるのですが、同時に想像力にはそういう限界もあることを、震災後にとても強く感じました。

この限界はSNSの時代になって、ますます大きくなっていると思います。SNSでは多くのひとがたくさんのことを書いている。けれども想像力の壁によって届かない。チェルノブイリについてであれば、どんなことを訴えても、結局は人々がその言葉に抱くイメージしか届かない。その限界を超えるには、素朴だけど現地にひとを連れて行くのがいちばんだと思いました。

柳　東さんは、原発事故の直後に浪江小学校に行っていますよね。

東　はい。まだ警戒区域に指定されるまえですね。

柳　わたしも、同じ日に浪江小学校に行っているんです。東さんとは、二〇〇八年にチェルフィッチュの『フリータイム』ですれちがい、二〇一一年に浪江小学校ですれちがっている。東浩紀とはすれちがう運命にある、と思っていた。なのに、こうやって、すれちがわずに話をしている。ふしぎです。

浪江町で思い出したんですが、この正月、浪江町の「新春歩け歩け初日の出を拝む会」というイベントに参加しました。暮れに浪江のイオンで買い物した帰りにチラシを見て、元日の明け方に役場に集合し、地元住民と初日の出を拝みに行く会だと書いてあったから気軽に参加したんですが、なんとその会のゴールは墓地だった。請戸の大平山霊園です。請戸は、浪江町で最も死者の多かった地域で、一一九人の方がお亡くなりになりました。消防団員は、三月一一日の夜、瓦礫の隙間から屋根の上で助けを求めるひとの声を聞いています。明日助けに来るから、待ってろ！と励ましの声を掛けた消防団員もいます。でも、一二日の早朝、原発から一〇キロ圏内の町民は避難しなければならなくなったので、助けに行くことができなかった。警察などの捜索活動が始まったのは一ヶ月後でした。第一回目の捜索が行われたころ、東さんもわたしも浪江小学校や請戸のあたりを歩いているんです。

繰り返しますが、「新春歩け歩け初日の出を拝む会」のチラシには、浪江町の犠牲者の名が刻まれた慰霊碑がある請戸の大平山霊園がゴールだとは書かれていなかった。そのことに、霊園でふるまいの浪江焼きそばを食べながら、わたしは違和感を覚えました。でも、震災遺構の請戸小学校の裏から初日の出が姿を現し、津波でなにもなくなった請戸地区に光が広がり、慰霊碑の黒御影石に初日の出が映っているのを見たとき、死者の眼差しを感じると同時に、ああ、初日の出はこうやって拝むのが正しいんだな、と納得したんです。

東　興味深いですね。震災犠牲者のお墓が、初詣の場所になっている。それは日本人の慰霊の発想として、とても自然なものなのかもしれません。

ぼくは福島第一原発に取材に行ったとき、放射線管理区域は神社みたいだと思ったんです。放射能は見えないので、物理的な存在であると同時に、心理的な存在にもならざるをえない。高線量だと聞くと、急にあたりがちがって見えたりする。それは経験としては幽霊が怖いということにひとしい。

見学に行ったのは二〇一三年のことでしたが、廊下や会議室で、一般人でも立ち入り可能な区域と一般人は立ち入りが制限される区域が黄色のガムテープで区切ってありました。同じ部屋のなかに、放射線管理区域とその外側の境界が引かれていたわけです。それはとてもふしぎな光景で、穢れや結界という言葉で語られるものにかぎりなく似ていると思った。一本の線が引かれ、その内側には「穢れ」が蓄積し、そこから安全に出るには「禊」を経る必要がある。そういう空気感も、現場に行かないとわからない。

柳　東さんが旅に出るのは、その場のことを書き始めるまえに、その場にしかない空気を呼吸して自分の体に取り入れる、というところがあるんでしょうか？

東　というよりも、特定の場所の「第一印象」を摑みにいく、というイメージかもしれません。第一印象なんてすぐ忘れてしまうし、まちがっていることも多い。そもそも学問とは第一印象を修正していくプロセスだとすら言えるかもしれない。けれども同時に、なにも知らないからこそ、対象の全体をフラットな状態で見られるということもある。人間は、相手のことを知れば知るほど、自分の関心のある部分としかコミュニケーションしなくなってしまう。たとえば相手が人間であれば、背が高いとか低いとか、太っているとか痩せているとか、そういったことは関係が深まればどんどん忘れていってしまうわけです。けれども、ときにその第一印象こそが真実なこともある。うさんくさいと思いながらも、詐欺師に騙されてしまう場合などです。

柳　なるほど。フラットな状態で第一印象を摑む。東さんがそういう考え方をするようになったのはいつからですか。

東　はっきりいつからとは言えませんが、ぼくはそもそも、批評家とは第一印象を覚えているひとのことではないかと思うんです。別の言い方をすれば、批評家はときに「すごくふつうのこと」を言わなければいけない。深く考えると人間は細かいことをどんどん議論していく。そして議論をしているうちに最初の問題を忘れてしまう。最近のネットはたいていそうですね。

飴屋　関連して質問があります。東さんはかつて、どんな体験についても、時間が経過すると純粋な意味での「当事者」はいなくなると話されていました。ほんとうの当事者は、その被害を受けた瞬間の自分、過去の自分だけだと。それは、性的暴行の被害者の場合などを考えると、向けることがたいへん危険な発言ですよね。けれども、危うい発言だということを承知のうえで、それはほんとうのことだとも思うんです。それといまの第一印象の話、どう関係しますか?

東　そこはむずかしいと思います。実際、傷が癒えるとは、そもそも当事者ではなくなるという意味でもあるはずです。つまり、当事者は当事者ではなくなることを目指して努力しているとも言える。

飴屋　はい。『ブルーシート』のなかにも、「ひとは見たものを、覚えていることができると思う。見たものを、忘れることができると思う」という言葉がありました。

いつまでも第一印象を覚えつづけていたのでは、傷は癒えることがない。

東　批評家や哲学者は第一印象になんども戻らねばならない。それが記憶するということだからです。ぼくが「観光」を肯定的に評価するのもそのためです。

けれども他方で、芸術家には別の使命があるのかもしれません。ぼくたちの時代は、被害者を当事者として扱いつづけることがそのひとを守ることだと思い込んでいる。被害者や犠牲者はいつまでもつらい記憶を乗り越えることができない。そういう意味では、現代はむしろ、被害者にとってより厳しい時代になっているのかもしれない。忘れてしまう、記憶がぼやける、虚構化することこそが、歴史をまえに進めることがある。

柳 じつはわたし、昨年末からうまく眠れなくなり、精神科に通院しているんです。どうやら、幼少期から思春期にかけて性暴力を受けたトラウマが原因のようです。

東 『水辺のゆりかご』ですこし書かれていますね。

柳 トラウマの専門医を紹介されたんですが、カウンセリングを受けることをためらっています。なにも知らないそのひとに、いったいなにを打ち明ければいいのか見当がつかないんですよ。でも虚構を経由すれば、たとえば『8月の果て』の慰安所の話に紛れ込ませることで、だれにも言えないことを打ち明けることができる。物語の器、虚構の器があれば、そこに現実を盛りつけることができる。

東 ああ! あのシーンの迫力にはそんな背景があったのですか。それは想像もしなかった。驚きました。それが想像できなかったのは、ぼくの男性批評家としての限界かもしれない。

人間は大事なことはひとに言えないし、言わない。言ってしまったら、自分の心のなかでかたちが変わってしまう。だからこそ、真実をひとに伝えるときは、ありのままに語るのではなく、あえて虚構にして言わなくてはならないときがある。ぼくは物語や芸術は、そのためにあると思います。いまは「真実は真実として語り、社会に訴えないとダメだ」という考え方が強いですが、真実とはほんとうはそんなふうに言えないものです。

飴屋　それにしても、いま聞きながら思ったのは、自分は被害という記憶を決して共有できないということです。こうして柳さんに向かいあっていて、あるのは自分が加害者でありえたかもしれない感覚ばかりです。女性である柳さんと男性であるぼくは、それだけで被害と加害というセットであるかのような気がする。ぼくは加害の視点からでしか話を聞いていられない。

東　わかります。トランスジェンダーやＬＧＢＴの方もいるので一概には語れないですが、男性はその点で、同じ事件に対しても最初の身体的反応において——それこそ「第一印象」において——読み方がちがってしまうように思います。

飴屋　東さんもおっしゃった男性としての限界、それこそ個の限界、単数の限界だと思うんです。その限界のなかでしか、ぼくは感じ取ることができない。これはきわめて不自由なことですよ。だからだろうか、ぼくはぼくなんぞの「人権」や「自由」より、ぼくがぼくのままでは抜け出せない、「限界」や「不自由」ばかりを考えてしまう。でも、同時に、だからこそぼくは柳さんと組むことで、複数になる意味があるとも思うんです。

東　それにしても、柳さんとぼくは三歳しか年齢がちがわず、しかも同じ横浜で育っている。にもかかわらず、まったく社会の見え方がちがう。柳さんの作品にはじめて出会った二〇年前、ぼくは同じ世代の作品だと思えなかった。でもいまは、逆にそのちがいの意味を考えます。

柳　わたしは黒澤明の『天国と地獄』（一九六三年）でいえば、地獄の側に住んでいましたから（笑）。黒澤が地獄として描いた横浜黄金町の駅前に父親が働いていたパチンコ屋があり、伊勢佐木町に母親が働いていたキャバレーがありました。

東　ぼくは同じ横浜でも、東急田園都市というきわめて虚構性の高い街のなかで青春時代を送っていた。天国とは言えないけれど、テーマパークですね。

飴屋　その街で、東さんが小学生のころハンバーグを食べながら森村誠一の『悪魔の飽食』（一九八一年）を読んだというエピソードが印象的です。動物のひき肉がおいしそうに焼かれ、実際おいしく食べている自分と、『悪魔の飽食』が伝えている七三一部隊の悲惨な事件に思いを馳せる自分の乖離の強烈さ。人間がこんなひどいことをするなんて信じられないという気持ちと、それはさておき肉はうまいという乖離。ぼくに見えてる子どもの顔の東さんは、その乖離にぶち当たり、悩みつづけている少年です。

東　ぼくが育った箱庭のような「田園都市」、つまり八〇年代の消費社会は、あたりまえですが、たくさんの犠牲の上に成立しているんですよね。ぼくが生きていた平和な大衆社会の下には、ほんとうはたくさんの地雷が埋まっていた。でもそれは見えてなかった。ぼくの人生はある意味で、その存在に、徐々に気づいていくプロセスだったと言えるかもしれない。

もちろん、世界は地雷だらけだと最初から気づけるひともいる。今日のおふたりはそういう方だと思います。

けれども逆に、ぼくは、それに気づけないひとの気持ちもわかる。だからいまはそれをどう気づかせるかについて考えている。「悪の愚かさについて」はまさにそれがテーマの文章です。二〇世紀は両面的な時代です。二〇世紀前半ほどひとが死んだ時代もなければ、二〇世紀後半ほど人類が豊かになった時代もない。その両面性についてどう考えるか。戦争は悪かったとか、原発は悪かったとかあとづけで語るのではなく、戦争が善に見え、原発が善に見えたときに人々が「第一印象」でなにを見ていたのか、それを言葉にしたいと考えています。

飴屋　加害と被害といえば、交通事故もずっとぼくのテーマです。地域や貧富や性差を超えて、だれしもが加害の可能性から逃れられない、最もポピュラーな悪が「車」だと思うんです。毎日、一定数のひとが車で死ぬ。死んでいったひとりにとってはたいへんな悲劇です。その死を保険で担保しながら車に乗る。いわば善として肯定しつづけている。ぼくもそうです。なぜそんなことができるのか。加害の側から考えるんです。

すべての動物のなかに内在している「種の論理」「数の論理」みたいなものが、それを可能にさせてしまうのではないか。一定数の個体は死んでかまわない、生き残りがいれば。内在している種の論理はそういうものだろう。その最悪の利用が戦争なのでしょう。個にとって、きわめて残酷な論理です。個体それぞれがよりよく生きる「個の権利」とは完全に矛盾してしまう。しかし食物連鎖を可能にするのはこの「種の論理」でもある。個の生命は軽いからこそ、個が生きられる。この軽さと、重さは、完全にパラドクスなまま、どちらがほんとうでどちらが嘘かというような対立概念ではない。

虚構と現実の問題にも似て、混ざらないコーヒーのまま、同時にある。できることは矛盾を矛盾のまま生きて、どちらかだけに寄せてしまわぬこと、それだけではないか。

東　歴史記述は定義上、あとから振り返ったひとつの歴史にならざるをえない。よく歴史にif（もし）はないと言いますが、それが歴史記述の最大の弱点です。ifがないと、ほんとうは「過去に人々が見ていた未来の可能性」は摑めないんですよ。大事なのは、過去の時点では、そこには複数のifの未来があったということです。一九六〇年代には複数の七〇年代の可能性があり、七〇年代には複数の八〇年代の可能性があった。けれど、歴史はその可能性を記述できないから、ひとはその感覚を忘れてしまう。

最後にもういちど『8月の果て』に戻ると、あの小説は「死霊祭《シッキムクッ》」という降霊の儀式から始まりますね。そして、最後に死んでしまったふたりの登場人物が「死後結婚式《サフギョロンシク》」を挙げるところで終わる。つまり、作品全体が幽霊の物語であり、過去の「あったかもしれない」可能性をすくい出す物語になっている。朝鮮の抗日運動に参加した若者たちが、結果的にはうまくいかなかったにせよ、そこになにを夢見ていたか。そういう思いは、創作でしか言葉にすることができない。

柳　個人史は、飴屋さんのように二四日間箱のなかに入りつづけたり、わたしのようにへその緒の箱の裏を見てしまったことによって、すべてが切り替わる場合がある。東さんは「場所の第一印象」を摑むために旅をするとおっしゃっていましたが、虚構を書くとは「時間の第一印象」を摑むことなのかもしれませんね。

東　虚構を挟むことで、過去に見ていたあいまいな未来の感覚をもういちど摑むことができる。それこそが、ほんとうに過去を摑むということだと思います。

飴屋　東さんは『クォンタム・ファミリーズ』（二〇〇九年）で、可能世界を描いた。それ以降の東さんの著作も、どれも、東さんの個的な人生の「選択」と密接に結びついているように見えます。しかし個的な人生を引き受けるからこそ、東さんは可能世界を手放さずに生きているのではないか。

現実とは結局、交換可能な「複数」のなかから偶然がもたらした、「単数」のことだと思うんです。ひとはその単数を、交換不可能な「必然」として生きていくしかないのだけれど……。

ぼくは可能世界のことを、やはり動物を軸に考えます。一〇〇匹生まれて偶然一匹が生き残る。その一匹は、九九とおりの死、いわば九九とおりの可能世界とともに生きている。であればその生は、単数ではないのではないか。人間の生もそうで、偶然生まれた自分は、偶然生まれなかっただれかの生、偶然死んでしまっただれかの生、さらには自分が加害してしまっただれかの生、それらとともに、絶えず複数の束として生きている。

柳さんの描く物語や、東さんの哲学に触れることが、ぼくに与えてくれるのはそういう感覚です。「人権」や「自由」という言葉を超えた、人間の社会の外側までを含んだ大きな尺度のなかで生きているということ。そのことを、ぼくはこれからも考えつづけたいと思います。単数であるこの体が消えて、複数のなかに霧散する。そのときが来るまでは。

東　本日は長いあいだ、ありがとうございました。

［初出一覧］

草木の生起する国　梅原 猛

２０１２年３月10日、京都、梅原猛邸
テレビ番組「３・11後を生きる君たちへ――東浩紀　梅原猛に会いにいく」として収録
（ＮＨＫ　ＥＴＶ、２０１２年３月26日放送）
のち「草木の生起する国」、『日本２・０　思想地図β３』、ゲンロン、２０１２年

テロの時代の芸術　鈴木忠志　司会＝上田洋子

２０１５年５月23日、東京、ゲンロンカフェ
公開イベント「テロの時代の芸術――批判的知性の復活をめぐって」として収録
のち「演劇、暴力、国家」、『ゲンロン１』、２０１５年

ＳＦから神へ　筒井康隆

２０１５年11月29日、東京、ゲンロンカフェ
公開イベント「パラフィクションとしての筒井康隆――文学の未来、批評の未来」として収録
のち「ＳＦから神へ」、『ゲンロン２』、２０１６年

種の慰霊と森の論理　中沢新一
２０１６年１月12日、東京、新宿某所
「種の慰霊と森の論理」、『ゲンロン２』、２０１６年

文学と政治のあいだで　加藤典洋
２０１７年９月11日、東京、講談社
「私と公、文学と政治について」、『群像』２０１７年11月号、講談社

正義は剰余から生まれる　國分功一郎
２０１７年12月10日、東京、ＶＯＬＶＯ　ＳＴＵＤＩＯ　ＡＯＹＡＭＡ
公開イベント「いま哲学の場所はどこにあるのか」として収録
のち「正義は剰余から生まれる――いま哲学の場所はどこにあるのか」、『ゲンロンβ』第33・34号、２０１９年

デラシネの倫理と観光客　五木寛之＋沼野充義
２０１８年４月20日、東京、ゲンロンカフェ
公開イベント「デラシネの倫理と観光客の哲学――『デラシネの時代』（角川新書）刊行記念イベント」として収録
のち「デラシネの倫理と観光客の哲学」、『ゲンロン９』、２０１８年

歴史は家である　高橋源一郎

２０１８年７月30日、東京、ＶＯＬＶＯ　ＳＴＵＤＩＯ　ＡＯＹＡＭＡ
公開イベント「平成のおわり、文学のおわり」として収録
２０１８年11月28日、東京、ＶＯＬＶＯ　ＳＴＵＤＩＯ　ＡＯＹＡＭＡ
公開イベント「平成のおわり、文学のおわり　＃２――『今夜はひとりぼっちかい？　日本文学盛衰史　戦後文学篇』刊行記念対談」として収録
のち両者を統合し、「歴史は家である」、『ゲンロン10』、２０１９年

国体の変化とジェンダー　原　武史

２０１９年４月５日、東京、ゲンロンカフェ
公開イベント「平成において皇后とはなんだったか」として収録
のち「国体、ジェンダー、令和以後」、『ゲンロン10』、２０１９年

生きることとつくること　飴屋法水＋柳　美里

２０２０年１月31日、東京、ゲンロンオフィス
本書のため収録

編集協力＝ＮＨＫ京都放送局、『群像』編集部、竹永知弘、野村政之、峰尾俊彦、吉田雅史

ゲンロン叢書｜006

新《しん》対《たい》話《わ》篇《へん》

発行日　二〇二〇年四月二五日　第一刷発行

著者　東《あずま》浩紀《ひろき》

発行者　上田洋子
発行所　株式会社ゲンロン
一四一－〇〇三一　東京都品川区西五反田一－一六－六　イルモンドビル二階
電話：〇三－六四一七－九二三〇　ＦＡＸ：〇三－六四一七－九二三一
info@genron.co.jp　http://genron.co.jp/

装幀・目次・扉　水戸部功
本文デザイン　LABORATORIES
組版　株式会社キャップス
印刷・製本　株式会社シナノパブリッシングプレス

ISBN 978-4-907188-36-8 C0095